LOGRA LO eXtraORDINARIO CON EL MÉTODOCC

EDICIÓN REVISADA

HÉCTO

Y LAUI

TEME

LOGRA LO EXTRAORDINARIO con el Método CC.
Por Héctor Teme y Laura Teme ©
Segunda edición 2022
ISBN 9798432855589

Edición: MCC editores
Diseño de portada e interior: Gustavo Marina

Publicado por MCC editores (Miami. Usa)
www.metodocc.com
metodocc@gmail.com
+786 693 9959
metodocc

ÍNDICE

PREFACIO

En los últimos años, hemos entrenado a mucha gente. Dios ha sido bien bueno con nosotros y nos dio el inmenso privilegio de preparar desde estudiantes, hasta líderes de organizaciones de miles de miembros. Por eso creemos que te podemos ayudar también a ti. Y créenos... lo tomamos como un desafío especial porque sabemos que eres único. Es más, consideramos que Dios te dotó de habilidades inigualables que debemos ayudarte a potenciar, a manifestar, a disfrutar, a transferir, a generar. De ahí que lo tomemos con mucha responsabilidad.

FORMACIÓN

Durante gran parte del siglo pasado vivimos bajo la búsqueda constante de la razón y el conocimiento. Creíamos que conocer y saber nos ayudaría a ser mejores personas y que el solo hecho de conocer ya era determinante. Por esa razón, la clave para esos tiempos era la **formación**. En esta etapa se necesitaban **maestros** y **consejeros** que con ánimo entusiasta nos **enseñaran** todo lo que uno necesitaba para cambiar. La palabra clave en esos tiempos era saber y el poder estaba en el **mensaje**.

Recuerdo a muchos que en esos años decían que lo importante era el mensaje y no el mensajero. No obstante, a principios del siglo veintiuno vimos que este modelo se quedaba corto. Por más que formabas, enseñabas y aconsejabas con gran ímpetu, un mundo de cambios constantes avasallaba a la persona. Así que solo ayudábamos a tener excelentes sabelotodos para un mundo que ya no existía.

MOTIVACIÓN

En este tiempo a la formación se le agregó la motivación. Con tal objetivo, se necesitaban **mentores** o **motivadores**. Muchos eran excelentes y nos ayudaron a caminar la milla extra, a dar más, a forjar el carácter. No solo enseñaban, sino también **motivaban** y **alentaban**, por eso el poder estaba en la **experiencia del mentor.** De este modo todo lo que uno traía debido a la formación lo aplicaba con esmero por la presencia de aquel que ya había cruzado el puente y te alentaba a que lo cruzaras también.

TRANSFORMACIÓN

Sin embargo, en estos últimos años vimos que no eran suficientes la formación y la motivación. Por lo tanto, hacía falta la transformación. Para eso, no bastaban los maestros, consejeros, mentores y motivadores. En realidad, necesitábamos **coaches** o **entrenadores**. La palabra clave ya no era solo **saber** ni **alentar**, sino mostrar para ver lo que no veo, para elevarme al siguiente nivel. Entonces, el poder ya no estaba en el saber, ni en la experiencia de tu mentor, sino que quedaba en el **coachee**, en el entrenado, para que él mismo pudiera de allí en adelante seguir por ese camino de transformación. Con el propósito de ayudar a los que han recibido formación y motivación, pero que se han dado cuenta que esto no es suficiente, nació el Método CC.

¿QUÉ ES EL MÉTODO CC?

El Método CC fue nuestra idea después de años de intensos estudios, práctica y docencia de diferentes técnicas, conocimientos y espacios, a fin de ayudar a las personas a ser los que Dios les llamó a ser.

La estructura de este método responde a cuatro módulos que las personas podrán ir incorporando de manera paulatina. Por lo tanto, desde el principio se debe entender que su base está en un criterio de educación transformativa, en lugar de acumulativa. De modo que no solo estamos comprometidos con el saber, o exponer, los conocimientos que trae el Método CC, pues esta no es la clave de su éxito. Su éxito está en su aplicación constante en un marco de aprendizaje transformativo.

La gran mayoría de la educación está desarrollada para que el estudiante adquiera conocimiento. Sin embargo, partiendo de la metodología que vamos a implementar, que denominamos el Método CC, iremos en busca de que no adquieras un simple conocimiento, sino que incorpores conocimiento.

Entonces, ¿cuál es la diferencia entre adquirir e incorporar?

- ⦿ *Adquirir es,* de manera pura y exclusiva, una cuestión mental, de código, de saber más.
- ⦿ *Incorporar,* como la palabra lo indica, es poner en el cuerpo. Además, es sentir en el cuerpo el principio, la distinción, el recurso que se trabaja.

Dile a un niño que se quemará si introduce su mano en el fuego de la hornilla. Quizá la ponga o no, pero que no te quepa duda que si ya lo experimentó una vez, no volverá a hacerlo. Como dice el dicho popular: «El que se quemó con leche, ve una vaca y llora».

Es lamentable, pero la educación que casi todos hemos tenido es académica en sí, que procura la acumulación de conocimiento y mide al estudiante a través de dicha acumulación y su pronta memorización. En los círculos académicos, en medio de la «mesa examinadora», se escucha decir: «Veamos cuánto sabe el alumno acerca de este tema». Así que, el estudiante obligado a que lo midan por lo que sabe, se dedica a adquirir y memorizar datos. Aprende de memoria.

El entrenamiento de **coaching cristiano,** basado en el Método CC, tiene dos partes bien establecidas. Toda la primera parte trata acerca de ti y la segunda es la que trata acerca de ti en tu relación con los demás. Por eso, te ayudaremos a desarrollar una poderosa manera de ser, de modo que más tarde decidas agregarles las distinciones y los recursos que te faltan para relacionarte con otros.

Este método lo hemos desarrollado como una aventura donde iremos escalando. En la base incorporaremos los recursos y las distinciones que necesitamos para subir. Luego, iremos escalando por diferentes peldaños, subiendo, elevándonos, hasta llegar a la cima.

Estamos en un siglo donde la clave no es surcar nuevos mares, sino poder tener nuevos ojos, y en eso nos especializamos. Así que nuestro objetivo es ayudarte, asistirte, de modo que tú, y no nosotros, logres generar los espacios y contextos para ser esa persona que siempre soñaste, o lo que es mejor, para ser quien Dios siempre soñó que fueras. Por eso, el Método CC declara en su enunciado que es un **entrenamiento para lograr el resultado extraordinario con la bendición de Dios.**

Creemos que la vida sin el Dios todopoderoso como tu guía no tiene sentido. Creemos que el Señor Jesucristo es el principal Salvador para cada hombre y mujer que deseen ver una vida diferente y que en las Escrituras está la Palabra inspirada de Dios. De ahí que usemos como simbología las flechas hacia la derecha, con una constante inclinación y reposo en la potestad de las Escrituras, pues creemos en la Palabra de Dios como un Manual de Instrucciones que nos permitirá ver lo que no estamos viendo. Si eres un asiduo lector de las Escrituras, mediante el Método CC podrás llegar a ellas como el lugar de donde proviene la máxima sabiduría disponible para una vida bendecida. Si no lo eres... ¡No pierdas esta oportunidad! En el recorrido que haremos, los lugares que visitaremos y las miradas que profundizaremos, estarán rociados, inspirados o generados por las Sagradas Escrituras, y podrás ver cuánto hay en ellas para el diario vivir y la relación cotidiana en el mundo de hoy. Entonces, ¡manos a la obra!

Héctor y Laura Teme

INTRODUCCIÓN

NO SOMOS CRISTIANOS QUE HACEN COACHING

Más de una vez nos hemos encontrado con diferentes cristianos de organizaciones y denominaciones que han realizado **entrenamientos** o se han preparado en diferentes escuelas de **coaching** existentes en el mundo secular. Muchas de ellas son muy buenas y de gran prestigio, y sus coaches son los que acompañan en sus compromisos a líderes de organizaciones a escala mundial. El solo hecho de venir de un modelo que planea recursos para observar de manera más poderosa la gestión para relacionarse con un propósito y eficiencia, y para que el liderazgo enrole a su equipo y lo ayude a crecer junto con él en medio del desafío, hace del coaching un recurso de suma importancia.

Sin embargo, no somos cristianos que hacemos **coaching**, sino somos **coaches cristianos.** Entonces, ¿en qué radica la diferencia? En que el primer modelo procura generar e introducir la filosofía del **coaching** secular en la iglesia y el que nosotros planteamos se propone introducir, en cada sector y rincón de la sociedad, el sistema de pensamiento de la Palabra de Dios mediante el contexto transformativo del **entrenamiento**.

Los modelos de **coaching** seculares que están ayudando a tantos en el siglo veintiuno no son menos que los modelos que ayudaron en el siglo veinte. Diferentes tipos de psicoterapias procuraban ayudar al hombre a cambiar, pareciendo ser que lo que traía la Palabra de Dios no era suficiente. Esto desarrolló modelos egocéntricos y muchos de ellos bien alejados de la cristiandad, parados en la relatividad de las cosas como molde y en las sensaciones como espejo. Hemos escuchado de asociaciones psicológicas que debaten cómo poder llegar a ser psicólogos y cristianos al mismo tiempo. Esto también sucede en el **coaching**.

Recuerdo hace unos años que en un **entrenamiento** se me acercó uno de los **coaches** más renombrados de América Latina hablándome de la lucha que había tenido durante los últimos años para poder lograr la conjugación de la mirada del **coaching** que profesaba con su servicio comprometido en la iglesia que también cultivaba de manera profunda. Esto le había sido imposible, dado que los modelos que hay en el mundo del **coaching** secular son homocéntricos y relativistas, y desde ese lugar es imposible llegar a permitir que la Palabra de Dios y el corazón de Dios ministren en la vida de una persona.

Como las mismas Escrituras nos mencionan al decir que son «cisternas rotas que no retienen agua» (Jeremías 2:13), y por propia experiencia, les digo que los recursos y las técnicas del **coaching** no bastan para llenar el vacío que tiene el ser humano y que quiere cubrir con la sensación del éxito alcanzado en cualquier campo. Sabemos que esto, por más poderoso que sea, se diluye tarde o temprano. Solo Dios y su poder pueden llenar el vacío y hacer al hombre pleno.

Durante mucho tiempo nos preguntamos cuál era el camino, sin darnos cuenta que la respuesta ha estado desde siempre en las Escrituras:

«Yo soy el camino, la verdad y la vida —le contestó Jesús—. Nadie llega al Padre sino por mí».

Juan 14:6 NVI

Así que nadie puede poner otro fundamento que no sea Cristo. Si creemos y dignificamos en este tiempo estas palabras, debemos examinar en las Escrituras todo lo que nos enseña y nos guía para poder ayudar al ser humano en su conducta, en su manera de ser, en su problemática. Sea cual sea el problema, malestar o trastorno en la vida de un cristiano, la Palabra de Dios puede sanarlo. El gran desafío es generar los contextos y tener la observación aguda de los tiempos que corren de modo que seamos poderosos con un modelo que llegue al corazón de las personas y que puedan usar en su vida, en su familia y en sus organizaciones. De esa manera serán capaces de lograr el resultado extraordinario con la bendición de Dios y disfrutando el proceso.

El Método CC de *coaching cristiano* es un modelo de abordaje del ser humano para ayudarlo en los siguientes aspectos: Ver lo que no ve, descubrir quién es y elegir quién quiere ser. Esto le permitirá saber, con total seguridad, si Dios está bendiciendo su vida y si lo elegido como visión para su andar cotidiano le permite relacionarse con poder, empezando con Cristo y con Él como centro de su vida, amando y disfrutando estar en su presencia, mirando su rostro y poder ver a los otros desde allí.

El *coaching cristiano* te ayuda a incorporar distinciones y recursos para caminar el proceso e incorporar capacidades lingüísticas, relacionales, comunicacionales y de gestión, capaces de hacerte alguien que influye en su medio con un poder basado en principios y valores que nos enseña la misma Palabra de Dios. El Método CC está comprometido a darles los medios a las personas con principios para lograr buenos propósitos. Al final, Dios será glorificado mediante la vida de esa persona en cualquiera de las esferas o campos en los que se mueve y, luego, su testimonio permitirá que otros sigan su ejemplo.

Hemos desarrollado un modelo Cristocéntrico de *coaching* porque creemos que solo Él es la fuente de agua viva que puede saciar la sed en estos tiempos de desierto. Además, este es un modelo de **entrenamiento** del ser humano que parte de las Escrituras para que, sobre estos pilares, la persona o la organización suba al siguiente nivel. Entonces, allí en medio del éxito, este no se diluirá y el *coachee* no se confundirá ni mareará por las alturas, sino que eso le servirá para estar más cerca del Padre celestial. Como resultado, Dios podrá usarlo como un instrumento poderoso, preparado y agudo para llegar a las naciones y contarles que ser cristiano es lo mejor que le puede suceder.

No somos cristianos que hacemos **coaching** buscando en los pensamientos de otros técnicas para que el hombre se realice, sino **coaches cristianos** con todas las letras que, en medio de procesos de **entrenamientos transformativos** (por eso nos gusta llamarnos **coaches**), ayudamos a otros a ir por lo extraordinario con la bendición de Dios y disfrutando el proceso. El **coaching cristiano** es una opción para seguir mostrándole a todo aquel que desea ir por más que puede hacerlo desde la Palabra de Dios y con su unción sobre él, en medio del siglo veintiuno y sus desafíos.

Hace muy poco, le preguntamos a un líder, de una de las organizaciones de Entrenamiento de Líderes más importante de América Latina, acerca de lo que acabas de leer y me dijo: «Ante las diferentes escuelas y filosofías de **coaching** actuales, nacería el más legítimo cuestionamiento: ¿Cuál elegir? Y, en última instancia, esto se determinará por lo que busque cada cual. Es algo así como el viejo dicho: "El mejor vino es el que te gusta a ti"».

Sin embargo, yo iría un poco más allá, ¿cómo asegurar que los recursos que estoy incorporando me ayudarán no solo en un momento y en una esfera determinada de mi vida? Así que para esto necesito ver hacia delante y también hacia atrás y recordar: «Quien no le importe la historia estará condenado a repetirla». Es decir, no mirar el pasado como un imán, sino como una brújula.

Ante esta invitación a observar lo que nos enseña la historia, se revela una gran verdad: No ha existido una referencia que haya permanecido más, que haya tenido tanta vigencia y que haya demostrado más resultados transformadores que la Biblia. En conclusión, al tener que elegir la escuela de **coaching** que voy a incorporar, escogería una cuyos principios sean tan eternos como Dios mismo. Si entendemos que una de las mayores premisas bíblicas no está en el saber, sino en el hacer, aplicar y experimentar la práctica de sus principios, ni la mayor tormenta profesional ni familiar derrumbarán nuestra vida.

EL LOGRO DE LO EXTRAORDINARIO

Te agradecemos la oportunidad de servirte y nos goza el saber que juntos iremos en pos de lo extraordinario con la bendición de Dios. Comenzaremos a desarrollar contigo una relación que de seguro redundará en beneficio de muchos.

Creemos con absoluta convicción que ser cristiano es lo mejor que le puede suceder a una persona y que el cristianismo tiene el llamado en este tiempo a influir de manera positiva en la humanidad. Creemos que terminó el tiempo en el que los cristianos nos juntábamos en comunidades cerradas y vivíamos toda una vida sin conocer a nadie del mundo exterior. Llegó el tiempo especial donde cientos de millones recibirán nuestra influencia, pero no a través de lo que hablemos, sino mediante quiénes decidamos ser. Más que nunca, las *cartas vivientes,* como lo manifestara el apóstol Pablo (véase 2 Corintios 3:2-4), se convierten en una necesidad imperiosa.

Mientras que el mundo vive cada vez con menos principios, los cristianos entendemos cada día más la importancia de crecer y ser la reserva que necesitan nuestras comunidades. Por lo tanto, a través de este libro queremos darte recursos y distinciones que ya han ayudado a miles de personas en diferentes partes del mundo, a fin de que vivas lo extraordinario con la bendición de Dios y que disfrutes el proceso. Llegó la hora que todos, y no unos pocos, puedan contar con el método para diseñar lo que le agrega grandeza a nuestro caminar. Entonces, de esa manera, serás capaz de reflejar a Cristo a través del éxito y muchas personas desearán imitarte.

LIDERAZGO Y ELECCIÓN

Es común escuchar que el liderazgo es cuestión de unos pocos y que toda clase, libro o seminario para líderes es para los escogidos que irán delante de una masa.

Sin embargo, Dios en su sabiduría nos dice que Él ha puesto delante de nosotros la vida y el bien, la muerte y el mal, invitándonos a escoger la vida para que vivamos nosotros y nuestra descendencia:

«Hoy te doy a elegir entre la vida y la muerte, entre el bien y el mal [...] Hoy pongo al cielo y a la tierra por testigos contra ti, de que te he dado a elegir entre la vida y la muerte, entre la bendición y la maldición. Elige, pues, la vida, para que vivan tú y tus descendientes».

Deuteronomio 30:15, 19, nvi

Escoger significa **liderarnos**, y **elegir** es comenzar a ser nosotros quienes llevemos adelante nuestras propias vidas. Dios nos invita a escoger. Así que puedo hacerlo **decidiendo**, que es sopesando todo aquello fuera de mí y comprometiéndome a un curso de acción o eligiendo cuáles son las acciones determinadas por mi interior, por mi manera de ser, por cada parte de mí, más allá de las circunstancias, de las situaciones y de los contextos.

Creemos que ningún éxito puede atribuirse al azar, sino que es el resultado de ciertos principios bien precisos aplicados en un espacio y contexto generativo, y de esto hablaremos en el resto de este libro. No tomamos el éxito como una cuestión de suerte. Tampoco lo tomamos siquiera como una técnica a seguir. Lo que hará el Método CC es ayudarte a generar los espacios para que tú mismo puedas crear, con la bendición de Dios, los contextos y las vías que necesitas para que lo extraordinario sea lo cotidiano en tu vida y no un imposible, un sueño, ni algo inalcanzable. Lo poderoso del método es que radica en ti. Con tal objetivo, iremos subiendo peldaño a peldaño en una manera de observar y de incorporar lo que sea necesario para lograrlo.

A diario escuchamos a personas que piensan que sus vidas están mal y que nada pueden hacer. Son esas que creen que nacieron para ser miserables y que el molde que les tocó era desechable. A esas personas nos gusta declararles desde el mismo principio de esta emocionante aventura que el hombre y la mujer son perfectibles, que pueden mejorarse. Además, si se lo proponen, esto puede suceder en cualquier momento de su vida al aplicar los principios y las virtudes que le puedan llevar hasta allí, al hacer uso del poder disponible para una vida abundante en resultados extraordinarios.

En este viaje debemos saber que la primera condición es creer, pues «al que cree todo le es posible» (Marcos 9:23). Luego, debemos decidir ir en busca de la persona que Dios nos llamó a ser. Si decides hacerlo, el Método CC te ayudará a elevarte hacia ese lugar que será de bendición para ti y para otros.

Durante los últimos quince años hemos **entrenado** líderes en América Latina. Con un profundo estudio de las Sagradas Escrituras hemos ayudado a muchas personas a desempeñarse en un mundo de constante cambio. No obstante, la demanda actual exige que las mujeres y los hombres cristianos se expongan a nuevos sistemas de educación y nuevas miradas para su transformación. Sistemas que le sumen a nuestra amplia gama de recursos bíblicos y distinciones para hablar y relacionarnos en el mundo del siglo veintiuno y el coaching cristiano, basado en el Método CC, es uno de ellos.

EL MÉTODO CC Y SU CAMPO DE APLICACIÓN

En diferentes países, en medio de multitudes o en reuniones pequeñas, hemos escuchado a personas de distintos estratos sociales la misma cantidad de enunciados con respecto a los tiempos en que vivimos. Aunque nos cause estupor, esto no solo está en boca de jóvenes adolescentes impetuosos, sino también en boca de líderes de multitudes. Entre las principales preocupaciones se encuentran las siguientes:

- ⊙ «No sé con exactitud cuál es mi lugar en el mundo y no disfruto de lo que estoy haciendo».
- ⊙ «No hago lo que Dios me mandó a hacer».
- ⊙ «No hago lo que sé que puedo hacer».
- ⊙ «No he logrado hacer mis sueños realidad diseñando acciones poderosas».
- ⊙ «No estoy actuando como hubiera actuado Jesús».
- ⊙ «No me llevo bien con toda la gente y no disfruto de mi red de relaciones».
- ⊙ «No creo que los demás vean que soy una persona comprometida».
- ⊙ «Soy muy sensible a las críticas de los demás y estas afectan mis estados de ánimo».

- ⊙ «En muchas ocasiones, mi trabajo es más importante que mis principios y valores».
- ⊙ «Los resultados extraordinarios son la excepción y no la regla en mi vida».
- ⊙ «No estoy viviendo una vida de santidad».

Si te sientes identificado con alguno de estos enunciados o con todos, permítenos ayudarte. Estos y otros desafíos son los que muchos tuvieron que enfrentar y el Método CC les permitió ver más allá e incorporar lo que no tenían hasta ahora.

En el complejo y vertiginoso entorno de cambios en el que vivimos, nuestras prácticas habituales y las explicaciones con las que vivimos resultan insuficientes para darle sentido a la vida personal y profesional. Las fórmulas del éxito de ayer ya no dan resultado para resolver los problemas de hoy y nos imponen nuevos desafíos para movernos con eficiencia y bienestar dentro de la incertidumbre del presente. Por esa razón, comenzamos a desarrollar el Método CC.

OBJETIVOS GENERALES

El Método CC ayudará a cada persona a enriquecerse en su desempeño profesional y calidad de vida personal, así como lo preparará para facilitar procesos de transformaciones individuales o grupales que permitan el logro de sus objetivos. En el desarrollo irá «subiendo» por la escalera del Método CC que le permitirá, paso a paso, «ir viendo diferente» e ir aplicando principios. Creemos que al finalizar el proceso la persona podrá, además de sus logros personales, evidenciar los siguientes objetivos:

- ⊙ Transformarse en un observador diferente y más poderoso.
- ⊙ Generar resultados extraordinarios al acompañarlos en un proceso de transformación personal.
- ⊙ Renovar su entendimiento para tener acceso a niveles más altos de eficiencia, gozo y bienestar.
- ⊙ Propiciar el cambio y la apertura del aprendizaje que permitan deshacer gran parte de las resistencias.
- ⊙ Producir confianza, sentido de responsabilidad, compromiso e impecabilidad en el desempeño.

EL POR QUÉ DEL MÉTODO CC

El Método CC nace en la necesidad de generar dentro del cristianismo un espacio de aprendizaje transformacional haciendo uso de los recursos del *coaching*. Como también se declara a sí mismo, es una posibilidad para el mundo que ha visto en el *coaching* una disciplina eficaz, pero carente de contenido perpetuo. Esto se debe a que muchos de sus expositores no llevan en su interior la profunda mirada del cristianismo, la integridad, ni la convicción de sus principios y valores, ni el compromiso de vivir cada día un camino de santidad buscando que sea reflejo de su gloria.

El Método CC también permite, por la sencillez y practicidad de su metodología y su desarrollo modular y sistémico, ser de rápida y fácil asimilación para que el compromiso radique en incorporar los principios y llevarlos de inmediato al diario vivir sin tener que vivir comprometido al saber. Aún recordamos que, al comienzo del desarrollo del *método*, nos preguntamos su objetivo de aplicación. Luego, tuvimos la bendición de ver cómo el mismo no es solo de gran utilidad en el mundo cristiano, sino en el empresarial. Esto se comprueba en la importancia de generar una mirada más poderosa a los ya conocidos modelos de administración de las últimas décadas. Por lo tanto, en ese espacio, el Método CC comienza a convertirse en una oferta.

El Método CC es más que técnicas para lograr algo, se trata de un espacio de aprendizaje transformativo. Además, reconociendo que vivimos en un mundo donde las ideas ya no vienen solas, sino con el apoyo de lo visual, hemos buscado un gráfico que nos permite representar su contenido. De esta manera, la persona es capaz de experimentar una incorporación simple de miradas, distinciones, recursos y principios que, en el contexto creado, le posibilita ver lo que no veía hasta ahora. A través de esta figura, y subiendo por cada uno de sus niveles, el participante podrá elevarse sin necesidad de transportarse. Creemos que vivimos en un tiempo donde los procesos de inmersión alejados del mundo real ya no bastan para lograr la transformación, sino que debemos generar contextos donde cada uno pueda crecer en su observación de la vida cotidiana.

En siglos pasados, los procesos de crecimiento o experimentación eran muy eficaces. Aquí las personas dejaban su lugar de origen para viajar a uno remoto donde lo único importante era el programa a realizar. El abandono geográfico de un lugar ayudaba a la concentración en otra mirada. De ese modo, la persona lograba «incorporar» esa cultura y mimetizarse en dicho lugar. Esto ya dejó de existir en los tiempos de la globalización. En casi todos los lugares del mundo existe un McDonald's y en casi todas partes uno puede hablar con sus familiares sin costo, tener colegios en el idioma de donde se es oriundo, un grupo del mismo sitio con quienes pasar tiempo, etc. Son procesos donde uno está lejos, pero sigue siendo el mismo. Cree que cambia por estar en otra cultura, pero solo la observa desde la perspectiva de la primera que no cambia. La globalización, debido a que en algunos aspectos ayuda para acercarnos, en otros nos aísla. Es más, nos aleja, aunque parezcamos estar juntos. Por eso creemos que llegó el momento en el que uno puede vivir un aprendizaje transformativo en la misma realidad geográfica donde se vive, pero de una manera más elevada.

El Método CC está diseñado para que se «incorpore» (poner en el cuerpo) el conocimiento o el saber, y que no solo se «adquiera» el mismo. Su desarrollo está dado en el marco del aprendizaje transformacional, de modo que cada individuo pueda más tarde, sin ayuda constante, aplicar cada principio en su vida, en sus proyectos y distinguirse de manera poderosa en su red de relaciones.

El Método CC es un programa de cinco niveles. Durante el mismo, el **entrenador** (coach) ayuda al **entrenado** (coachee) a poner en claro el lugar en el que se encuentra en ese momento (estado actual) y a elevarse hacia el lugar al que desea llegar (estado deseado). Esto lo hace ayudándolo a subir a través de diferentes niveles por los que la persona decide comprometerse a ir subiendo. Para comenzar, haremos una introducción y nos acomodaremos en la base de la montaña. Allí nos equiparamos con los recursos y distinciones que nos ayudarán a llegar a la cima.

Dios permita que nuestro desafío sea elevar nuestros principios, nuestras distinciones y nuestras formas de actuar, a fin de que no veamos lo mismo, sino que veamos más...

PRIMERA PARTE:
MANERA DE VER

DIOS NO NOS DIO EL PODER PARA VER LAS COSAS COMO SON, SINO PARA QUE LAS VEAMOS COMO SOMOS.

MÉTODOCC

MODELO CRISTO CÉNTRICO
VOLUNTAD DE DIOS
COMPROMISOS PROPIOS PARA IR HACIA ESE LUGAR

 MANERA DE VER

MANERA DE SER

 MANERA DE RELACIONARSE

 MANERA DE LOGRARLO

CAPÍTULO 1

COMIENZA LA AVENTURA EN LA BASE DE LA MONTAÑA

No podemos subir hacia el resultado extraordinario si no contamos con recursos y con distinciones para movernos hasta la cima. Muchos han pretendido vivir en un nivel elevado con la misma manera de ser que tenían en la base.

Vemos cómo los alpinistas se preparan para no marearse cuando lleguen a la cima o estar lo suficiente listos para cada contingencia durante el ascenso. Sin embargo, los cristianos que buscan resultados extraordinarios en sus vidas, en sus familias, en sus iglesias y en sus organizaciones llegan allí después de una lucha tras otra, dejando muchas cosas libradas a las circunstancias y empujando en el sacrificio lo que solucionaría una mirada más aguda y una preparación para las alturas. Investiguemos, entonces, cómo se prepara un alpinista para llegar a elevarse.

Uno de los mayores riesgos que corren los alpinistas es el llamado «mal de altura» o «mal de montaña». Esto viene determinado por la disminución de la presión de oxígeno que se produce cuando aumenta la altitud. ¿Cómo ocurre?

Nuestro organismo produce una mayor cantidad de una sustancia, de moda en el deporte de élite, llamada eritropoyetina (EPO, que es su versión sintética). Esta hormona aumenta la cantidad de glóbulos rojos, que son los encargados de transportar el oxígeno hasta las células. El riesgo está en que la sangre se espesa y pueden sobrevenir congelaciones o infartos, a los que los alpinistas combaten tomando aspirinas (vasodilatador) y bebiendo mucho líquido.

Cuando lo analizamos, vemos que cada altura tiene sus riesgos:

- ◉ *2000 Metros:* Algunas personas comienzan a padecer los primeros síntomas, sobre todo si existe un esfuerzo prolongado, así como ligeros mareos o náuseas y cansancio.

- ◉ *3000 Metros:* A no ser que ya estén aclimatadas, se acentúan los mareos y las náuseas.

- ◉ *4000 Metros:* Este es el umbral de las grandes alturas. A partir de aquí es imprescindible un proceso de aclimatación que es válido hasta los siete mil quinientos metros. Se producen dolores de cabeza, vómitos, mareos y malestar general, y se corre el peligro de infarto.

- ◉ *7500 Metros:* Línea que define la llamada Zona de la Muerte. A partir de esta altura, la aclimatación no es eficaz, y el organismo sufre de un deterioro imparable, que es un grave peligro de cualquier tipo de edema.

En el Everest, la presión de oxígeno es apenas un tercio de la que hay al nivel del mar. En la vida cotidiana pasa lo mismo. Encontramos personas que en niveles bajos de responsabilidad o riesgo caminan y se mueven entre la gente o las circunstancias sin problemas. Sin embargo, en cuanto comienzan a subir en adversidad, responsabilidad o espiritualidad, empiezan los problemas. ¿Por qué? Porque no tienen el cuidado de subir con el suficiente oxígeno extra. Porque solo subieron por sus habilidades y no por su carácter. Porque lo hicieron por deseos de superación y no de ampliación interior. Porque lo hicieron para llegar alto y no para lograr una vida más elevada. Porque lo hicieron mirándose el ombligo y, desde el punto de vista físico, esa posición te deja siempre sin aire.

Hace poco se supo la historia de un alpinista español que fue uno de los pocos en llegar a la cumbre del Everest sin artilugios médicos ni oxígeno extra. Soportando temperaturas de treinta y cinco grados bajo cero, fuertes vientos y sometido a los efectos de la más terrible altitud, el hombre ascendió hasta los 8.850 m sin oxígeno artificial.

Su proverbial fortaleza física le permitió continuar la ascensión, a pesar de que antes de llegar al Segundo Escalón, el obstáculo más difícil de la arista nordeste del Everest, ya tenía la visión borrosa. Era parecido a lo que sufrían tres de sus compañeros. Estos decidieron retroceder, pero nuestro héroe siguió. Entonces, después de nueve horas de caminata para salvar un desnivel de sólo quinientos cincuenta metros, llegó a la cima. Apenas un instante allí arriba para comunicarles a todos su éxito, emprendió el regreso.

Cuando llevaba recorrido el primer tramo de la bajada, s*e le acabó la gasolina.* Exhausto, atacado por el mal de montaña, con principio de edema, serias afecciones en la vista y con una costilla rota, debido a un golpe que se dio con su piolet justo en el segundo escalón, le quedaba más de la mitad del camino hasta la seguridad del último campamento. Solo su carácter le impidió rendirse en la arista más alta del mundo y proseguir un descenso que estuvo a punto de costarle la vida. La preparación y el carácter le permitieron subir hasta las cumbres más altas y bajar con vida.

¿Cómo puedes prepararte para la travesía de subir cada montaña de desafíos que tienes por delante sin recurrir a agentes externos ni oxígeno prestado? ¿Qué debo tener en cuenta para que al llegar a la altura del éxito, o del logro, el mismo no se me torne en contra produciéndome «el mal de montaña»?

Puedes subir a la montaña que quieras si te preparas en ampliar la superficie de tu corazón, si eliges desarrollar un carácter basado en los principios de las Escrituras y no en las reglas de juego de un mundo despiadado. Puedes seguir en la montaña sin que te den nauseas, cansancio en general, vómitos, mareos, si decides forjar tu carácter en el mayor oxígeno que nuestros pulmones espirituales pueden recibir que es una íntima relación con el mayor de todos: el rey de Reyes y Señor de señores, Jesucristo, y preguntarte a cada instante que haría Él en tu lugar y en esa circunstancia. Con la bendición de Dios seremos capaces de subir a la cumbre del resultado extraordinario.

¿Cómo se llama esto en tu vida? ¿Qué cumbres tienes por delante? Todas se pueden escalar. No lo dudes. ¿Ya estás en una cumbre de servicio, de demanda, de relación íntima o de trabajo y te cansaste? ¿Tienes vómitos y te falta el aire? Respira el más grato soplo de vida que Dios tiene para ti que es su Espíritu en manifestación y mira a quien desde lo más alto se humilló hasta lo más bajo para poder darnos aire a todos, Jesucristo.

Entonces, cuando llegues a la cima, no intentes quedarte allí. Los alpinistas lo saben bien. Las cumbres son para disfrutar la ascensión y guardar en el corazón el paisaje, así como para juntar fuerzas para la bajada. Subir y bajar es parte de la vida del que camina por grandes desafíos.

HACIA LA CUMBRE

En nuestra caminata a través del Método CC hacia la cumbre, o las cumbres, de nuestra vida, iremos «incorporando» miradas, recursos, distinciones y principios en cada módulo, en cada escalón que decidimos subir.

Entendiendo desde el principio que el Método CC se basa en un criterio de educación transformativa y no acumulativa, muchos que llegan a este método procuran «saber» más y con ello creer que eso les permitirá elevarse. Sin duda, les permitirá ser mejores en el nivel de relación, de trabajo, en su manera de ser actual, pero para subir hay que transformarse...

Como ya vimos en el «Prefacio», la clave del éxito del Método CC radica en su aplicación constante en un marco de aprendizaje transformativo. Uno de los ejemplos que más me gusta de aprendizaje transformativo y no solo de adquirir conocimiento es la historia del rey y el súbdito.

Cuenta la historia de un rey de la India que poseía uno de los palacios más hermosos y uno de los reinos más bendecidos de todo Oriente. En cierta ocasión, se le acerca uno de sus súbditos y le dice:

—Rey, quisiera conocer la clave para que, a pesar de tener todas estas posesiones y lujo, siga siendo una persona humilde,

amorosa y de bendición para los demás. ¿Cómo ha logrado ser humilde en medio de tanto oro?

—Te lo revelaré si recorres mi palacio para comprender la magnitud de mi riqueza —le dijo el rey—. Pero lleva una vela encendida. Si se apaga, te decapitaré.

El súbdito comenzó su caminata por el palacio recorriendo todo el lugar lleno de belleza y esplendor con la vela en la mano. Al final del paseo, el rey le preguntó:

—¿Qué piensas de mis riquezas?

—No vi nada. Solo me preocupé de que la llama no se apagará —respondió el súbdito.

—Ese es mi secreto —le respondió el rey—. Estoy tan ocupado tratando de avivar mi llama interior, que no me interesan las riquezas externas.

El súbdito «puso» esto en su cuerpo, es decir, «incorporó» la enseñanza. Si el rey le hubiera contado los «cómo» de su humildad y su hombría de bien, es probable que esto hubiera llegado a la mente del súbdito, pero eso no nos asegura que hubiera llegado a su corazón. La Palabra misma lo dice así:

Sobre toda cosa guardada, guarda tu corazón; porque de él mana la vida.

Proverbios 4:23

Según y como uno es en el corazón, así somos en realidad. Además, en este contexto podemos agregar que de acuerdo a lo que uno tiene en su corazón, así mira. El rey se aseguró de ayudar a su súbdito con el fin de que incorporara una enseñanza que le permitiera subir a un nivel diferente.

Muchas veces acumulamos principios increíbles, o maneras de actuar que de seguro cambiarían nuestra vida y nos llevarían sin escalas hacia una vida elevada. Sin embargo, no los podemos aplicar, ni los podemos llevar a nuestro diario vivir. Lo intentamos un par de días hasta que queda en el olvido, pues lo pusimos en la memoria, pero no en el cuerpo.

BASTA DE ESTUDIAR... ES HORA DE APRENDER

El siglo XX se fue con todas sus pompas. Nos hizo creer que trabajó de manera denodada para preparar un mundo mejor, pero los que vivimos en el siglo XXI sabemos que no tenemos un mundo mejor, sino un mundo distinto. Entre uno y otro hay claras diferencias.

En el siglo XX debíamos dedicar años de nuestra vida a estudiar para luego ejercer. En cambio, en el siglo XXI se vive en el aprendizaje constante. Esto se debe a que no es un mundo que haya cambiado y después se haya estabilizado, sino a que se dio inicio a un proceso de cambio constante que exige un aprendizaje constante.

El aprendizaje no se resume en acumular conocimiento que, cuando se expone, se certifica con un diploma. Más bien es un río fluyendo donde cada día le incorporas nuevas observaciones, nuevos logros, nuevos resultados. No creemos en el tiempo de solo seguir una carrera, sino en el que debemos «estar en carrera» viviendo cada día como el primero y no como el último.

Nos encontramos con muchas personas con una preparación excelente para un mundo que ya no existe. Salen a la vida en busca de aplicar su conocimiento acumulado y creyendo que terminó la hora de aprender. Entonces, descubren que cambiaron las reglas del juego y que si bien la información recibida es muy útil, no les resulta suficiente.

Una de las cosas que hace poderoso el Método CC es el de generar espacios con Dios. Comprometidos a esta relación y espacio, iremos recorriendo y aventurándonos por el entorno de una imagen que representa y enmarca cada uno de los puntos de la carrera hacia la cima. Luego, a través de esta imagen, iremos viviendo la experiencia de aprender...

PRIMERA PARTE:
MANERA DE VER

DIOS NO NOS DIO EL PODER PARA VER LAS COSAS COMO SON, SINO PARA QUE LAS VEAMOS COMO SOMOS.

©MÉTODOCC

**MODELO CRISTO CÉNTRICO
VOLUNTAD DE DIOS**
COMPROMISOS PROPIOS PARA IR HACIA ESE LUGAR

| 👁 MANERA DE VER | 🧑 MANERA DE SER | 💬 MANERA DE RELACIONARSE | 🏆 MANERA DE LOGRARLO |

PLENITUD		RESULTADO EXTRAORDINARIO
VALORACIÓN	APRENDIZAJE - RESPONSABILIDAD - COMPROMISOS / ORACIÓN / DISCIPLINA - PERSEVERANCIA - RESILIENCIA	OPINIÓN
COMUNIÓN		RELACIÓN
UNCIÓN		VISIÓN
GENERACIÓN		MISIÓN

| 7 DISTINCIONES | TIPO DE OBSERVADOR |

CAPÍTULO 2

PREPÁRATE EN LA BASE E INCORPORA EL LEMA A TU VIDA

Antes de incorporar distinciones y recursos, antes de subir hacia la cima, antes de declarar lo extraordinario, debo optar por hacerlo. Basta de vivir por reacción o conforme a lo que nos exigen las circunstancias. Elegimos crecer y hacerlo de manera consciente. El lema del Método CC es una excelente manera de comenzar a escalar: «En busca del resultado extraordinario con la bendición de Dios y disfrutando el proceso».

EN BUSCA

En la primera parte de este lema decimos «en busca». ¿Por qué decimos «en busca»? Porque lo que plantea el Método CC es que llegó la hora de que seas protagonista de tu vida y que dejes de ser una víctima.

A muchos de nosotros nos han educado para ser víctimas y sólo víctimas, personas que se pasan la vida siendo una consecuencia de las circunstancias. El mundo está siempre buscando que cada cosa que pase a tu alrededor te afecte, que tú reacciones, que decidas solo guiarte por lo que pasa afuera. Así que decimos «en busca» porque esto implica una elección.

En el Método CC nos gusta establecer la diferencia entre elección y decisión. Nos pasamos la vida eligiendo y decidiendo.

- **Decidir** significa todas esas cosas en que actúo de acuerdo con las circunstancias externas a mí. Vivimos haciendo decisiones.

- **Elegir** es todas las acciones que llevo a cabo por lo que tengo dentro de mí y no por las circunstancias externas.

Cuando en tu vida empiezas a hacer más elecciones que decisiones, es porque vas por buen camino. Vas hacia el resultado extraordinario. Para subir hacia la cima debemos elegir a dónde queremos ir. Nunca llegaremos al lugar que no elegimos llegar... y eso pasa. El ser víctima del pasado, de las circunstancias y de la cultura ha hecho que millones caminen por la vida esperando que esta te dé. ¿Qué tienes para ofrecerle a la vida?

Del mismo modo encontramos cristianos caminando por la vida relacionándose con Dios solo para esperar de Él. La pregunta ahora es: ¿Qué tienes para ofrecerle? Hacerse cargo de lo que somos y a dónde vamos nos permitirá construir un futuro de bendición y aceptación más allá de las circunstancias.

¿En busca de qué? En busca del resultado. Muchos cristianos solo viven tras sueños, pero no los bajan a tierra. Ha llegado el tiempo de bajar a tierra los sueños, dejar de soñar, dejar de tenerlos allá arriba.

En los dos últimos años, hemos llegado a más de ciento cincuenta mil personas con el Método CC debido a que el Señor abrió puertas. Él ya nos había dado la palabra, como a un sinnúmero de ustedes que les dijo en algún momento que Él quiere bendición para sus vidas. Sin embargo, hay muchos que se quedan dando vueltas en las circunstancias viendo si algún otro va a elegir en su lugar, en vez de tomar la decisión de ir hacia Dios. Así que es clave entender el concepto de «resultado».

RESULTADO

En los últimos años, hemos tenido modelos inclinados por completo a los resultados, donde esto es lo único que importa. Por eso, muchos cristianos dicen: «Bueno, no corramos hacia el resultado. No importa si mañana comemos o no comemos, Dios me va a bendecir de igual manera». ¡Seguro que te va a bendecir! Aun así, Dios quiere que comas, y si no estás comiendo, no tiene nada que ver con Él, sino contigo.

Dios quiere que tengas bendición a tu alrededor, quiere que vayas y te hagas cargo del futuro, y Él te va a dar esa tierra, lo prometido. Te va a bendecir. Sin embargo, el resultado por el resultado en sí no es suficiente. No nos gusta hablar del resultado sólo como un lugar allá lejos al que llegaré algún día, sino al proceso que me lleva hasta allí. Además, decimos que resultado sin visión y sin identidad es solo efímero, vacío, pero cuando voy hacia un resultado, ya estoy desarrollando una visión. Cuando voy hacia ese lugar, estoy eligiendo quién quiero ser. Empiezo a disfrutar del caminar.

EXTRAORDINARIO

Extraordinario es lo que va más allá de lo ordinario, del orden común. No es algo despectivo. Lo que te va a llevar a disfrutar de la vida diferente es poder hacer lo que está más allá de lo que haces casi siempre. A veces, se quieren hacer cosas nuevas con viejas maneras y por eso no suceden muchas de las cosas que deseamos.

¿Qué debería suceder en tu vida que no ocurre todos los días y te gustaría que así fuera? Es probable que esto se deba a que tu manera de ser actual no te permite que lo vivas. Empecemos a crear, a pensar, a buscar. Elijamos ir hacia lo extraordinario, aprendamos nuevas cosas y Dios nos va a poder bendecir y seremos capaces de alinearnos con Él. Por ejemplo:

- ⊙ El profeta Elías invita a Eliseo a que viva algo más allá de lo de todos los días.
- ⊙ Jesús invita al joven rico a algo más allá de lo de todos los días.
- ⊙ Jesús invita a Pedro a algo más allá de lo de todos los días.

CON LA BENDICIÓN DE DIOS

Hay muchas personas que tienen resultados en su vida, pero sin la bendición de Dios. En el libro de los Salmos aparece una bienaventuranza para los que meditan en la ley del Señor:

Bienaventurado el varón que no anduvo en consejo de malos, ni estuvo en camino de pecadores, ni en silla de escarnecedores se ha sentado; sino que en la ley de Jehová está su delicia, y en su ley medita de día y de noche. Será como árbol plantado junto a corrientes de aguas, que da su fruto en su tiempo, y su hoja no cae; y todo lo que hace, prosperará.

Salmo 1:1-3

Como ves, ni siquiera en el tiempo de la sequía dejará de dar fruto. Entonces, ¿logras ver cuándo viene el calor y la sequía?

¿Está tu vida plantada junto a aguas? ¿Te mantienes dando fruto aun en el tiempo difícil, en las temporadas que parecen que te vienen a destruir?

Muchos quieren tener bendición, pero andan en el desierto aislados y secos. ¿Te congregas todas las semanas, hablas con tus hermanos, te juntas con tu grupo, tienes comunión con ellos, adoras a Dios, estudias las Escrituras? Es probable que esto te ayude a ver cuándo viene el calor. Te lo preguntaré de otro modo: ¿Estás sufriendo de calor en tu vida? ¿Vives seco en medio del desierto? ¿Todo te sale mal y no sabes por qué? Quizá hoy haya llegado la hora de elegir plantar tu vida junto a la corriente de agua viva que es Dios y su Palabra. El varón bendito es el que tiene su vida plantada junto a corrientes de aguas que fluyen sin cesar en bendición.

Lo determinante aquí es la bendición de Dios. Con esto, empiezan a sucederte cosas. ¿Por qué? Porque fuiste en busca del resultado extraordinario, no lo de todos los días. Además, plantado junto a la Palabra y con Dios, haces que sus raíces penetren en tu ser, en tu vida.

A través de esta aventura, te vamos a **entrenar** para que puedas ir en busca del resultado extraordinario con la bendición de Dios y disfrutando el proceso.

EL DISFRUTE DEL PROCESO

Nos apasiona pensar en que todo esto se logra disfrutando el proceso. Creemos que Dios quiere que vivamos una vida en paz y descanso personal. Desde el comienzo nos enseñó a disfrutar.

¿En qué día de la creación nos hizo Dios? En el sexto día. ¿Qué pasó en el séptimo día? Descansaron. ¡Lo primero que Dios invitó al hombre a hacer fue a descansar!

El deseo de Dios para tu vida es que reposes, que descanses. No dije que duermas, dije que descanses, y esto es el reposo en el Señor. Él quiere que tengas una vida reposada. Si en tu éxito tienes estrés, es un dolor de cabeza. Se trata de un éxito donde llegas a tu casa temblando y tu cónyuge o familiar te pregunta: «¿Qué te pasó?». Entonces, le respondes que tuviste mucho trabajo hoy. Si ese es el tipo de vida que estás viviendo, no estás disfrutando el proceso, no estás reposando en el Señor. El Salmo 46:10 nos habla de estar quietos, reposados: «Estad quietos, y conoced que yo soy Dios». También la Biblia nos dice que el gozo de Jehová es nuestra fuerza y vivir su alegría es comprender su poder en nosotros: «El gozo del Señor es nuestra fortaleza» (Nehemías 8:10, nvi).

Uno de los aportes del Método CC a la cristiandad es que creemos que se puede buscar y lograr un resultado extraordinario en la vida con la **bendición de Dios.**

PRIMERA PARTE:
MANERA DE VER

DIOS NO NOS DIO EL PODER PARA VER LAS COSAS COMO SON, SINO PARA QUE LAS VEAMOS COMO SOMOS.

MÉTODOCC

MODELO CRISTO CÉNTRICO
VOLUNTAD DE DIOS
COMPROMISOS PROPIOS PARA IR HACIA ESE LUGAR

 MANERA DE VER

 MANERA DE SER

 MANERA DE RELACIONARSE

 MANERA DE LOGRARLO

PLENITUD		RESULTADO EXTRAORDINARIO
VALORACIÓN		OPINIÓN
COMUNIÓN	APRENDIZAJE - RESPONSABILIDAD - COMPROMISOS / ORACIÓN / DISCIPLINA - PERSEVERANCIA - RESILIENCIA	RELACIÓN
UNCIÓN		VISIÓN
GENERACIÓN		MISIÓN

7 DISTINCIONES

TIPO DE OBSERVADOR

CAPÍTULO 3
¿LEÑOS O CENIZAS?

Debemos elegir mantener la llama encendida antes de ir hacia el resultado extraordinario. Queremos ir hacia lo extraordinario, pero muchos ya están con su fuego apagado y no es por un problema de edad.

Los jóvenes miran al pasado solo porque no tienen conciencia de futuro y porque creen que la vida es dejarse llevar. Así que uno los ve apagados y con desánimo. Algunas personas mayores creen que el fuego del ayer es lo que les sigue permitiendo vivir. No obstante, van por la vida apagados o haciendo humo. De modo que es muy difícil que lleguen a la cima con la llama apagada.

Lo primero que debemos hacer es encender la llama en nuestro interior, mantenernos firmes y confiados que podemos encenderla y caminar erguidos hacia nuestro futuro. Las Escrituras nos enseñan cómo poder hacerlo.

Hay un relato en la Biblia que me llevó a pensar cómo nos movemos con la Palabra de Dios para encender el fuego y que se mantenga encendido:

El fuego encendido sobre el altar no se apagará, sino que el sacerdote pondrá en él leña cada mañana, y acomodará el holocausto sobre él, y quemará sobre él las grosuras de los sacrificios de paz.

Levítico 6:12

35

Este pasaje nos muestra un gran secreto en la vida del creyente. Fíjense que lo que dice es que el fuego no se apagará, pues el sacerdote pondrá en él leños cada mañana. Antes de poner leños cada mañana, hubo otras situaciones que llevaron a la existencia del versículo 12 y el comienzo de ese relato está en los siguientes versículos:

> *El sacerdote se pondrá su vestidura de lino, y vestirá calzoncillos de lino sobre su cuerpo; y cuando el fuego hubiere consumido el holocausto, apartará él las cenizas de sobre el altar, y las pondrá junto al altar. Después se quitará sus vestiduras y se pondrá otras ropas, y sacará las cenizas fuera del campamento a un lugar limpio.*
>
> **Levítico 6:10-11**

En el templo existía un sitio llamado el Lugar Santísimo, donde se encontraba siempre encendida la llama. La misma era un símbolo de la presencia de Dios en el lugar. Por lo tanto, los sacerdotes debían mantener la llama encendida en su diario vivir, en el diario vivir del templo. En la vida constante y cotidiana del templo, jamás debía apagarse esta llama. Además, el sacerdote debía vestirse de una manera especial, así como sacar las cenizas.

En estos versículos se nos enseña que debemos **mantener la llama encendida.** De modo que aquí está la clave en la vida del cristiano. A fin de mantener el fuego encendido en tu corazón y la llama encendida en tu vida, lo primero que tienes que hacer es sacar las cenizas. Sin duda, en todo lugar que hubo fuego nos encontramos con cenizas. A la mañana, antes de avivar el fuego, el sacerdote debía retirar las cenizas porque ponían en peligro la vigencia de la llama.

El Espíritu Santo, el don de Dios, es ese fuego que quema en nuestro interior y en nuestro diario vivir. Muchas veces tenemos cenizas por errar al blanco, cenizas de la historia, leños que se convirtieron en cenizas y que no son más que una carga para tratar de apagar el fuego en nuestro diario vivir.

El gran secreto en la vida cristiana es mantener el fuego encendido. Este fuego debe ser nuestra relación íntima con Dios y nuestro constante deseo de manifestar el don que Él nos regaló en nuestro diario vivir. Por lo tanto, tenemos la responsabilidad del equilibrio, la responsabilidad de mantener la llama encendida, de cuidar ese templo que es cada uno de nosotros, como dice la Palabra, el templo del Dios viviente:

¿No sabéis que sois templo de Dios, y que el Espíritu de Dios mora en vosotros? Si alguno destruyere el templo de Dios, Dios le destruirá a él; porque el templo de Dios, el cual sois vosotros, santo es.

1 Corintios 3:16-17

Así que nuestra responsabilidad es mantener el fuego de Dios constante en nuestro interior. Para lograrlo, lo primero que debemos hacer es sacar las cenizas. Cuando uno amontona cenizas en la vida espiritual, corre el riesgo de que esa llama, ese fuego interno que uno tiene, se vaya apagando y llegue un momento en que nada se puede escuchar de parte de Dios. Entonces, uno comienza a andar en tinieblas con lo que esto significa. Como vemos, lo primero que uno debe hacer es sacar las cenizas que haya que sacar. ¿Es trabajoso? ¡Claro que sí!

El sacerdote todas las mañanas se cambiaba de ropa porque la ceniza mancha... Muchachos, ¡uno no sale muy limpio! De modo que nos ponemos otra ropa, la de trabajo, sacamos las cenizas y luego nos volvemos a vestir con la vestimenta para presentarnos ante el fuego del Dios viviente y ponerle nuevos leños a la vida.

Lo segundo que uno debe hacer, después de sacar las cenizas, es acercar los leños. Los sacerdotes hacían esto en la mañana muy temprano. Después del rocío de toda una noche de frío, este era un tiempo muy crítico para el fuego, pues lo que quedaba eran solo unas pequeñas brasas. Por eso era importante que en ese momento el sacerdote retirara las cenizas y agregara otros leños. Si el sacerdote dejaba pasar mucho tiempo, lo que sucedía era que cuando fuera a renovar el fuego, lo encontrara apagado.

En nuestro caso, cada uno de nosotros debe cuidar su propio altar. En el caso del sacerdote, cada mañana arrimaba la leña... Es fácil cuando la leña está al ladito del fuego. Sin embargo, ¿qué pasa cuando con cinco grados bajo cero tienes que salir a buscar leña a unos cincuenta o cien metros y cortar la leña para traerla?

La respuesta es evidente: No solo hay que sacar las cenizas y actuar para eliminar las cenizas de la angustia, de la historia, de las situaciones, también hay que ir a buscar los leños que puedan hacer que se avive el fuego de mi corazón. Por ejemplo, congregarme, orar en comunión, orar a Dios, predicar su Palabra, tener compañerismo con los hermanos, representan cada uno de estos leños que voy llevando al fuego que Dios puso en este altar de mi vida.

> *Por lo cual te aconsejo que avives el fuego del don de Dios que está en ti por la imposición de mis manos.*

2 Timoteo 1:6

Con esto, es como si el apóstol Pablo dijera: «Oye, Timoteo, ¡tu responsabilidad es la de avivar el fuego!». A veces se escucha: «¿Viste? En la reunión nadie me aviva porque están abatidos... Yo necesito que alguien venga y me dé fuerzas».

La Palabra es clara al decir que es tuya la responsabilidad de mantener encendido ese fuego, esa llama. Para eso, lo primero que tienes que hacer no es poner más fuego, sino sacar las cenizas y luego ir a buscar esos leños que te hagan vivir como es operar el poder de Dios, congregarte, estudiar. Ten en cuenta que es posible que esos leños se encuentren lejos en medio del frío y que requieran de ti un esfuerzo extra... Así que, ¡hazlo!

¿No te ha pasado esto? A lo mejor has dicho más de una vez: «Ah, hoy no tengo ganas de ir a la reunión... no, no tengo ganas... no, no tengo ganas de congregarme». Sin embargo, puede ser que cuando vuelvas, digas: «¡Qué bien me sentí en la reunión! ¡Qué espectacular fue que me congregara con mis hermanos!». Desde el punto de vista bíblico, no es cargar pilas, sino avivar el fuego.

Pablo le decía a Timoteo que avivara el fuego. «Avivar» denota mantener encendida una llama a plenitud y en griego es la palabra **anazopureo** (de **ana,** que significa «arriba» o «de nuevo», **zoos** que quiere decir «vivo» y **pur** que es expresión para «fuego»). Es decir, debemos mantener «allá arriba» el fuego. Esto nos muestra cómo el hombre puede quedar extinguido por su propio descuido. Por más que formes parte de la familia de Dios, tal vez llegues hasta el extremo de no escuchar más la voz de Dios.

¿Cómo está ese fuego en tu vida? ¿Tiene dos kilos de cenizas? Entonces, ¿qué vas a hacer con esto? Quizá seas de los que opinen así: «Estas cenizas son mías... Esta es mi vida... Esta es mi historia». Solo quiero que recuerdes que son cenizas. En algún momento fueron fuego, pero ahora no... Es posible que te acuerdes cuando dijiste algo así: «¡Qué lindas reuniones que teníamos hace dos años! ¿Tú quieres que yo tire todo eso?». Sí, eso que antes era fuego, hoy son cenizas... Por lo tanto, sácalas y ponle leños nuevos. Nuestra responsabilidad es avivar el fuego, quitar las cenizas y acercar cada día el fuego a nuestra vida.

LA VIDA EN EL ESPÍRITU

Cuando uno tiene hambre de Dios, no hay obstáculos, sino posibilidades. A veces corremos por la vida llevados por los vientos de las circunstancias, en vez de cuidar el don de Dios, de avivarlo, de ponerle leña. Nos pasamos la vida buscando cosas supremas en circunstancias y situaciones terrenales, pero el andar por el Espíritu nos dará no solo una vida abundante, sino también tener más cosas que nos sirvan para nuestro diario vivir. Luego, cuando este Espíritu da fruto, ese fruto es de gran bendición para la vida del creyente:

Digo, pues: Andad en el Espíritu, y no satisfagáis los deseos de la carne. Porque el deseo de la carne es contra el Espíritu, y el del Espíritu es contra la carne; y estos se oponen entre sí, para que no hagáis lo que quisiereis. Pero si sois guiados por el Espíritu, no estáis bajo la ley. Y manifiestas son las obras de la carne, que son: adulterio, fornicación, inmundicia, lascivia, idolatría, hechicerías, enemistades, pleitos, celos, iras, contiendas, disensiones, herejías, envidias, homicidios, borracheras, orgías, y cosas semejantes a estas; acerca de las cuales os amonesto, como ya os lo he dicho antes, que los que practican tales cosas no heredarán el reino de Dios. Mas el fruto del Espíritu es amor, gozo, paz, paciencia, benignidad, bondad, fe, mansedumbre, templanza; contra tales cosas no hay ley.

Gálatas 5:16-23

«ANDAD EN EL ESPÍRITU»

Con esto se nos enseña que tengamos una íntima relación con Dios, que pongamos en acción el don, que haya fruto en nuestra vida y que esta relación haga que nuestro andar sea uno espiritual y no uno conforme a la manera de ver del mundo.

«NO SATISFAGÁIS LOS DESEOS DE LA CARNE»

La palabra «deseos» en griego es epithumeo, que tiene que ver con las cosas sensoriales que el mundo te va invitando a que tengas en tu vida. Los deseos de la carne son las cosas que uno vive en lo terrenal.

«EL DESEO DE LA CARNE ES CONTRA EL ESPÍRITU, Y EL DEL ESPÍRITU ES CONTRA LA CARNE»

La manera de andar por la carne no es la manera de andar por el Espíritu. Por lo tanto, no puedes agregarle agua al fuego.

«Y MANIFIESTAS SON LAS OBRAS DE LA CARNE»

Por si alguno quiere saber si está andando por la carne o por el Espíritu, ahora se nos muestra cuáles son los resultados de la carne y cuáles son los resultados del Espíritu. De modo que aquí puedes ver en qué línea, o en qué nivel, andas. También puedes ver si tienes más cenizas o más fuego.

«ACERCA DE LAS CUALES OS AMONESTO»

Es decir, al señalar las obras de la carne, el apóstol Pablo nos alienta, nos exhorta, a un esfuerzo más digno. A eso es a lo que se refiere.

«COMO YA OS LO HE DICHO ANTES»

Llegarán y se juntarán con el Señor, estarán con Él cara a cara. Aunque nadie puede robarnos la vida eterna, las recompensas son por méritos. Es evidente que las enemistades, los pleitos, la ira, los celos, las contiendas, la maledicencia y las orgías no acumulan herencia. Un día, el Señor dirá: «¡Eh, anduviste toda la vida en los deseos de la carne, siempre hiciste lo que quisiste! Yo traté de ayudarte, te enseñé y no hiciste caso. ¿Te acuerdas? Un día te dije que sacaras las cenizas y tú seguías aumentando las cenizas».

«MAS EL FRUTO DEL ESPÍRITU»

El fruto del Espíritu, el andar por el Espíritu, el poner leños al fuego de nuestro corazón, al don que Dios puso en nuestras vidas, es amor, gozo, paz, paciencia, benignidad, bondad, fe, mansedumbre, templanza, y contra estas cosas no hay ley. Por lo tanto, el fruto debe ser nuestro objetivo. Si este es nuestro objetivo, el fuego permanecerá y la luz de Dios iluminará siempre nuestro andar.

EL FRUTO DEL ESPÍRITU

Para reconocer si estamos caminando según la nueva naturaleza, según el poder de Dios y teniendo un andar espiritual, debemos saber que la Palabra es clara. Caminar por el Espíritu involucra dos realidades: Lo que es la operación del don y lo que es el fruto del Espíritu para poder caminar en el poder de Cristo y tener su carácter.

Ninguno sin el otro puede ser en verdad la manera de caminar por el Espíritu. No es casual que las operaciones del don y el fruto estén en singular para enfatizar su integridad como un todo interrelacionado. Además, cada uno de ellos está compuesto por nueve operaciones del don que muestra cómo estas realidades están poderosamente relacionadas entre sí.

Las manifestaciones del fruto del Espíritu son cualidades personales, actitudes y modos de ser que son características de Dios y se evidencian en mi vida. De modo que no son un proceso místico ni metafísico de operar la manifestación del Espíritu: «Bueno, ahora debo tener amor». Así que no es cuestión de que se produzca un proceso metafísico, sino que es un andar de obediencia a los mandamientos de Dios.

Debido a esto, se nos ordena que amemos, nos regocijemos y que en medio nuestro reine la paz. Cuando somos obedientes al andar por el Espíritu, les ponemos leño al fuego del don de Dios a nuestra vida todos los días y nos parecemos cada vez más a Cristo, estos frutos empiezan a aparecer.

AMOR

En la Palabra veíamos los nueve componentes del fruto del Espíritu y el primero nos decía que era el «amor». La vieja naturaleza, es decir, «dejar la ceniza» de los leños anteriores o no soltar los leños, sería «no perdonar», sería «vivir en un estado de amargura», «estar parados en el temor», «ser una persona celosa, posesiva», relacionarse con los otros por conveniencia, por comodidad, estar siempre centrado en uno mismo. Si estas son las cenizas de tu vida, es hora de que las saques y le pongas nuevos leños para que el amor sea una evidencia constante en tu andar diario.

Entonces, ¿qué evidencias puedo poner de la nueva naturaleza para que haya amor en mi vida? Puedo ponerle el leño del perdón, puedo ponerle el poder de Dios manifestándose en mi andar diario, puedo ponerle el leño de cambiar esos celos a ser una persona cuidadosa y misericordiosa con el otro, puedo ponerle el leño del compromiso parado en la acción, decir a viva voz: «¡Estoy comprometido a amar y empiezo a ver desde ese lugar!». ¿Sabes qué? Un día te vas a dar cuenta de que el fruto del «amor» es una evidencia cotidiana en tu diario vivir.

GOZO

La Palabra también habla del «gozo» como otra manifestación del fruto del Espíritu. Si estás parado en el pasado, si te gobierna la derrota, si llenaste el fuego de tu vida con el fuego de la decepción, el desaliento y el engaño, de seguro será muy difícil que el fruto del gozo sea una evidencia en tu vida.

No obstante, si empiezas a diseñar acciones de poner leños de esperanza, si hay visión en tu andar diario, si te gobierna el futuro que eliges crear y no el pasado, estás parado en el logro. Si eliges ser optimista, si hay agradecimiento en tu diario vivir, de seguro te vas a dar cuenta y te vas a encontrar con que el gozo se convirtió en un leño que está siempre en el fuego de tu corazón.

PAZ

El tercero es «paz». Por lo tanto, ahora debes analizar si tu fuego está lleno de las cenizas de la necesidad de controlarlo todo. Es posible que esté lleno de las cenizas de confusión y división. A lo mejor tus pensamientos no son más que de injusticia o tiranía. Tal vez estés parado en que «eres toda debilidad» en vez de «toda posibilidad». Quizá todos tus pensamientos sean los de ser una víctima de las circunstancias y lo único que buscas son acciones para el conflicto y la disputa. Entonces, si tus acciones son de rebelión, desorden y envidia, y miras la vida como el hermano mayor del hijo pródigo, estas cenizas jamás harán que el fuego de la paz sea una realidad en tu vida.

PACIENCIA

Si no eliges sacar las cenizas de vivir todo el tiempo siendo explosivo, usando el enojo para controlar a otros, teniendo poco ánimo, saltando por cualquier cosa, es muy difícil que logres mantener la llama encendida. Es hora de que hoy mismo pongamos leños de humildad que signifiquen reconocer la mente de Dios como superior a la nuestra. Llegó el momento de comprender que sus pensamientos son superiores a los nuestros. Luego, si nos comprometemos a ser agradecidos, un día nos daremos vuelta y descubriremos que somos personas que mantienen encendida la llama de la paciencia y somos ejemplo vital para otros que desean seguir a Cristo.

BENIGNIDAD

Cuídate de poner los leños de la justicia de controlar tu vida y no las cosas externas, pues si empiezas a pensar en la unidad de la justicia, la fortaleza y la reconciliación, estas cenizas harán que el fuego de la benignidad del fruto del Espíritu no sea una realidad en tu vida.

Por lo tanto, necesitas poner los leños de la misericordia, el leño de la gracia. La palabra «gracia» en griego es caris, que significa «regalo», y cuando se trata de un regalo, no es intercambio, el regalo se da. De modo que debes estar dispuesto a disminuir el dolor a largo plazo de otros. Debes tener el corazón del padre del hijo pródigo que siempre estaba a la puerta esperando al hijo que, cuando llegó, lo abrazó con fuerza. También debes estar dispuesto a mirar el corazón de la persona y dejar de pensar que te equivocaste o que se equivocó y empezar a darte cuenta que no ve otra opción y que no se trata de que esté equivocada, sino que no está viendo. Si haces todo esto, un día vas a reaccionar y ver que el fruto de la benignidad es una realidad en tu vida.

BONDAD

¿Cómo está la bondad en tu vida? Es posible que estés parado o centrado en ti mismo y que existan cenizas de una persona malvada. A lo mejor todo lo que buscas en la vida es el camino del menor esfuerzo, pues hay algunas personas que diseñan acciones para este tipo de camino. Quizá te relaciones con los demás con la amenaza de castigo y digas: «¡Cuidado, conmigo no te metas!». Por lo tanto, si las acciones que tomas son para agradar a los hombres, estas cenizas harán que jamás el fruto del espíritu de bondad sea una realidad en tu vida.

Ahora bien, tal vez decidas salir a la cancha, a la calle o al campo a buscar los leños de la pureza, por estar ocupado en beneficio de los demás. A lo mejor vas en busca de los leños de la rectitud, la integridad, el de no amoldarte a las cosas de este mundo, el leño que no tuviera que hacer una imposición de afuera, sino una elección de adentro. Entonces, un día, te vas a dar vuelta y te vas a dar cuenta que la bondad va a ser el fuego como una llama viva en tu interior.

FE

La fe puede estancarse en tu vida. ¿De qué manera? En el caso de que tengas las cenizas de la distracción, la vacilación, de enfocarte en ti mismo, la duda, la desconfianza, el temor, quizá lo que te gobierne sean las cenizas de los sentimientos. De modo que si estás parado en los sentidos, en que todo lo que sientes, ves, gustas, escuchas, hueles y la comodidad es todo lo que te importa, es posible que el fuego de la fe no esté en tu vida, pues todo lo que haces es asentir en tu mente cada cosa que vas escuchando.

No obstante, si quieres que la fe sea tu estandarte y tu escudo, es tiempo de ponerles los leños de enfocarte hacia fuera. Es tiempo de tener una visión, de tener un objeto fuera de ti para proveer. Llegó el momento de pararte en las promesas de Dios y de ser perseverante en ellas. Entonces, si las acciones tienen que ver con los logros y no con la reacción, descubrirás un día que el fruto del Espíritu llamado fe se ha convertido en lo que «llena» lo profundo de tu corazón.

MANSEDUMBRE

En cuanto a la mansedumbre, debes tener presente algunas cosas. Quizá seas rígido y lo único que te importe seas tú mismo. A lo mejor te gobierna el pasado, eres arrogante o estás más allá de cualquier redargución. Tal vez no veas que tienes una manera de ser autoritaria y no usas la autoridad como un camino hacia el servicio mutuo, sino para elevarte a ti mismo y no para servir. Es posible que te resistas ante la crítica de modo que, cuando alguien viene y te dice algo que no te gusta, vas y te desquitas enseguida debido a que la venganza es un hábito. Entonces, si piensas siempre que tu modo de actuar es el mejor, difícilmente la mansedumbre será una realidad en tu vida.

Por el contrario, si te comprometes, tomas la decisión de salir a ese viento frío matinal a buscar los leños de la flexibilidad, si te gobiernan las posibilidades futuras, si eres una persona educable, abierto a la redargución, si eres humilde, puedes aceptar y reconocer tus propias debilidades. Si usas la autoridad que tienes en alguna esfera de tu vida para servir, no para dominar ni tiranizar, no te desquitas de quien te hizo mal, aceptando las indicaciones de otros, aun sin pedírselas, un día descubrirás que el fruto del Espíritu llamado mansedumbre es una realidad en tu vida.

TEMPLANZA

La templanza es el último fruto de la lista. Aquí debes analizar que quizá estés parado en la autoindulgencia o te vas a un extremo o al otro. Es posible que tu manera de ver el mundo sea a través de la idolatría, pues idolatras tu trabajo, una persona, tu vida, una situación, un programa de televisión o una carrera. Tal vez se trate de que tus pensamientos estén siempre cargados de codicia o te gobiernen los deseos carnales. En realidad, si estás parado en ese lugar donde te gobiernan los deseos y desde allí diseñas acciones, es muy difícil que haya el fruto del Espíritu llamado «templanza» en tu diario vivir. No obstante, si eliges ir a buscar los leños del autocontrol y poner los leños de la integridad, estás dispuesto a permitir que sea Dios el que gobierne tu vida. Entonces, un día, te vas a dar vuelta y vas a descubrir que la templanza se convirtió en un fruto del Espíritu en tu diario vivir.

TU ELECCIÓN

Algunos creyentes pasan por Gálatas 5 leyendo acerca del fruto del Espíritu y pensando que va a venir Dios y los va a atiborrar con este fruto. Otros pasan sabiendo que no es así y que es una utopía, que jamás llegarán a tener amor, paz, paciencia, benignidad, bondad, fe, mansedumbre y templanza.

Sin embargo, queremos decirte que esto es posible, pero que hay que elegir sacar las cenizas. Tal vez fuera un fuego poderoso ayer, sí, pero hoy son cenizas y esas cenizas van a matar el fuego, el don que Dios puso en tu vida. Además, también debemos salir a buscar los leños que te van a permitir que cada uno de estos frutos sea una constante en tu vida.

Es posible tener el carácter de Cristo. Es posible tener la transformación. Lo único que separa esto de ti mismo es «tu elección». Uno es el que va a elegir si estamos dispuestos a vivir esa vida de amor, paz, gozo, paciencia, benignidad, bondad, fe, mansedumbre y templanza, o si queremos seguir viviendo en los celos, las iras, las contiendas, las maledicencias y las envidias. Si viviste eso hasta hoy, ya debes saber los resultados. Hoy puedes elegir ser una nueva persona, nada ni nadie te lo impide porque tienes el poder para dar. El pasado ya pasó y no lo podemos cambiar, pero sí podemos diseñar el futuro. Para eso, debemos sacar las cenizas.

Algunos ponen nuevos leños, así que se congregan, hacen cosas diferentes, incorporan distinciones, pero lo hacen sin sacar el cúmulo de cenizas que guardan en su interior. Así que esto hace que su fuego no prenda y que solo produzcan humo. Por eso van por la vida con el humo de sus cenizas creyendo que están cerca de que se prenda el fuego, pero sin darse cuenta que su falta de compromiso al no sacar las cenizas hace que lo mejor que puedan conseguir sea humo.

Si eliges caminar hacia la visión extraordinaria de subir a la cima en tu vida, en tu relación personal, en tu ayuda a otros, debes sacar las cenizas. Por lo tanto, te invitamos a salir y comenzar a vivir este día como el primer día del resto de tu vida. Te invitamos a mantener la llama encendida, a caminar disfrutando cada día como el primero y no como el último, a que seas la persona que Dios te llamó para que fueras. ¡Bienvenido a esta emocionante aventura!

PRIMERA PARTE:
MANERA DE VER

DIOS NO NOS DIO EL PODER PARA VER LAS COSAS COMO SON, SINO PARA QUE LAS VEAMOS COMO SOMOS.

CMÉTODOCC

MODELO CRISTO CÉNTRICO
VOLUNTAD DE DIOS
COMPROMISOS PROPIOS PARA IR HACIA ESE LUGAR

 MANERA DE VER

 MANERA DE SER

 MANERA DE RELACIONARSE

 MANERA DE LOGRARLO

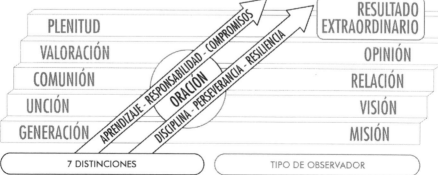

7 DISTINCIONES		TIPO DE OBSERVADOR
PLENITUD		RESULTADO EXTRAORDINARIO
VALORACIÓN	APRENDIZAJE - RESPONSABILIDAD - COMPROMISOS	OPINIÓN
COMUNIÓN	ORACIÓN	RELACIÓN
UNCIÓN	DISCIPLINA - PERSEVERANCIA - RESILIENCIA	VISIÓN
GENERACIÓN		MISIÓN

CAPÍTULO 4

SIETE DISTINCIONES PARA LLEGAR A LA CIMA

Para subir a la cima decimos que necesitas poner siete distinciones en tu manera de mirar la vida. Cada una de estas flechas paralelas e iguales representa la relación con el otro. Además, las mismas llevan dos grupos de distinciones que se requiere que tenga una persona a fin de llevar adelante el proceso.

En el primer grupo de distinciones contamos con *aprendizaje, responsabilidad* y *disciplina.* En el segundo grupo vemos *perseverancia, compromiso* y *resiliencia.* Luego, en el centro y atravesando toda la manera de ver, ser, relacionarse y lograrlo, está la *oración* como la séptima distinción, la más perfecta, que aceita los mecanismos para que lo espiritual predomine sobre lo natural y que seamos capaces de generar espacios donde Dios actúe en nosotros y en otros.

Sabemos que para que puedas llegar a la cima, disfrutar el proceso, estar seguro que Dios está bendiciendo tu accionar y que puedas chequear a cada momento tu camino, debes subir hasta el final con estos dos grupos de distinciones contigo.

En la base, mientras te ayudamos a cargar oxígeno, te invitaremos a que pongas en tu mochila estas distinciones. Asimismo, debes saber que mucho de lo que pase en el trayecto, o de lo que no pase, será porque elegiste siempre llevarlas y usarlas o elegiste dejarlas en el camino.

Hemos visto a personas comenzar su escalada hacia la cumbre del resultado extraordinario, con la bendición de Dios, con mucho ímpetu y anhelo de superación. Sin embargo, al pasar los días comenzaron a acostumbrarse, pues las tareas del diario vivir y la conversación de falta de tiempo les ayudaron a dejar en algún escalón alguna de ellas. De modo que cuando la necesitaron, no la tuvieron y no llegaron al final.

En esto queremos ser bien serios contigo. Estamos dispuestos a **entrenarte** para que subas a otros niveles de relación, de resultados, de mirada, de disfrutar la vida, la familia o de lo que haces. No obstante, si no llevas contigo en cada momento estas distinciones, será inútil, pero si comienzas desde la base del Método CC a incorporarlas y a hacerlas parte de tu diario vivir, te aseguro que serás parte de los miles que hoy están cambiando el mundo porque eligieron cambiar su mundo.

¿QUÉ ES UNA DISTINCIÓN?

Una distinción es la diferencia que hace que dos o más cosas sean distintas. Es la acción de distinguir. Cada vez que hacemos una «distinción» separamos un determinado fenómeno del resto de nuestras experiencias; separamos una figura de un fondo. Vemos las cosas de otra manera.

Creemos que el siglo veintiuno es el tiempo en el que no basta con saber, que debemos estar ocupados y comprometidos con lo que vemos y lo que no vemos. El «coaching cristiano» está diseñado para ayudarte a ver lo que no ves, a fin de poder trabajar tus espacios de ceguera de modo que incorpores nuevas observaciones al distinguir nuevas cosas, nuevos espacios, nuevas oportunidades. Uno puede olvidarse de algo, pero lo que vio no puede dejar de verlo. Además, la manera de mirar y la manera de distinguir lo que me rodea es lo que me hará la persona que soy, lo que me ayudará a relacionarme con otros, lo que me hará más o menos poderoso ante una situación determinada.

¿Qué veo en esta lámina? ¿Veo unas columnas de arcilla o veo mujeres hablando? Si no tengo la distinción «columna» o «mujeres», no los puedo ver. *Vemos lo que podemos nombrar.* Si no tenemos una distinción, no lo vemos.

Es importante observar las distinciones como tales y no como simples nombres de cosas. Las cosas no tienen nombres, sino que se los damos nosotros. Así que el proceso de darles nombres a menudo las constituye en las cosas que son para nosotros.

Es bien interesante notar que lo primero que Dios le pidió a Adán fue que les pusiera nombres a los animales del huerto. Esto le permitiría distinguirlos y que de esa manera formaran parte de su mundo. De acuerdo con lo que distingo es lo que veo, según lo que veo es que estoy siendo y conforme a lo que declaro, veo y soy.

Por eso deseamos que en este camino hacia el resultado extraordinario incorpores distinciones que de seguro te ayudarán a llegar a la cima y disfrutar el proceso. Entonces, cuando lo haces desde el «coaching cristiano», nos ocuparemos de generarte un espacio para que pienses, para que incorpores, para que elijas. Es evidente que, de esa manera, podrás pasar las vicisitudes del camino porque cada una de estas distinciones te ayudarán a llegar aún más lejos de lo que llegaste hoy.

Las distinciones son obra nuestra. Al hacerlas, especificamos las unidades y entidades que pueblan nuestro mundo. **No podemos observar algo para lo cual no tengamos una distinción. Aunque vemos con nuestros ojos, observamos con nuestras distinciones. Por lo tanto, dime lo que observas y te diré quién eres.** He aquí una de las premisas centrales del **coaching:**

Capacidad de observar lo que dice alguien con el propósito, no solo de saber de lo que se habla, sino de conocer (interpretar) al observador (entendida como la forma particular de ser) de quien habla.

APRENDIZAJE

Cuando hablamos de esta distinción, nos damos cuenta que ingresamos en su terreno después que...

- ⊙ Entendemos qué es la educación transformativa y no acumulativa.
- ⊙ Estamos dispuestos a ir hacia arriba y a trabajar nuestro tipo de observador en el derecho de las Escrituras.
- ⊙ Entendemos que no vivo solo, que necesito del otro, con el cual, además, me relaciono en igualdad de condiciones.
- ⊙ Sabemos que las distinciones son fundamentales para seguir creciendo.

La palabra «aprendizaje» está formada por el prefijo «a», que significa «sin», y el verbo «prender». O dicho de otro modo: Para poder **aprender,** lo que tengo que hacer es **soltar.** Mucha gente quiere aprender, entonces toma una cosa, toma otra, toma otra y se van llenando de cosas. Sin embargo, va a llegar un punto en que se les va a caer todo. Por eso lo que te decimos en este contexto es que para **aprender** vas a tener que **soltar.**

¿Qué vas a tener que soltar? Quizá no sea todo lo que **sabes,** sino todo lo que te **tiene.** Decimos que muchas de las cosas que creo poseer en la vida me poseen a mí y que a veces pasamos años detrás de tener algo que de seguro no tendré, sino que me tendrá a mí. A decir verdad, aquí no estamos combatiendo el conocimiento, sino que existe una manera más elevada de poder relacionarse con esto. Por lo tanto, si no pasas la etapa del aprendizaje, es muy difícil que logres subir la escalera con nosotros.

EN VEZ DE SEGUIR CORRIENDO... ¡SIÉNTATE!

Las Escrituras dicen que María se sentó a los pies del Maestro. Mientras todos corrían con los preparativos del agasajo, incluso su hermana, ella se sentó a sus pies.

En el Oriente, *sentarse* significaba «estar sobre», un acto completo y una obediencia absoluta. Es interesante notar que el pueblo de Israel debía comer la Pascua de pie, simbolizando la premura de los tiempos, es decir, la importancia de salir rápido hacia los brazos del Libertador. Sin embargo, la cena era un acto solemne donde no solo se corría, sino que era un tiempo especial de recogimiento, de relación, de estar para el otro. *Sentarse* implicaba un compromiso especial y único hacia lo que estaba sucediendo al cual le dedico todo tiempo y atención.

Los discípulos de hoy corren tras el Maestro, y cuando tienen la posibilidad de sentarse a sus pies, siguen corriendo. No existe en nuestros días «multifocales», de imagen de tres segundos que prevalezcan sobre las ideas eternas, el concepto oriental de «sentarse». Creo que si nuestros jóvenes pudieran estar quietos y sentarse ante quienes los discipulan en un mundo de constante movimiento, es probable que se elevaran por encima de las multitudes que solo corren detrás de «sentimientos».

CUANDO CORRER SOLO CANSA

Existe gran cantidad de veces donde el ser un discípulo de Jesús no logra su éxito. Veamos...

- ⊙ Cuando me preocupa más el quehacer cotidiano que la inversión en lo eterno.
- ⊙ Cuando giro alrededor del Maestro en vez de sentarme a sus pies.

- Cuando corro delante de Él sin tiempo para digerir todo lo que me presentó.

- Cuando lo persigo como un seguidor, pero sin sentarme, sin estar comprometido por completo a la preparación.

Sentarse implica concederle autoridad al Maestro para que me enseñe. Me quedo permitiendo que el mundo exterior pase y que el mío se detenga para poner mis ojos sobre Él y darle autoridad. Uno puede decir que tratándose de Jesús, cualquiera le daría autoridad. Sin embargo, no estamos hablando de Jesús, estamos hablando de María.

La autoridad que se le da a alguien no se mide por lo que esa persona me pueda enseñar, sino por lo que estoy dispuesto a aprender. Procuramos mantenernos paraditos, expectantes, para ver si la persona que tengo delante se gana la autoridad para poder aprender. Además, el secreto de mi «sentarme» es un compromiso para aprender antes de ver lo que tiene el Maestro para darme.

ME SIENTO ANTES QUE TODO

En nuestros años como **coaches,** y luego de haber atendido a cientos de líderes latinoamericanos, podemos decirte que el **entrenamiento** no pasó por encima, sino que atravesó a esos que se han distinguido en sus vidas. Se trata de personas comprometidas a aprender del proceso antes de que empezara, de darle autoridad al **coach** antes de comenzar la sesión y no conforme a lo que te fuera diciendo. La acción de **sentarse** nos ayudará a poder crecer dejando que Dios use personas y situaciones capaces de mostrarme, guiarme, y cada día estar a sus pies.

Hoy es el primer día del resto de nuestras vidas. Si, he corrido bastante este año y solo espero que empiece el siguiente, permítenos decirte que la vida es cada día y que la eternidad comienza ahora. La clave no está en lo que pasa afuera, sino en lo que elijo que suceda dentro de mí a fin de que pueda sentarme a los pies del Maestro, disfrutar de su presencia, mirar su rostro y dejarlo que me guíe en este día maravilloso que comenzaré a vivir. No salgas corriendo desesperado hacia la acción. Elige sentarte y ver cómo el Señor puede darte todo lo que necesita este día y agregarle todo lo que le falta. Si sabes que viene un día con tormenta, siéntate a sus pies y verás cómo todo comienza a ser diferente.

LA BUENA PARTE

La Biblia narra que Jesús dijo que María eligió «la buena parte»:

Una cosa es necesaria; y María ha escogido la buena parte, la cual no le será quitada.

Lucas 10:42

Esta era una expresión común que significaba la porción de valor en la fiesta. María escogió con sabiduría. Sabía lo que era más deseable y honorable y lo eligió. Jesús decide apoyar esta elección manifestando que no se le quitaría esa parte. El Maestro coloca la fiesta espiritual por encima de la material. ¡Qué gran opción para este día!

DEFINICIÓN DE «APRENDIZAJE»

En este tiempo de transición, hay una gran lucha entre los modelos en los que crecimos que implicaba acumular cada vez más conocimiento y los modelos actuales donde se enfatiza más el aprendizaje transformativo. Este aprendizaje es el que me permite distinguir, ver y ser más agudo en mi observación de lo que está pasando y no solo tener la teoría del mismo. Sin embargo, en un correr desenfrenado, pocos se ocupan de comprometerse con el *aprendizaje*.

Si le pones a algunos cientos de personas las siete palabras con las que titulamos las distinciones que consideramos vitales para ir hacia el resultado extraordinario y les preguntas cuál es la más importante, pocos dirán el *aprendizaje*. Creemos que aprender es un tiempo en la vida, después solo tengo que accionar.

En un mundo estático, o con cambios cada cien años como sucedía antes, esta es una buena manera de mirar el aprendizaje. No obstante, en tiempos actuales, donde todo está en un cambio constante si deseo avanzar, si deseo extenderme, si deseo ampliar la superficie de mi vida para poder llegar a ser quien elijo ser, requiero vivir en un modelo de aprendizaje constante. No solo un tiempo, sino una actitud aprendiente, una manera de mirar la vida, sin importar siquiera la posición o función que tenga en la vida.

El aprendizaje es la primera distinción que mencionamos porque sin aprendizaje, todo lo que resta no es suficiente. Así que llegó la hora de aprender. Como decíamos antes, definimos el ***aprendizaje*** como «la capacidad de soltar para tomar algo nuevo». No podré aprender si no suelto las cargas, si no suelto lo que me tiene, si no suelto lo que me trajo hasta acá.

Nos gusta decir que para cambiar y triunfar en la vida no necesitamos surcar nuevos mares, sino tener nuevos ojos. De manera que el modelo de aprendizaje transformativo que incorporaremos como distinción es lo que me facilitará el ir hacia ese lugar con humildad, soltando, incorporando, llegando a relacionarse con los otros y con el contenido de una manera poderosa.

LOS ENEMIGOS DEL APRENDIZAJE

Existen enemigos que no nos permiten vivir el aprendizaje como una prioridad en la vida. Debido a que los seres humanos somos seres históricos, nos regimos por cosas que vivimos. Así que cuando soy consciente de la brecha, ya no hay lugar para el orgullo y esto se convierte en una necesidad.

En cualquier proceso de aprendizaje podemos encontrarnos con ciertas trabas («enemigos u obstáculos del aprendizaje») que nos impiden aprovechar al máximo este proceso. Sin necesariamente ser siempre conscientes, podemos resistirnos al aprendizaje. Estos «enemigos del aprendizaje» obstaculizan y limitan nuestro aprendizaje y nuestro accionar de una forma diferente. El objetivo de esta discusión es que identifiques cuáles son tus enemigos del aprendizaje y que busques maneras de convertirlos en oportunidades para aprender.

ENEMIGOS DESCUBIERTOS

Ahora veamos algunos enemigos que obstaculizan nuestro avance en el aprendizaje:

- ⊙ ***Incapacidad o miedo a decir «no sé».*** Nos cuesta reconocer que hay cosas que no sabemos y nos sentimos mal por hacerlo. Pensamos que debemos saberlo todo y nos resulta difícil reconocer que no es así. Esto puede ser un reflejo de un corazón orgulloso. Al no decir «no sé», estás perdiendo la oportunidad de aprender algo.

- ◉ **Considerarnos víctimas de todo.** Esto se manifiesta cuando culpamos a otras personas o factores como la causa de nuestros problemas de aprendizaje.

- ◉ **Pensar que tenemos limitaciones para aprender.** Esta actitud nos hace creer que como somos, no tenemos la capacidad para aprender del mismo modo que otros.

- ◉ **Querer tenerlo todo claro siempre.** Esto es como una adicción a tener invariablemente la respuesta. No estar dispuesto a admitir que, para llegar a saber, pasamos por el no saber y que para llegar a la luz hay que atravesar la oscuridad.

- ◉ **Tener adicción a las respuestas.** En la escuela nos enseñaron y premiaron por tener las respuestas correctas. ¿No es así? Así que no es malo dar respuestas, ¿pero qué te parecería si comenzamos a vivir también en las preguntas? El coaching vive en la pregunta. Por otro lado, debemos recordar que una buena respuesta hoy no necesariamente es buena mañana.

- ◉ **No asignar prioridades al aprendizaje.** «No tengo tiempo», podríamos decir. Esto significa que no asumo la responsabilidad ante el aprendizaje. Que no estoy comprometido a aprender.

- ◉ **Incapacidad de desaprender.** Es necesario desaprender algunas cosas para poder incorporar otras. Quizá pensemos que si algo no ha dado buen resultado hasta aquí, podemos seguir haciéndolo igual. Para ir al resultado extraordinario, debemos estar dispuestos a desaprender viejas cosas y a aprender nuevas.

- ◉ **Confundir aprender con estar informado.** No es lo mismo enterarse que aprender.

- ◉ **No darle autoridad a alguien para que nos enseñe.** Es necesario darle autoridad a alguien y confiar en que nos puede enseñar. Asimismo, debemos reconocer que tiene mayor capacidad de acción en un determinado campo. Por eso debemos confiar en los que nos enseñan y darle autoridad para que lo hagan.

Aunque no puedo elegir mis circunstancias, me declaro responsable de elegir el modo en que me relaciono con ellas.

Otra de las distinciones que deseamos incorporar en la base hacia el resultado extraordinario es la responsabilidad. Cuando comenzamos a viajar, vimos a muchos líderes de iglesias, organizaciones cristianas o consejos pastorales donde había que hacer mucho y lo hacían pocos. De modo que descubrimos que en el cristianismo mucha gente no se compromete a hacer cosas porque teme no poder cumplir en tiempo y forma. Entonces, como tienen la «responsabilidad» de que suceda eso, significa que tendrán la culpa de lo que no sucedió. Como dice la Biblia: «Aun el necio, cuando calla, es contado por sabio» (Proverbios 17:28). Así que muchos callan, esperando hacer solo eso en lo que están **súper, híper** y **muy** seguros que podrán cumplirlo.

Esto es más aún cierto entre cristianos maduros. Vemos que la responsabilidad escasea a pesar de ser personas que estaban dispuestas a entregar su vida a Cristo, pero no en asumir la responsabilidad por tal o cual actividad, función, etc. Esto se debe a que se piensa que si acepto una responsabilidad y no la cumplo, estoy pecando ante Dios porque no tengo palabra.

Aunque es muy bueno y agradable pensar así, y nos llena de emoción encontrar cristianos tan «íntegros», esto ha detenido el avance de las iglesias. Lo que es peor, ha detenido el avance de los cristianos. Debemos comprender el término **responsabilidad** tal y como lo indica la palabra.

DEFINICIÓN DE «RESPONSABILIDAD»

El término «responsabilidad» es una palabra compuesta que significa «habilidad para responder». Esto me sugiere que tengo la habilidad para responder, no solo si estoy a cargo o tengo el crédito por lo sucedido. Por lo tanto, la «habilidad para responder» pone la cuestión de peso en otro lugar.

Si **responsabilidad** es «habilidad para responder» y no solo culpa o cargo, te pregunto: «¿Tienes la habilidad para responder por los niños hambrientos de tu país?». Por supuesto que sí. «¿Tienes la habilidad para responder en cuanto a actuar para que tu iglesia sea la más influyente en la comunidad?» Por supuesto que sí. «¿Tienes la habilidad para responder de modo que contribuyas para que tu nación sea santa e inmaculada y que sirva al Señor y no a otros dioses?» Por supuesto que sí. Entonces, ya la cuestión no es preguntarnos por responsabilidad, sino por compromiso.

De modo que tengo la habilidad para responder por muchas cosas que no hago debido a que no estoy comprometido a hacerlo. Y esto no es bueno ni malo. Aunque sabemos que conforme al compromiso que tengas con tu comunidad es lo que recibirás de ella, los crecimientos o éxitos tienen que ver con el compromiso. Así que allí podemos preguntarnos unos a otros si comenzaremos a ser responsables de nuestra vida. Por eso, si no estoy comprometido a hacer que mi vida, mi familia y mis seres queridos sean mi más alto grado de responsabilidad, es porque estoy justificando lo que sucede y, aunque tenga la habilidad para responder, debo comprometerme más.

Repasando, digamos que el concepto de responsabilidad se usa para lo siguiente:

- ⊙ Encontrar quién tiene la culpa.
- ⊙ Determinar de quién fue el mérito.

Cuando le echamos la culpa al otro, ¿nos damos cuenta que perdemos el poder de hacer algo en manos del otro? El desarrollo de la habilidad para «conversar» facilita nuestra coordinación de acciones con otros, lo cual redunda en el desarrollo de relaciones. Estamos acostumbrados a escuchar que la responsabilidad en una relación es del cincuenta por ciento y cincuenta por ciento para cada una de las partes. No es así. Es hacerse cargo del cien por cien de la relación. Si cada uno se hiciera cargo del cien por cien de la relación con el otro, es probable que tenga mucho más logros que quien solo hace lo que tiene a la mano.

Por lo tanto, en la responsabilidad se puede asumir una de estas dos posturas:

- ⊙ *La de víctima.* En esta soy un espectador de la vida que se queda esperando y deseando; soy conformista. Aquí utilizamos excusas y explicaciones para sentirnos inocentes y echarle la culpa a otro. Pensamos que los problemas viven fuera de uno y que no se puede hacer nada. Los demás tienen la culpa; no podemos cambiar nada.

⊙ *La de responsable por la vida.* En esta postura, la persona es activa y protagonista. Soy el que genera todo lo que pasa. Estoy dispuesto a correr riesgos y me comprometo a alcanzar objetivos. No me paso la vida quejándome y pensando todo el tiempo, sino que actúo. Hago sin excusas lo que tengo que hacer para lograr lo que quiero. Me enfoco en el compromiso que tengo conmigo mismo.

Responsabilidad es comenzar a comprender que el camino está en ser sinceros y saber que tenemos la habilidad para responder por lo que pasa en nuestra sociedad. Que lo que nos falta para que cambie es que nos comprometamos y perseveremos en algo mayor que nosotros mismos y vayamos por el resultado extraordinario. En realidad, podemos ver la responsabilidad como un modo de hacerle frente al mundo: Es la habilidad de tomar la acción en todas y cada una de las situaciones de nuestra vida.

Si tengo la responsabilidad por mi vida, genero mi vida y todo lo que sucede en ella a través de la acción y de lo que soy capaz de aprender día a día. De ese modo tenemos el cien por cien de la responsabilidad por nuestro aprendizaje.

La *disciplina* es una de las distinciones de la que mucho se ha hablado, pero que requiere su profundización y su incorporación. Sin disciplina es imposible subir a la cima. No solo hay que tener esmero, dedicación, empuje, sino también *disciplina.*

En un tiempo donde predominan los sentimientos sobre los compromisos, la disciplina no es una distinción que tenga muchos adeptos. Incluso la Palabra nos dice que, en un principio, la misma parece ser más causa de tristeza que de gozo, pero después da frutos para los que la ponen en práctica:

> *Es verdad que ninguna disciplina al presente parece ser causa de gozo, sino de tristeza; pero después da fruto apacible de justicia a los que en ella han sido ejercitados.*

> **Hebreos 12:11**

Esta tristeza aleja a las generaciones que emergen debido a que buscamos todo lo fácil sin dolor y de manera automática. En ese camino la disciplina no ingresa como un modelo a seguir. Por eso tenemos muchas personas inestables en lo emocional, personas que suben a la cima de sus responsabilidades, o de sus sueños, pero sin una base sólida, sin ampliar la superficie, sin un buen manejo de las relaciones, sin haberse disciplinado en su relación con Dios. De ahí que para subir sea vital llegar y mantenerse disciplinado.

DEFINICIÓN DE «DISCIPLINA»

La palabra **disciplina** significa «aceptar que nos disciplinen o discipulen». Luego, **disciplinar** tiene que ver con «instruir». Para que te disciplinen tienes que ser discípulo. Con tal objetivo, debes darle autoridad a alguien para que lo haga contigo. Si no lo hacemos, no podemos ser discípulos. Si no somos discípulos, es difícil que nos puedan disciplinar.

Cuando incorporamos esta distinción, lo hacemos no solo desde la mirada del esfuerzo, sino de que para recibir la disciplina uno debe estar dispuesto a ser un buen discípulo. Creemos, y lo profundizaremos en próximos capítulos, que la base de la disciplina desde el «coaching cristiano» es la aceptación y la entrega. No podemos discipular a alguien que quiera hacer las cosas a su manera. Si ese es el camino que tomamos, de seguro que este material ayudará a la persona a ser muy poderoso en el nivel en el que se encuentra hoy. Entonces, si quiere elevarse y alcanzar otras alturas, tiene que darse espacio para la disciplina y el discipulado a través de la entrega y la aceptación.

Te aseguro que ha sido bien interesante esta declaración ante líderes con una capacitación espectacular y con muchísimos pergaminos por el desarrollo de sus tareas. Sin embargo, estos casos son desafiantes. Cuando uno cree que ya no necesita aprender, se estanca. La disciplina te ayudará a incorporar, a subir, a darle autoridad a quien te prepare. Además, esto será clave para todo el proceso.

En los primeros **entrenamientos** viene la parte más emocionante, pues el discípulo te dice cómo lo tienes que hacer, y esto se hace con la misma manera de ser con la que no encontró lo que procuraba lograr. De modo que él lo sabe todo y en todo este contexto es donde vamos desarrollando la disciplina y no para con nosotros.

Los que siguieron a Jesús dejaron lo que tenían y fueron con Él. Le dieron autoridad para que les enseñara o discipulara. Se sometieron a

Él. Un discípulo está dispuesto a cambiar. A dejar cosas de su pasado con tal de alcanzar el resultado extraordinario en su vida.

Veamos ahora algunas cualidades de un discípulo:

- ◉ **Humildad:** Es necesaria para poder recibir enseñanza y corrección de otro.

- ◉ **Corazón enseñable:** Que reconozca que no lo sabe todo y que tenga buena actitud para recibir.

- ◉ **Sometimiento y obediencia a la Palabra de Dios:** En la Biblia están las normas que rigen nuestro carácter.

- ◉ **Sometimiento y obediencia a las autoridades delegadas:** Un discípulo no resiste la autoridad delegada en nuestra iglesia local.

- ◉ **Compromiso:** Esto se debe a su maestro, iglesia y el Señor.

- ◉ **Responsabilidad:** Se asume por el aprendizaje.

- ◉ **Fidelidad:** Cumple con su compromiso y responsabilidad en la relación.

- ◉ **Regalo:** La manera de saber si eres disciplinado es preguntarte si eres un regalo para otros. Esto se ajusta a tu trabajo, familia, universidad y la iglesia a la que perteneces.

- ◉ **Disciplina con nuestras cosas:** Esto incluye ser buenos mayordomos de lo que tenemos: tiempo, cosas materiales, talentos.

- ◉ **Disposición:** Aquí se debe estar dispuesto a «morir» día a día y a cargar la cruz.

Si vas a caminar por este libro y por el Método CC, tienes que conocer que nuestra declaración sobre transitar por el sendero de la disciplina lo hacemos con mucho respeto y amor por cada uno de los que aceptaron vivir la distinción, disciplina, como un espacio a recorrer. Hacemos un pacto con nuestros estudiantes en el que vamos a cuidar sus vidas y nos comprometemos con ellos. Además, estamos dispuestos a bendecirlos, cuidarlos y a no llevarlos más allá de donde quieren ir. Sin embargo, después de esto requerimos que acepten ir hacia cierto lugar.

Decimos que la **disciplina** es ser un discípulo, y ser un discípulo es **estar presente** para el otro. Estar presente es ser un **regalo** y ser un regalo es ser **entrega**. ¿Estás siendo entregado (disciplinado) a la construcción del futuro que eliges para tu vida?

La manera de saber si eres disciplinado es preguntarte si estás siendo un regalo para otros. Si eres una posibilidad para otros. Si estás presente cuando otros te necesitan. Esto se ajusta a tu trabajo, familia, universidad y la iglesia a la que perteneces.

Por otro lado, también debemos ser disciplinados con nuestras cosas. Esto incluye ser buenos mayordomos de lo que tenemos. Así que hagámonos una serie de preguntas que nos permitirán ver cómo está nuestra disciplina:

- ¿Somos disciplinados con las cosas que no da Dios?
- ¿Cómo administramos el tiempo, los talentos y las
- cosas materiales?
- ¿Somos disciplinados en nuestra vida de oración y en el estudio de la Biblia?
- ¿Por qué podemos ser disciplinados para algunas cosas de la vida pero no para los asuntos espirituales?
- ¿Le das la autoridad a alguien para que te discipule o te resistes a hacerlo?

La Biblia es clara a la hora de tener una respuesta adecuada a estas preguntas:

El que tiene en poco la disciplina se desprecia a sí mismo, mas el que escucha las represiones adquiere entendimiento.
Proverbios 15:32, lbla

La palabra **perseverancia** en griego es **proskartereo** que significa «mantenerse constante con, adherido a, inclinado hacia». La «disciplina» y la «perseverancia» son las primeras líneas que vamos a ir desarrollando en el **entrenamiento.** En la cultura actual, en la cultura del «ahora» en la que vivimos en estos tiempos, en la «experiencia del momento», no necesitamos de disciplina y mucho menos de perseverancia, pues la perseverancia se proyecta hacia el mañana y no hacia el hoy.

La **perseverancia** implica una constancia con la mira puesta en el futuro deseado, no en el presente ni en el pasado. Entonces, si a mí no me importa mucho el mañana, si mi pensamiento diario es que no sé lo que voy a vivir mañana, ¿para qué perseverar? No necesito más que sentir una buena experiencia «hoy». Esto es lo que el mundo quiere de ti, que vivas día a día, el ahora, la experiencia del instante y mañana, igual, que repitas el ahora.

Sin duda, con esta metodología vas a tener situaciones para hoy. Con esto es muy difícil que logres diseñar un andar de éxito en el que te puedas regocijar mañana. La siembra sigue siendo del mismo modo que hace dos mil años atrás, esa parte no cambió. No es que siembras una semilla y le dices: «¡Ahora te ordeno que salgas!». Se sigue necesitando disciplina y perseverancia. Si no, diganselo a los agricultores. Estas dos distinciones de la primera flecha las trabajamos en un contexto que se llama **aprendizaje**.

La disciplina sin perseverancia puede ser infructuosa. Sin embargo, cada vez más escasea la perseverancia. Nos encontramos con personas que se prepararon en recursos de lingüística y comunicación a fin de relacionarse con otros, pero no llevaron consigo estas distinciones y quedaron en el camino enredados en las circunstancias o en sus limitaciones. Asimismo, la perseverancia no se está perdiendo porque no haya gente que desee llegar a la cima, sino porque se ha perdido más que eso. Se ha perdido la conciencia de futuro. El libro de Hebreos nos aclara más el concepto:

*Es, pues, la fe, la certeza de lo que se espera, la convicción de lo que no se ve. **Hebreos 11:1***

El adversario se adueñó de nosotros haciéndonos creer que estamos ganando la batalla de la fe. Vemos en las iglesias a gran cantidad de personas hablando de «la convicción de lo que no se ve», de ejemplos de personas sanadas, quizá imágenes de milagros, y de cosas realizadas donde lo lograron.

Sin embargo, esto es solo la mitad de la fe. La otra parte dice «la certeza de lo que se espera». Aquí creíamos que la clave estaba en «la certeza», sin darnos cuenta que esto no era todo lo que debíamos trabajar para **tener fe.** Una palabrita quedó perdida y cambió la historia. Esta generación dejó de lado la **espera…** De manera sutil hemos caído en una sociedad que no espera, que no tiene conciencia de futuro, que no mira hacia delante. Entonces, con solo vivir en el presente se toman los frutos del pasado sin sembrar para cosechar mañana. La clave final es «sentimos hoy» y «experimentamos hoy». Por lo tanto, ¡nada de esperar! ¡Todo tiene que ser ahora!

Vivimos en una sociedad que ha hecho un culto del «ahora». «¡Tienes que vivir el momento!», dicen, y nada se espera. Son pocas las personas que diseñan su vida sabiendo hacia dónde van y a dónde quieren llegar. En una encuesta que realizamos para nuestro programa de televisión descubrimos que los jóvenes no tienen «certeza» porque no tienen «espera». El truco es claro: **Cuando uno menos espera, menos expectativa tiene del futuro.** Entre las cosas importantes que uno ya no espera es que el Señor vuelva por su iglesia. Entonces, si no estoy a la expectativa de su venida, menos vivo con Él cada día. Menos vivo «expectante» de su llegada.

SIN ESPERA NO HAY CERTEZA

En un momento el pueblo de Israel dejó de esperar, pues ya no miraban hacia un posible futuro, sino hacia un pasado duro y un presente incierto. Moisés no venía. Hacía ya muchos días que se había ido y sus huellas se borraban por el paso del tiempo. Hombres y mujeres se preocuparon y dejaron de mirar hacia su «espera» y comenzaron a observar su «ahora». Inquietos, algunos querían volver al pasado. Otros deseaban disfrutar el «presente». No solo no había espera. Ya no había certeza:

> Al ver los israelitas que Moisés tardaba en bajar del monte, fueron a reunirse con Aarón y le dijeron:
> —Tienes que hacernos dioses que marchen al frente de nosotros, porque a ese Moisés que nos sacó de Egipto, ¡no sabemos qué pudo haberle pasado!
>
> **Éxodo 32:1**

Aarón los vio ofuscados y gritando, sobre todo a los líderes de cada tribu. Ya no había espera. No había certeza. No había futuro. No había fe. Entonces, cuando sucede esto, ¿qué mejor que vivir la experiencia del «ahora» para calmar la sed interna de la inquietud, del vacío?

> Aarón les respondió:
> —Quítenles a sus mujeres los aretes de oro, y también a sus hijos e hijas, y tráiganmelos.
>
> **Éxodo 32:2, nvi**

Como ven, Aarón les dijo que le trajeran lo mejor de sus tesoros. Todo eso que les llevó años lograr, lo quemarían en segundos. ¡Total! Si no hay espera, hacían del «ahora» el único y especial momento sublime. Luego, todos los israelitas se quitaron los aretes de oro que llevaban puestos, y se lo llevaron a Aarón, quien los recibió y los fundió. A continuación cinceló el oro fundido e hizo un ídolo en forma de becerro:

> *Todos los israelitas se quitaron los aretes de oro que llevaban puestos, y se los llevaron a Aarón, quien los recibió y los fundió; luego cinceló el oro fundido e hizo un ídolo en forma de becerro. Entonces exclamó el pueblo: «Israel, ¡aquí tienes a tu dios que te sacó de Egipto!».*
>
> *Éxodo 32:3-4,* nvi

Así que pronto el pueblo se olvidó de quién iba delante de ellos:

> *De día, el Señor iba al frente de ellos en una columna de nube para indicarles el camino; de noche, los alumbraba con una columna de fuego. Jamás la columna de nube dejaba de guiar al pueblo durante el día, ni la columna de fuego durante la noche.*
>
> *Éxodo 13:21-22,* nvi

Como no podían mirar hacia delante, el pueblo inventaba sensaciones que hasta le conectaban con su pasado en Egipto, un país idólatra:

> *Cuando Aarón vio esto, construyó un altar enfrente del becerro y anunció:*
> *—Mañana haremos fiesta en honor del Señor.*
> *En efecto, al día siguiente los israelitas madrugaron y presentaron holocaustos y sacrificios de comunión. Luego el pueblo se sentó a comer y a beber, y se entregó al desenfreno.*
>
> *Éxodo 32:5-6,* nvi

Ante esto, debes considerar cuál es tu caso y si, en realidad, eres una persona de fe que ***espera con certeza*** la manifestación de Dios en tu vida.

¿ERES UNA PERSONA DE FE?

El pueblo de Israel dejó de esperar en aquel que traería la Palabra de Dios, el alimento eterno, la vida de bendición para cada momento. Dejaron de mirar hacia el futuro y solo se centraron en desenfrenarse en el presente. Sin espera, no hay fe.

¿Eres de los que cada día esperan la venida del Señor? ¿Eres de los que saben hacia dónde van y que construyen su presente sobre la base del futuro que eligieron para sus vidas? ¿O solo eres de los que cada día se desenfrenan para vivir experiencias? Entonces, es posible que digas: «¡Total, no hay mañana, no hay espera, no hay expectativas!». Hoy es el primer día del resto de nuestras vidas, no el último. Tenemos mucho más futuro que pasado.

Cuando tenemos la certeza de lo que se espera, nuestros ojos y corazón están puestos en la visión y nuestros pies en la acción. Además, la certeza de lo que esperamos nos invita a ser poderosos en el andar cotidiano. Comencemos reconociendo que el Señor viene y que yo voy. En realidad, sé hacia dónde voy porque tengo certeza del futuro que Dios quiere para mi vida. Debido a que estoy comprometido a lograr lo que Él diseñó para mí, no me preocupa ni inquieta la espera. A decir verdad, me alienta y me ayuda a vivir cada día en su presencia porque sé que nada ni nadie puede detenerme.

LA CABEZA ERGUIDA

Dios quiere que estemos erguidos. Ya en nuestros cuerpos Él nos dio la clave de cómo debemos vivir: «Con la cabeza erguida mirando hacia delante». Sin embargo, algunos solo se miran el ombligo. Son los que nos gusta llamar ***ombliguistas.*** Se miran el ombligo sin tener en cuenta a los otros, sin poder ver las soluciones de su vida que se encuentran a un metro de distancia, pero por tener la cabeza gacha, no las ven. Estos no son sólo los egoístas, sino los que han bajado tanto su autoestima que conocen más las huellas del suelo que las alas de las nubes.

Nuestros países están llenos de personas que han tenido una baja autoestima durante muchos años. Debido a que Dios nos ha dado la oportunidad de realizar numerosos viajes en estos últimos años, hemos podido observar la cantidad de personas que no ven futuro solo porque no levantan la cabeza...

Después están los que miran hacia los costados. Se trata de esos que murmuran y se fijan en los demás. Los peores de todos son los que miran hacia atrás y van con la cabeza baja procurando encontrar respuestas para lo que ya no pueden cambiar. Esto no lo hacen solo con sus cuerpos, sino también con sus emociones y su manera de hablar.

En el Método CC nos gusta decir que las personas se constituyen en el lenguaje. ¡Cuántos vemos que solo describen el pasado sin siquiera generar una declaración de futuro! Así que dicen una y otra vez: «Todo está difícil, no se puede». Luego, llegan a sus casas en la noche para quejarse por lo que no pasó.

ATRÉVETE A CAMBIAR

A la hora de cambiar o bien doy un paso hacia atrás o doy un paso hacia delante. En esto, el hombre parece como que no tiene la sensibilidad para entender los cambios, pero la mujer sí. Hay momentos clave en la vida de las mujeres que tienen que *atreverse* a cambiar. Quizá sea en un segundo.

Por lo tanto, en tu caso, tienes que dar un paso hacia delante o dar un paso hacia atrás a las inseguridades, el fracaso, a perderlo todo, a ser la persona que no eres aún. Hoy es el día que te trajeron hasta aquí para poder elegir ser la persona que Dios quiere de ti, a fin de diseñar un futuro poderoso. Aun así, es un paso hacia delante o un paso hacia atrás... ¡tú eliges!

Ya no se trata de una decisión, sino de una elección. Muchas veces vamos hacia el futuro tomando acciones de acuerdo con lo que pasa y con las circunstancias. Sin embargo, *elegir* es más que eso: Es diseñar en qué voy a esperar, es desarrollar un andar perseverante hacia el futuro a pesar del afuera, de las circunstancias, a pesar de si todo está bien o no.

EL CASO DE ABRAHAM

Imaginemos a Dios diciéndole a Abraham: «Ven a la tierra que te mostraré» (véase Génesis 12:1). ¿Era un paso hacia lo conocido o un paso hacia lo desconocido? La Palabra dice que obedeció (véase Génesis 12:4-5). Muchas de las cosas que hoy nos están pasando se debe a que los que nunca quisieron obedecer se han puesto a mandar.

EL CASO DE NAAMÁN

Pienso en Naamán que buscaba la sanidad de Dios, pero a su modo. Entonces, cuando nada sucedió así, tuvo que elegir en volver a Siria teniendo la razón o hacer lo que el profeta le decía y zambullirse en el barro del Jordán... y se atrevió (véase 2 Reyes 5:8-14).

EL CASO DEL JOVEN RICO

El joven rico es otro que podía dar un paso hacia delante y ser uno de los setenta que comisionó Jesús, o dar un paso hacia atrás y mantenerse donde estaba con justificativos, así que eligió dar el paso hacia atrás (véase Mateo 19:16-22).

EL CASO DE PEDRO

También tenemos a Pedro que recibió el llamado del Señor. Pedro podía dar un paso hacia atrás y seguir siendo un pescador o dar un paso hacia delante y convertirse en pescador de hombres (véase Marcos 1:16-18).

ESPERAR ES PERSEVERAR

La Biblia nos narra que los discípulos estuvieron tres años viendo los milagros de Jesús, quien transformó al mundo de una manera poderosa, y formaron parte de su grupo. Sin embargo, dudaban.

Pero los once discípulos se fueron a Galilea, al monte donde Jesús les había ordenado. Y cuando le vieron, le adoraron; pero algunos dudaban. Mateo 28:16-17

Como ves, tres años de milagros no fueron suficientes. Tampoco lo fueron los cuarenta días en el retiro exclusivo de la resurrección. Lo vieron desocupar tumbas y dictar cambios climáticos, pero seguían dudosos. ¿Quiénes podrían conocerlo mejor que ellos? Aun así, seguían renuentes: *Es que todavía no estoy seguro.* Se parece a los que dicen:

- Todavía me preocupo.
- Todavía cuento chismes.
- Todavía mi matrimonio está paralizado.
- Todavía vacilo entre dejar la bebida y visitar el bar de la esquina.
- Todavía siento un vacío en el estómago cada vez que me llama aquel novio que tuve.

¿Tiene Cristo algo que decir a los que siguen hurgando en el anaquel de la duda? *Su sí es bastante sonoro y su instrucción te sorprenderá.* Cuando en el mejor momento de nuestras vidas Dios nos invita a mirar hacia delante, dudamos. No obstante, ante la duda, ¿qué les respondió Jesús a sus discípulos?

> *Y estando juntos, les mandó que no se fueran de Jerusalén, sino que esperasen la promesa del Padre, la cual, les dijo, oísteis de mí.*
>
> **Hechos 1:4**

Por lo tanto, esto mismo fue lo que hicieron los discípulos: Se reunían y permanecían unidos y unánimes todo el tiempo. Incluso, su número llegó a ser de ciento veinte almas congregadas bajo el mismo techo.

> *Entonces volvieron a Jerusalén desde el monte que se llama del Olivar, el cual está cerca de Jerusalén, camino de un día de reposo. Y entrados, subieron al aposento alto, donde moraban Pedro y Jacobo, Juan, Andrés, Felipe, Tomás, Bartolomé, Mateo, Jacobo hijo de Alfeo, Simón el Zelote y Judas hermano de Jacobo. Todos estos perseveraban unánimes en oración y ruego, con las mujeres, y con María la madre de Jesús, y con sus hermanos.*
>
> **Hechos 1:12-14**

Es decir, los discípulos persistieron en la presencia de Cristo. No sabían si tendrían que pasar diez días o cien, pero no se movían desde allí... y ya sabemos lo que sucedió. Los dudosos se volvieron profetas y Dios abrió el mayor movimiento de la historia. Todo esto empezó porque los seguidores estuvieron dispuestos a hacer algo trascendental: ***Permanecer perseverando en el lugar adecuado en espera del poder.***

Nosotros vacilamos mucho para hacer lo mismo que ellos. ¿Quién tiene tiempo para esperar? Lo cierto es que esperar perseverando no tiene nada que ver con la inactividad, sino más bien con la actividad. ***La manera más poderosa de conectarte con tu futuro para disfrutar tu presente es con perseverancia.*** La perseverancia siempre espera, siempre mira hacia delante.

Sin embargo, la angustia mira hacia atrás. La desazón puede mirar hacia el presente, pero la perseverancia siempre mira hacia lo que se espera, hacia el futuro, hacia lo que vamos construyendo día a día. Lo que es más importante, Dios nos ha invitado a perseverar.

La palabra que se traduce «perseverar» en Hechos 1:14, que significa «ser continuamente constante», es la misma que se utiliza en Marcos 3:9 para referirse a la barca que «esperaba» la llegada Jesús, donde ahora tiene también la connotación de «atender y asistir»:

> *Mas Jesús se retiró al mar con sus discípulos, y le siguió gran multitud de Galilea. Y de Judea, de Jerusalén, de Idumea, del otro lado del Jordán, y de los alrededores de Tiro y de Sidón, oyendo cuán grandes cosas hacía, grandes multitudes vinieron a él. Y dijo a sus discípulos que le tuviesen siempre lista la barca, a causa del gentío, para que no le oprimiesen.*
>
> ***Marcos 3:7-9***

De modo que «perseverar» es buscar algo mayor que uno mismo. No es sólo ver cómo pasa la vida, sino saltar por lo mejor que tenemos, por lo que deseamos alcanzar. Entonces, ¿a qué debes saltar? A lo que está muy alto en tu futuro y que te motiva a practicar, a prepararte, a desviar tu mirada de las cosas que estás haciendo. ¿Por qué? Porque todo lo que te lleve a tu pasado es lo que te tira hacia abajo, lo que no te invita a saltar, a practicar ni a prepararte. Por lo tanto, una vez más, debemos ir hacia algo mayor que nosotros mismos.

La perseverancia en lograr un presente poderoso requiere que tengamos una clara y amplia visión del futuro que sea mayor que nosotros mismos. Luego, lo que le sigue es que nos comprometamos a lograrla.

COMPROMISO

El modelo del Método CC tiene como base al «compromiso» que es mucho más que hacer algo, debido a que es una declaración con el lenguaje que sostengo con acciones. Aquí veremos cómo los espacios de compromiso me permiten vivir en un mundo de cambio constante logrando no caer en el paradigma de que llego tarde a todo lo que sé.

Sin embargo, hay que tener en cuenta que el compromiso me ayuda a ver lo que antes no veía y a diseñar acciones en pos de mi visión. Entonces, cuando nos relacionamos desde el compromiso, esto nos ayuda a caminar con poder. Cada una de estas distinciones que venimos analizando nos permiten ir incorporando recursos y principios a fin de subir por el Método CC. Decimos que todas y cada una son claves para nuestro desarrollo y, lo que es más, serán de gran utilidad en el proceso.

Cuando salimos del mundo de la razón donde lo que siempre procuramos es conocer para enseguida decidir y actuar, nos damos cuenta que esta técnica es insuficiente. Por eso, el Método CC te plantea que incorpores la distinción **compromiso** como el aire que respiras. En estos tiempos, para llegar al resultado extraordinario la ecuación es: «Me comprometo, actúo y aprendo».

Es probable que muchas veces actúe sin saberlo todo, sin estar seguro por completo, sin caminar sobre la razón probada ni con todos los recursos. No obstante, esos son los códigos del mundo de hoy. La incertidumbre constante del mundo actual solo se puede vencer con la certidumbre de mi compromiso con lo eterno, con el Eterno y con una poderosa visión de futuro. En realidad, no lo sabré todo, pero me comprometo, actúo y aprendo sobre la marcha. De esa manera tengo la posibilidad de aprender y suelto lo que me tiene atado.

Aunque quiero saberlo todo para tener la seguridad de que no voy a fracasar, voy hacia el futuro dispuesto y aceptando que quizá fracase, pero comprometido a ganar. Luego, si fracaso, aprendo del fracaso. Esto no se debe a que me guste fracasar, sino a que mi futuro y mi visión de futuro es tan grande que ni siquiera el fracaso puede detenerme.

Como el compromiso no es solo una cuestión de moralidad o conservación de imagen, voy tranquilo hacia el futuro aprendiendo de cada paso, en cada momento y de cada situación. Ese nuevo esquema, esa manera poderosa de relacionarme con las cosas, con las personas y conmigo mismo, parte de incorporar la distinción «compromiso» y vivir en ella. Todos estamos comprometidos a algo o a alguien. Lo importante es empezar a elegir porque el compromiso cambiará mi futuro.

DEFINICIÓN DE «COMPROMISO»

Antes decíamos que el compromiso es una declaración que se manifiesta en acciones. Sin embargo, vemos que algunos van a la inversa, pues se comprometen y creen que solo basta con la acción. El compromiso debe ir en este orden: Primero hay que declararlo y después, desde allí, construimos las acciones. Entonces, ¿qué es el compromiso? El compromiso es...

- ⊙ Lo que transforma una promesa en realidad.
- ⊙ La elección y la acción que cambia el futuro.
- ⊙ La capacidad del hombre para crear lo que no existe.
- ⊙ La palabra que habla con valor de nuestras intenciones y las acciones que hablan más alto que las palabras.
- ⊙ Dar tiempo cuando no lo hay.
- ⊙ Salir airoso una y otra vez, año tras año.
- ⊙ El material que forja el carácter; el poder de cambiar las cosas.
- ⊙ El triunfo diario de la integridad sobre el escepticismo.

El compromiso no tiene que ver con lo que nos gusta o lo que queremos hacer. Tampoco se relaciona con la manera en que nos sentimos. Tiene que ver con mi visión, mi elección de llegar a la cima, mi modelo de relacionarme con otros y con el mundo. Es una manera poderosa de ser en cada momento de nuestras vidas.

Antes de continuar, veamos algunas preguntas importantes:

- ⊙ *¿Eres capaz de cambiar las circunstancias para lograr tus compromisos?* Muchas veces no obtenemos los resultados porque no tenemos compromiso.

- ⊙ *¿Qué significa estar comprometido?* Estar comprometido significa ponerse en acción observando la vida desde el compromiso asumido.

- ⊙ *¿Dónde empieza el cambio del futuro?* Empieza en la manera de conversar. Por lo tanto, hacemos una declaración y, luego, nos comprometemos con lo declarado. Es decir, ser lo que expresa nuestra palabra.

Quizá estés comprometido con tu visión, pero todavía no la estás logrando porque te falta desarrollar alguna competencia o habilidad o porque no estás comprometido en realidad. El compromiso se declara, no se descubre. Además, tiene que estar siempre relacionado con la visión. Más adelante profundizaremos acerca de esto.

Sin embargo, ahora queremos enfatizar que no hay compromiso sólido que se pueda sostener si no se declara y viene con acciones cuantificadas y con una visión de futuro. Cuando me comprometo sin visión y tengo la mirada puesta en el hoy o en el ayer, al poco tiempo estaré haciendo más de lo mismo. De modo que cuando declaramos nuestro compromiso entendiendo que esta declaración cambia el mundo en el que vivimos y se sujeta a una visión, tenemos la posibilidad de ver lo que no veíamos hasta ahora.

Si el compromiso está parado en el saber y no en lo que deseo lograr, buscaré en la razón que tengo, producto del conocimiento acumulado, los elementos para ir hacia delante. Por otra parte, si el compromiso está parado en la visión, nutriré mis acciones de lo nuevo que me muestra el compromiso y en el aprendizaje de lo que viene me permito ir aprendiendo.

LA MANERA DE RELACIONARSE CON OTROS MEDIANTE EL COMPROMISO

Cuando comenzamos a vivir bajo el paradigma de la declaración de compromiso, este influirá en los demás de diferentes maneras. Por eso debo ser consciente que, en el modelo del compromiso y yendo hacia la visión, hay cinco formas de relacionarme con otros a través de esta distinción:

- Cumplo mi compromiso.
- No cumplo mi compromiso.
- Rediseño mi compromiso.
- Vuelvo a enunciar mi compromiso.
- Declino mi compromiso.

Cuando comienzo a usar el lenguaje para relacionarme con los demás mediante el compromiso, eso demuestra que estoy más comprometido a la relación que a la acción, a las personas que a los intereses en común y a que mis compromisos lleguen a buen fin que a justificar el porqué las cosas no me salen bien.

RESILIENCIA

El aprendizaje, la responsabilidad, la disciplina, el compromiso y la perseverancia en alguien que no puede sostener los embates del mundo moderno para volver al mismo estado original sin sufrir consecuencias, no es suficiente y nos dejará a mitad del camino. Por eso, trabajamos para poder comprender la importancia de vivir con una actitud *resiliente* en la vida cotidiana.

La falta de flexibilidad, de generación de puntos de asimilación o de ausencia de renovación de los mismos hace que los hombres y mujeres que eligen elevarse se conviertan en personas rígidas y estresadas por completo. A menudo sucede que cuando se lleva a un nivel superior de responsabilidad o comunicación a personas que funcionaban muy bien en cierto nivel, se vuelvan rígidas.

Todos sabemos que la rigidez con determinado grado de presión hace que haya rupturas. Nos sorprendemos al ver hombres y mujeres perder la frescura y ceder ante situaciones de presión. No lograremos subir hacia el resultado extraordinario si no incorporamos la *resiliencia.*

Por lo tanto, necesitamos construir un modelo de cristiano que pueda ser flexible, pero no permisivo. Alguien capaz de relacionarse con todos, pero que no por eso ponga en juego la integridad de la Palabra. Uno en que sus dichos concuerden con sus hechos y que pueda caminar hacia el futuro con un lenguaje generativo. Para eso se necesita de manera imperiosa ser **resiliente.**

El término **resiliencia** es casi nuevo para nuestros oídos. En sus orígenes, el mundo de la ingeniería lo identificaba con la capacidad de un material para adquirir su forma inicial después de someterse a una presión deformante.

Y en este terreno los seres humanos también tenemos mucho que aprender.

Es interesante ver cómo respondemos o reaccionamos ante las diversas experiencias que enfrentamos en la vida. Algunas pueden ser a una corta edad y otras en cualquier momento. Más aún, me atrevería a decir que estarán presentes en mayor o menor grado o con diferentes «nombres» a lo largo de nuestra existencia sobre la faz de la tierra. La Biblia no dice que cuando queremos buscar de Dios, o cumplir con sus preceptos, nos exoneraría de situaciones difíciles en la vida tales como traumas (físicos o emocionales), pérdidas, enfermedades, desilusiones, frustraciones, presiones, etc.

La forma en que respondemos a las situaciones difíciles no solo varía entre los individuos, sino también en un mismo individuo al exponerse a la misma situación o a diferentes situaciones. Es decir, el proceso es dinámico y varía a lo largo del tiempo de acuerdo con las circunstancias y el grado de crecimiento o madurez que tengamos. Esto es así debido a que la vida también es activa y cambiante. Aunque no podemos controlar la aparición de situaciones adversas en la vida, sí podemos elegir la manera en que vamos a responder ante estas.

DEFINICIÓN DE RESILIENCIA

La palabra **resiliencia** proviene del latín **resilio** que significa «volver atrás, recuperar la forma original, rebotar o resaltar». Como vimos, este término se utilizó en la ingeniería mecánica y evolucionó para su aplicación en otros campos diferentes.

En la ingeniería, la **resiliencia** es una magnitud que cuantifica la cantidad de energía que absorbe un material al romperse bajo la acción de un impacto, por unidad de superficie de rotura. Designa la capacidad de los metales de resistir a los golpes y recuperar su estructura interna.

Por ejemplo, la **resiliencia** que tiene un trozo de goma no es la misma que contiene el plástico. Ante idéntica presión ejercida en un trozo de goma y un trozo de plástico de igual grosor, el plástico se rompe y la goma puede volver a su estado original sin mantener consecuencias de la presión recibida.

En el Método CC definimos el término como «la capacidad del hombre de pasar por momentos difíciles sin mostrar comportamientos disfuncionales». Es la habilidad a la hora de asumir responsabilidades o de responder al conflicto. Cuando tenemos **resiliencia,** podemos levantarnos aunque las circunstancias nos hayan derribado. Además, no solo nos levantamos, sino que mantenemos nuestra forma o diseño original. Por eso, recuperamos lo que éramos antes de estar sometidos a la presión. La restauración de Dios no sólo hace posible que recuperemos nuestro estado original, sino que nos lleva a una posición mejor de lo que estábamos antes de la presión.

Para poder resistir mayor presión es necesario que aumentemos nuestra superficie. Con esto queremos decir que es posible y necesario crecer en nuestra capacidad **resiliente.** Esta capacidad se va desarrollando y eso es lo que hace crecer la superficie para soportar la presión. Cuando tenemos situaciones adversas en la vida, buscamos la manera de ver cómo disminuimos la presión para no colapsar. Sin embargo, esa no es la respuesta. Lo que necesitamos es crecer o aumentar la superficie que es lo mismo que decir que debemos crecer en nuestra capacidad **resiliente.**

Ante los problemas y las presiones de la vida, podemos verlos como algo injusto que no merecemos o transformar nuestra mirada y verlos como una oportunidad, no solo de sobrevivir, sino de crecer en **resiliencia.** Eso nos hará estar más fuertes y flexibles ante eventualidades posteriores. El ser humano tiene la capacidad para hacerles frente a las adversidades de la vida, superarlas e, incluso, permitir que nos transformen. Por lo tanto, nosotros podemos decidir si ese efecto o cambio es para bien o no.

¿CÓMO CRECEMOS EN RESILIENCIA?

Veamos algunas cosas a tener en cuenta si deseamos que aumente nuestra *resiliencia:*

- ⊙ ***Ten en claro tu identidad en Cristo Jesús:*** El concepto que tenemos de nosotros determinará lo que pensamos, decimos y hacemos. Es decir, crecemos o nos quebrantamos en el proceso.

- ⊙ ***Aprende a ser flexible y no rígido:*** La rigidez nos puede quebrantar, la flexibilidad mantiene el equilibrio.

- ⊙ ***Decide crecer:*** Cuando se decide crecer, uno no ve el problema, la presión, ni la situación, sino la oportunidad de vencer, crecer y aprender.

- ⊙ ***Aprende de experiencias previas e incorpora recursos utilizados:*** Más tarde, esto nos dará la capacidad para resolver problemas.

- ⊙ ***Persevera:*** La perseverancia nos ayuda a mantenernos firmes en el momento difícil y a no desenfocarnos.

- ⊙ ***Ten gozo:*** En medio de las pruebas sentimos gozo y no por las pruebas en sí.

- ⊙ ***No seas independiente ni te aísles:*** En otras palabras, trabaja en equipo. Utiliza recursos que necesites en un momento determinado. Muchos estudios señalan que el factor de mayor importancia en la resiliencia es tener el cuidado y el respaldo dentro y fuera de la familia. Sin embargo, ¿qué vamos a hacer si no tenemos ese respaldo en un momento determinado? Podemos tenerlo en otras personas.

- ⊙ ***Ten dominio propio:*** Esto nos da la capacidad para controlar los impulsos y los sentimientos fuertes.

- ⊙ ***Apóyate en la Biblia:*** Debes conocer, meditar y confesar la Palabra de Dios.

CUALIDADES DE UNA PERSONA RESILIENTE

Las personas **resilientes** poseen una serie de cualidades que las distinguen. Ahora veamos las más importantes:

- ⊙ Seguridad y confianza en sí mismo.
- ⊙ Tiene una clara visión de lo que se quiere.
- ⊙ Flexibilidad ante lo que ocurre.
- ⊙ Compromiso con la acción.

Con todo esto en mente, tenemos la posibilidad de llegar a ser personas **resilientes.**

Distinguir la oración para subir hacia la cima es ir hacia lo que Dios espera de mí y no solo lo que espero de Él. Nuestro propósito con esta distinción es llegar a profundizar en la oración como el contexto en el que puedo ver las situaciones espirituales. La oración es la distinción más importante que permite que las demás fluyan debido a que nos permite distinguir cuestiones espirituales y situar siempre a Cristo, hasta cuando tenemos éxito, en el centro de nuestras vidas. Allí es cuando estarás preparado para subir.

La **oración,** como séptima distinción, es clave para caminar hacia el resultado extraordinario. Además, debemos llevarla con nosotros en todo momento y no dejar de ponerla en práctica en ninguno de los niveles a los que nos vayamos relacionando.

¿Qué logramos en la vida sin la oración constante? De seguro que nada perdurable, pues... aunque me convierta en una persona con gran flexibilidad en mi manera de mirar, que pueda comprender que no veo las cosas como son sino como soy y que mi desafío de vida constante es verlas como Él las ve, sin la **oración constante** todo es en vano. Aunque incorpore un andar disciplinado porque elegí ser un discípulo de lo que Dios quiere para mí porque estoy presente para cada momento y me entrego a crecer, sin la **oración constante** esto se disipa. Aunque viva comprometido haciéndome cargo del cien por cien de cada uno de mis actos y sostenga con acciones las declaraciones que fui haciendo, sin la **oración constante** no hay resultados duraderos.

Aunque sepa y acepte vivir en el espacio del aprendizaje entendiendo que vivimos en un mundo de continuo cambio que me exige un aprendizaje consecuente, sin la ***oración constante*** todo se debilita. En fin, aunque persevere ante cada obstáculo que vaya sucediendo hacia mi visión, sin la oración constante solo seré una brisa tenue en medio de un mar de oportunidades.

Ni siquiera el estar en paz conmigo mismo y con el mundo por tener la seguridad de mi misión y llamamiento, ni estar en el espacio de una visión poderosa que tenga la bendición de Dios, sin oración seré un cometa que va rápido hacia delante, pero no seré luz en medio de la oscuridad de otros. Si no incorporo en mi manera de mirar, de ser y de actuar el vivir siempre en espacios de oración, no tendré el verdadero éxito en la vida. Los recursos lingüísticos, las capacidades conversacionales y los modelos para llevar adelante todo tipo de contextos relacionales harán de mí una persona con conexiones, pero no tendré la conexión más importante, la conexión con Dios, que es la eterna y la imprescindible.

Quizá el Método CC me ayude a convertirme en un experto en el manejo de las emociones y los estados de ánimo e intervenga en ellos y, por entender que son predisposiciones para la acción, les dé y los nutra de interpretaciones poderosas para generar contextos que me bendigan y bendigan a otros. No obstante, sin una mirada desde la oración, jamás llegaré a vivir en el equilibrio de que Dios puede usar los talentos que me dio y solo podré estabilizarme en cada acción y en cada emoción. Claro, que esto lo haría sin la mirada más poderosa de las emociones en mi diario vivir que es desde el cielo, desde las alturas, desde la mirada de los ojos de Jesús.

Si hago un buen uso del poder, pero sin vivir en la presencia de Dios, puede llegar a suceder que no sea poder desde lo alto lo que fluya de mí, sino el de mis principios, de mis miradas, de mis valores. La oración convierte mi caminar y mi relación con otros en contextos poderosos desde el mismo centro de la gracia de Dios y su justicia, y no desde la mía.

Un hombre o mujer con poder que no esté generándolo en un profundo y cotidiano contacto y relación con Dios, es efímero y peligroso. Solo la calma y la autoridad del Señor ante la tempestad hacen del surcar los mares del liderazgo un andar victorioso. Si solo atinamos de vez en cuando a orar, los espacios que dejamos en la batalla espiritual son demasiados como para que como líder logre el resultado extraordinario con la bendición de Dios y disfrutando el proceso.

La oración y el orar sin cesar como un hombre o mujer de oración te convierte en un instrumento de su poder, de su plan, de su mirada, de su amor, de su perdón, de su plan con otros. Con solo tener el resto de las distinciones y los recursos que te plantea el Método CC, te hará un hombre de éxito, pero con la constante posibilidad de que todo se derrumbe enseguida como un castillo de arena anegado por la primera ola que se le pose encima.

Cuando se ora y se entiende que la oración es una de las siete distinciones para subir a la cima, somos capaces de tener los pies en la tierra y el corazón en el cielo. Entonces, si vives la empatía y la entrega, lo harás con manos extendidas y con el poder de Dios corriendo por tus venas. Asimismo, cuando generas contextos hacia la visión o cruces la brecha, tu vivir en conexión con el Altísimo te dará nuevas fuerzas y Él mismo guiará tus pasos.

Sin duda, la séptima distinción es fundamental para subir a la cima de lo que descubriste que Dios quiere de ti y eliges para tu vida. Por eso en el *coaching cristiano* creemos que toda persona puede incorporar recursos y distinciones del Método CC. De ese modo puede priorizar cada día su tiempo con Dios, vivir en su presencia y encontrar su voluntad, a fin de que logre vivir su cristianismo en su alma, en su corporalidad cotidiana y en el lenguaje que produce el mismo cuerpo, pero también en su espiritualidad.

Dios nos completó por medio de Jesucristo. Además, todo nuestro ser (cuerpo, alma y espíritu) tiene el llamado a vivir una vida plena que nunca seremos capaces de lograr sin un espacio profundo e intenso de oración y de conexión con el Padre. Sin embargo, de la distinción «oración» de la que hablamos en el Método CC de «coaching cristiano», es una oración con estas características:

- ⊙ Tiene claridad de propósito.
- ⊙ Es persistente.

- Se realiza con fe.
- Posee una constante mirada en el plan de Dios para la vida y no solo a lo que quiero que me dé Él.
- Está alineada a mi misión.
- Es compañera en la brecha de mi visión.
- Es un vehículo de confirmación de la unción de Dios sobre mí.
- Constituye una base para que escuche.
- Es motor de mi empatía.
- Se manifiesta como socia de mi entrega.
- Es la garantía de los contratos conversacionales que elijo generar.
- Es protagonista en mis opiniones.
- Me ayuda en mis intervenciones de mis estados de ánimo y emociones.
- Es el preludio de mis actos de influencia, en el ámbito que sea, preguntándome a cada momento: «Señor, ¿qué harías en mi lugar?».

La *oración* también tiene que vivir haciendo un uso de las otras distinciones para convertirse en la superficie espiritual que pise para dirigirme hacia la cima. Debe ser un tiempo fijo, con disciplina, con entrega, con corazón dispuesto. La misma necesita de compromiso para elevarse y de perseverancia para que en todo el camino sea una muestra continua de Dios y no de mis habilidades, así como una clara realización en que nuestra esperanza está puesta en Él.

La oración requiere flexibilidad y *resiliencia,* en lugar de rigidez, a fin de que Dios pueda trabajar a través de ella para decirme qué hacer y me paré en la razón que hace de la oración un espacio donde le digo a Dios lo que quiero para mi futuro. La oración necesita de responsabilidad entendiendo que debo orar por cada una de las cosas que sucederán fuera de mí y dentro de mí. Luego, me comprometo a orar como si fuera el único que lo haga por cada relación, por cada espacio, por cada lugar que debemos visitar. Es decir, tener una oración que abra espacios y no que emita sonidos hacia la nada en espera de ver lo que pasa.

La oración es también el espacio que abro con actitud aprendiente y en la contemplación de la maravilla de Dios, de su grandeza y su manejo de leyes y de todo. Es más, la oración amplía mi mirada de lo espiritual y es un increíble espacio donde Él puede darme, bendecirme y enseñarme, siempre que yo esté dispuesto a aprender.

La oración que no solo se incorpora como un tiempo o una técnica, sino como una distinción, nos permite ver con mayor claridad. Por eso es que amplía nuestra superficie y nos facilita la interrelación con las otras distinciones que incorporamos en la base antes de subir hacia la cima. Sin esta distinción podrás llegar a la cima, pero no tendrás a quién abrazar allí.

La oración nos da una constante apertura a la espiritualidad, a Dios, a su inmensidad, y nos permite vivir en su presencia mientras caminamos hacia lo extraordinario. De modo que eso fabuloso e increíble que está sucediendo en mi vida no se deberá sólo a que cambié mi mirada, lenguaje y avance hacia el futuro. Todo esto será un reflejo de la gloria de Dios y una elección de no ser un simple creador de nuevas posibilidades, sino un creador junto con Él de un mundo que le necesita y en el que solo elegí ser protagonista.

La distinción «oración» en el proceso de «coaching cristiano» del Método CC es el espacio para la creación conjunta de la visión, recibir la unción y caminar hacia relaciones poderosas. Por eso lo haré día a día y cara a cara con Él a medida que guía mis pasos.

Las personas que van por el resultado extraordinario al elegir el modelo de «coaching cristiano» del Método CC tienen grandes ventajas. Este modelo plantea que la manera de permanecer en el amor y la paz que da ver al mundo desde la inmensidad de la cima de lo logrado es porque Cristo habita en ti, en tu corazón, en tus entrañas, en todo tu interior. También señala que, aparte de ir incorporando distinciones y recursos a través del proceso, pasas tiempo de comunión personal con el Padre celestial, conversas con Él acerca de tus próximos movimientos y le permites que tu corazón sea su morada eterna y constante.

A las personas que suben por el Método CC hacia lo extraordinario, pero que lo hacen con un corazón sin Cristo, les faltará el aire, tendrán náuseas, se les nublará la vista o se desmayarán cuando lleguen a las alturas. Esto se debe a que el corazón del hombre no puede llegar a las cumbres sin ayuda.

Por lo tanto, tu único enfoque para lograr la cima no debe ser tu egocentrismo, ni tu preparación, ni la ayuda de «fuerzas o poderes» externos, sino Cristo como la misma base en la que Él habite en ti. Si Él es el Señor de tu vida, de tus pasos, y la oración es el vehículo constante para que el Dueño de tu corazón genere la energía en ti, recibirás las fuerzas necesarias para alcanzar la cima y lograr lo extraordinario. En ese ámbito tu oración será tan poderosa, disciplinada, responsable, comprometida, resiliente, perseverante y aprendiente que, cuando camines hacia quien elijes ser y vayas cruzando la brecha a tu paso, tu misma sombra sanará y el poder que emanará de ti será fruto de tu vida santificada y tu elección de crear en conjunto con Él.

PREGUNTAS DE REFLEXIÓN Y PRÁCTICA

Aprendizaje

- ¿Cuáles son los enemigos del aprendizaje que identificas en tu vida?
- ¿Qué puedes hacer para derrotar esos enemigos y evitar que te sigan afectando de manera negativa?

Responsabilidad

- ¿En qué esferas asumes la posición de víctima en lo concerniente a la responsabilidad?
- ¿De qué cosas tienes que tener la responsabilidad y no lo has estado haciendo?

Disciplina

- ¿Qué acciones vas a tomar para ser un buen discípulo?
- ¿De qué forma puedes ser un mejor regalo?

Perseverancia

- ¿Cuál es el riesgo de no incorporar la distinción de la perseverancia?

- ¿En qué esferas necesitas incorporar la perseverancia y hacerla parte de ti?

Compromiso

- ¿En qué esferas tienes que estar comprometido y no lo estás?

- ¿Cómo puedes comprometerte en esas cosas?

Resiliencia

- ¿Cómo puedes resistir la presión en las situaciones de la vida?

- ¿En qué campos necesitas aumentar la resiliencia?

Oración

- ¿Cuáles de las catorce esferas que se mencionan en el capítulo te faltan para hacer de la oración el contexto para lo extraordinario?

- ¿Qué acciones te comprometes a tomar para subir al siguiente nivel?

PRIMERA PARTE:
MANERA DE VER

DIOS NO NOS DIO EL PODER PARA VER LAS COSAS COMO SON, SINO PARA QUE LAS VEAMOS COMO SOMOS.

MÉTODOCC

MODELO CRISTO CÉNTRICO
VOLUNTAD DE DIOS
COMPROMISOS PROPIOS PARA IR HACIA ESE LUGAR

MANERA DE VER · MANERA DE SER · MANERA DE RELACIONARSE · MANERA DE LOGRARLO

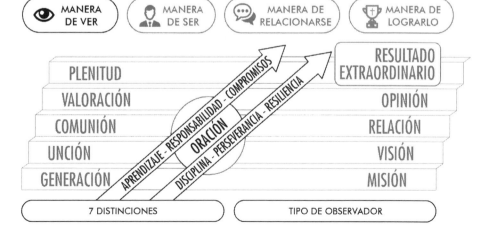

7 DISTINCIONES	TIPO DE OBSERVADOR
PLENITUD	OPINIÓN
VALORACIÓN	RELACIÓN
COMUNIÓN	VISIÓN
UNCIÓN	MISIÓN
GENERACIÓN	RESULTADO EXTRAORDINARIO

APRENDIZAJE - RESPONSABILIDAD - COMPROMISOS · ORACIÓN · DISCIPLINA - PERSEVERANCIA - RESILIENCIA

CAPÍTULO 5

EL TIPO DE OBSERVADOR

Al incorporar las distinciones y estar dispuesto y comprometido al aprendizaje, tienes que ir un paso más allá y preguntarte: «¿Qué tipo de observador soy?». ¿Por qué debes preguntarte esto? Porque para ser poderosos en la manera de ver debemos trabajar un paso antes de la acción. Tu manera de «ver» está íntimamente relacionada con el tipo de observador que eres. Es decir, con la manera en que ves las cosas a tu alrededor.

Observador es la forma particular en que un individuo da sentido a la situación que enfrenta antes de intervenir en ella. Así que en este capítulo trabajaremos para identificar tu tipo de observador y cómo esto no solo puede afectar nuestra manera de interpretar las cosas, sino también nuestra interacción con los demás también.

NUESTRA MIRADA

No sabemos cómo son las cosas. Solo sabemos cómo las vemos o interpretamos. Vivimos en mundos interpretativos. Lo que vemos a nuestro alrededor no necesariamente es la verdad, sino nuestra verdad. En realidad, se trata de nuestra interpretación de cómo vemos las cosas.

Sin embargo, no lo vemos todo. Tampoco lo que vemos es la realidad absoluta. Dios solo nos dio ciento ochenta grados de visión.

A veces decimos: «Todo lo que digo, hago y pienso es verdad». Y no nos damos cuenta que Dios no nos dio el poder de ver las cosas como son, sino como las vemos. Así que, ahora, permítenos que te lo repitamos: «Dios no nos dio el poder de ver las cosas como son, sino que son como las vemos».

Creemos que todo lo que vemos es la realidad sin percatarnos que es «nuestra» realidad. O dicho de otro modo: «Dios no nos dio el poder de ver las cosas como son, sino que las vemos de la manera que "somos"». El tipo de observador que eres determina cómo verás las cosas a tu alrededor.

OBSERVADOR, ACCIÓN Y RESULTADOS

A veces tratamos de cambiar al mundo o la gente, pero lo que en verdad necesitamos es evaluar nuestro tipo de observador. Aunque más que evaluarlo es modificarlo, transformarlo y debemos cambiar nuestra perspectiva de cómo vemos las cosas a nuestro alrededor. Así que no solo se trata de ser un tipo de observador más agudo. Es necesario que adoptemos los principios de la Palabra de Dios de modo que podamos ver las cosas como las ve Él.

A decir verdad, no es posible crecer y alcanzar las cosas que Dios ha destinado para nosotros si seguimos viendo, mirando o interpretando de la misma manera que lo habíamos estado haciendo hasta ese momento. Por lo tanto, hace falta que cambiemos o transformemos nuestro tipo de observador. Eso nos permitirá decidir hacer cambios en nosotros y transformar nuestra manera de interpretar y ver las cosas en la vida.

A veces pensamos que si algo no nos salió bien, debemos cambiar la acción. Es decir, cambiar lo que hicimos y actuar de una forma diferente para lograr otros resultados, pero no es así. Lo que debemos transformar es nuestra manera de ver las cosas. No es cambiar la acción, sino al observador. No podemos cambiar los acontecimientos ni al mundo, pero sí podemos cambiar nuestra mirada e interpretación de esas cosas.

¿Qué nos constituye a cada uno de nosotros en nuestro tipo de observador?

El tipo de observador que somos se constituye en la interacción de tres dominios:

CUERPO EMOCIÓN LENGUAJE

⊙ **Dominio del cuerpo:** Solo podemos observar lo que nos permite nuestra constitución biológica y para eso utilizamos los sentidos. Observamos desde nuestra postura corporal, desde nuestros gestos. Hablamos con nuestro cuerpo y gestos aunque nuestra boca no diga nada.

⊙ **Dominio del lenguaje:** Observamos a través de nuestras distinciones lingüísticas y de las narrativas que proponen la cultura donde nacemos y nos desarrollamos. Todo esto se logra a partir de nuestras conversaciones, nuestras opiniones y las historias que contamos acerca de nosotros y los demás.

⊙ **Dominio de las emociones:** Nuestras emociones o estados de ánimo nos predisponen a observar y a actuar de diferentes maneras.

LA MIRADA DE OTROS

Es importante que recordemos que la gente a nuestro alrededor no ve las cosas como las vemos nosotros. Eso no quiere decir que no tengan razón ni que nos lleven la contraria. Más bien lo que implica es que cada uno puede ver las cosas de diferentes maneras. Todos tenemos ese derecho. En realidad, cada cual piensa que su manera de ver las cosas es la verdad, pero no necesariamente es así, sino que es su forma particular para interpretarla. Por eso podemos tener diferentes perspectivas y opiniones, pero respetarnos a la vez. Veamos esta imagen para explicar mejor este punto:

¿Qué ves en esta lámina? ¿Es la imagen de una mujer? ¿Esa mujer es joven o vieja? ¿Hay otra posibilidad? Como mencionamos, cada uno puede ver las cosas de diferente manera. Una sola imagen, pero varias formas de interpretarla.

La imagen no está en la hoja del dibujo, sino en la mente de quien la ve. Esto no significa que no sea la misma que vemos nosotros, ni tampoco quiere decir que esté mal. Solo que es una manera diferente de observar porque proviene de otro observador. ¿Está mal alguna de las observaciones? No, solo que son diferentes. Para cada uno es su verdad, su realidad. Su manera de ver e interpretar algo.

Esa forma de ver e interpretar puede estar determinada por diversos factores. Entre estos, podríamos mencionar la cultura, el lenguaje y las historias pasadas de los individuos.

Por lo tanto, es importante que aprendamos a escuchar y a aceptar a otras personas aunque tengan una manera de ver diferente a la nuestra. No podemos pretender tener buenas relaciones y solo estar bien con los que ven, piensan y hablan como nosotros. El mundo no es así. Un cristiano maduro es uno que puede respetar la opinión de otros aunque sea diferente.

La aceptación y el respeto de la opinión y la forma de ver las cosas diferentes no implican que tenemos que estar de acuerdo con esa persona. Lo que sí quiere decir es que, aunque podamos diferir, le respetamos. Así que podemos relacionarnos con ella y trabajar juntos.

NECESITAMOS LA MIRADA DE OTROS

La existencia de diferentes percepciones de las cosas no es un problema en sí mismo. Se convierte en uno cuando cada persona piensa que su forma de ver e interpretar algo es la única y la adecuada. Por eso, es saludable y conveniente tener la mirada de otros. Esto no es algo negativo, pues no lo vemos todo.

Otra persona nos puede ayudar a ver esas otras esferas que no vemos nosotros. Eso no es malo, ni negativo. Al contrario, puede sernos muy útil. Sin embargo, para que otra persona pueda ver y ayudarnos a ver lo que no vemos, es imprescindible que tengamos humildad. De otra forma, nos molestaremos y nos pondremos a la defensiva.

A decir verdad, no nos damos cuenta que nuestra visión es de ciento ochenta grados. Muchos suponemos que podemos ver trescientos sesenta grados, que siempre lo tenemos todo claro y que lo que vemos y opinamos es absoluto, es la verdad, es el mundo real. No obstante, Dios solo nos dio la posibilidad de ver la mitad del mundo que habitamos. Así nos hizo Él, nos guste o no, con ciento ochenta grados de visión y ciento ochenta grados de ceguera. Nos creemos que tenemos trescientos sesenta grados de visión y salimos a la vida creyendo que lo vemos todo y que todo lo que vemos es verdad absoluta solo porque lo vimos.

LA TRANSFORMACIÓN DE NUESTRA MANERA DE VER

Cuando hablamos de este aspecto tan importante de la vida, recordamos lo que dijeran estos dos grandes hombres:

El mundo que hemos creado como resultado del nivel de pensamiento que hemos desarrollado, ha generado problemas que no podemos resolver con ese mismo nivel de pensamiento.

Albert Einstein[1]

El verdadero viaje de descubrimiento no consiste en buscar nuevos territorios, sino en tener nuevos ojos.

Marcel Proust[2]

La manera en que interpretamos las cosas determinará la forma en que nos comportemos o accionemos en la vida. Actuamos como somos y somos como actuamos. Es decir, la acción genera el ser.

Es interesante cómo podemos ver una misma situación con diferentes interpretaciones. Esto puede ocurrir en distintos individuos, aunque también en un mismo individuo que decide transformar su forma de ver las cosas. Alguien que decide interpretarlas de otra manera. La transformación o cambio de nuestra manera de ver no solo es posible, sino necesaria.

Se nos ha enseñado a vivir preguntándonos más el «porqué» de algo que «para qué». La transformación de nuestra manera de ver nos permitirá mantenernos enfocados y procurando aprender de cada experiencia, aunque esta parezca contraria o adversa. No pretendamos transformar al mundo, las circunstancias, ni a otros, sino transformemos nuestra manera de ver e interpretar las cosas. Ahora, veamos un ejemplo:

Cuenta la historia de dos vendedores de zapatos que enviaron a un país africano para una campaña de ventas. Al llegar, se dieron cuenta con gran asombro, que nadie en ese lugar usaba zapatos. El

---

[1] Albert Einstein, físico alemán, véase http://www.team-power.com.mx/esp/ home/hometour/homenews.html; accedido el 5 de abril de 2010.

[2] Marcel Proust, escritor francés, véase http://armonizatumente.blogspot. com/2009/03/mensajes-con-sentido-2.html; accedido el 5 de abril de 2010.

primero se comunicó con su jefe y le dijo: «Regreso mañana. Aquí el mercado es inexistente. Nadie usa zapatos». Mientras que el otro le envió un informe a su superior diciéndole: «He decidido quedarme un año. Este es un mercado excelente donde se puede trabajar mucho. ¡Nadie tiene zapatos todavía!».

En el mismo lugar y ante la misma situación una persona hace una cosa y otra persona otra. Esto se debe al tipo de observador que somos. ¿Cuántas veces nos hemos enfrentado a una situación y nos enfocamos más en lo que parece un problema y no la vemos como una oportunidad? Decimos oportunidad porque podemos aprender y crecer en el proceso. Por otro lado, podemos pensar y decir que esa situación nos detiene o que nos destruirá.

Recuerda que a los que amamos a Dios todas las cosas obran para bien (véase Romanos 8:28). Por ser cristianos no estamos exentos de situaciones contrarias, difíciles y desagradables en nuestra vida. De seguro que estas vendrán. Sin embargo, el Señor nos dio la capacidad para ver las cosas diferentes y cambiar nuestra interpretación de lo que sucede. Con tal motivo, no solo necesitamos conocer su Palabra, sino creerla y ponerla en práctica.

Es importante que sepamos que hace falta cambiar nuestra mirada y estar dispuestos a hacerlo también. No es algo que ocurre de manera automática. Nos cuesta trabajo decidir, comprometernos y persistir en el proceso. Nos cuesta trabajo cambiar nuestros modelos mentales o paradigmas.

PARADIGMAS

A fin de poder transformar el tipo de observador que somos, debemos cambiar nuestra forma de pensar. Para esto, debemos cambiar nuestros modelos mentales o paradigmas.

Los modelos mentales son supuestos, generalidades, imágenes o ilustraciones que influyen en la forma en que vemos al mundo y cómo nos comportamos en él. Operan de manera permanente y subconsciente. Además, condicionan nuestras interpretaciones y acciones, y definen cómo percibimos, sentimos, pensamos e interactuamos. Lo que cada uno ve y escucha está condicionado a nuestros modelos mentales. Estos modelos mentales se van formando a lo largo de la vida. Los factores, como nuestra crianza o historias pasadas, cultura y otros, van determinando nuestra forma de creer, ver, hablar y actuar.

¿Estás dispuesto a cambiar tu manera de pensar de modo que seas capaz de transformar tu manera de ver? No podemos hacer cosas diferentes y lograr el resultado extraordinario en nuestras vidas si seguimos viendo y pensando de la misma forma. Así que no nos limitemos por experiencias pasadas que afectan o marcaron de manera negativa nuestras vidas. Lo que es más, no solo afectaron (pasado), sino que afectan nuestro presente y futuro. Dios hace posible que esas experiencias se puedan superar y que podamos aprender de ellas.

Esas experiencias que determinan nuestra forma de pensar y actuar no necesariamente son cosas negativas. A veces son patrones o estilos de hacer siempre las cosas como las aprendimos, o estamos acostumbrados a hacerlas, porque nos sentimos cómodos o porque pensamos que son eficaces. Por otro lado, a veces nos resistimos a cambiar nuestros modelos mentales o forma de pensar porque no nos gusta hacerlo o porque no estamos de acuerdo con algo.

Es posible que en el Método CC te presentemos, enfrentemos o desafiemos con algunas cosas que necesitan cambiarse, pero tú tienes la capacidad de elegir si las quieres cambiar o no. Es tu elección. Seamos conscientes de que nuestras decisiones nos llevan a las acciones. Aun así, por favor, no pierdas la oportunidad de identificar y salir de las cosas que te detienen. Podemos tener pensamientos y paradigmas, pero hay otros que nos tienen a nosotros y que no nos permiten salir del statu quo.

Con el propósito de cambiar nuestros paradigmas y ver las cosas de otra manera, necesitamos incorporar ciertas distinciones que nos permitan ver cosas que no veíamos. Luego, para poder cambiar paradigmas y seguir transformando nuestra manera de ser y de observar debemos hacer lo siguiente:

- ◉ Identificar cuáles son las prioridades y cosas más importantes en nuestra vida y evitar aferrarse a ellas.

- ◉ Evaluar con frecuencia nuestro status (o estado) para ver si se necesita un cambio.

- Después de cambiar algo, no sólo adaptarse y acostumbrarse a lo nuevo, sino también seguir evaluandolo.
- Estar atentos a los cambios.
- Estar listos para cambiar.
- No resistir los cambios.
- Dejar el temor a lo desconocido.
- Arriesgarse a cambios nuevos.
- Explorar nuevos campos de manera continua.
- Disfrutar los cambios y cosas nuevas.

JONÁS Y EL DESEO DE DIOS QUE CAMBIE SUS PARADIGMAS

Para ir hacia el resultado extraordinario debemos dejar que Dios nos guíe en su modelo. La misericordia, el perdón y la gracia son factores clave en esta base, a fin de dirigirnos hacia la cima y entender que no tenemos toda la mirada de cada una de las cosas que nos ayudará a llegar a lugares que no hemos alcanzado hasta ahora.

Muchas veces nos vamos a encontrar de manera diferente a como mira Dios.

En las Escrituras encontramos interesantes ejemplos de maravillosos hombres de Dios pensando diferente a Dios y huyendo de su voluntad. Uno de esos casos fue el de Jonás.

Las Escrituras nos dicen que después de pasar un buen tiempo en el gran pez y de estar a punto de morir ahogado, Jonás dice: «Está bien, voy a hacer lo que me dices, iré a Nínive, a esa ciudad de maldad y de pecado que no merece ni el más mínimo de perdón y les voy a hablar de lo que tú dices» (véase Jonás 2:7-9). Más adelante, vemos el segundo llamado de Dios y la nueva respuesta de Jonás:

Vino palabra de Jehová por segunda vez a Jonás, diciendo: Levántate y ve a Nínive, aquella gran ciudad, y proclama en ella el mensaje que yo te diré. Y se levantó Jonás, y fue a Nínive conforme a la palabra de Jehová.

Jonás 3:1-3

¿Vamos a necesitar que Dios nos meta en un gran pez para poder hacer su voluntad? ¿Vamos a dejar de sentir que tenemos la verdad absoluta y decirle a Dios a quién hay que castigar y a quién no? ¿O vamos a tomar la decisión de una vez por todas de hacer su voluntad y vivir conforme a su perdón, gracia, misericordia, justicia, grandeza y amor? ¡Dios es bueno! Le dio otra oportunidad a Jonás que, dispuesto, se levantó, fue a Nínive y comenzó a recorrer la ciudad predicando:

> *Se levantó Jonás, y fue a Nínive conforme a la palabra de Jehová. Y Nínive era una ciudad grande en extremo, de tres días de camino. Y comenzó Jonás a entrar por la ciudad, camino de un día, y predicaba diciendo: De aquí a cuarenta días Nínive será destruida.*
>
> ***Jonás 3:3-4***

Es bien interesante el cambio de paradigmas que hizo Jonás, pues entendió que no tenía toda la verdad. Por eso les queremos mostrar que a él también le costó el proceso. Empezó caminando por la ciudad:

> *Nínive era una ciudad grande y de mucha importancia. Jonás fue internándose en la ciudad, y la recorrió todo un día.*
>
> ***Jonás 3:4,***

No dice que fue al rey y le pidió una audiencia para decirle: «Mira, Dios quiere que te arrepientas tú y tu gente». Tampoco dice que tocó los lugares de influencia, sino que empezó a hablar en una ciudad que tenía «tres días de camino» (3:3).

Me imagino que cuando el gran pez vomitó a Jonás en tierra, salió de allí con un olor terrible y diciendo: «Arrepiéntanse porque sino Dios los va a castigar en cuarenta días». Ante esto, quizá alguien sostuviera esta conversación con él:

> —*¿Cómo dices?*
> —*No, nada.*
> —*¿Qué cosa?*
> —*Bueno, muchachos, Dios dice que si no se arrepienten...*
> *¡zas! Así que ustedes hagan lo que quieran.*

Sin embargo, las Escrituras también dicen que, con la predicación de Jonás, la ciudad se arrepintió:

Los hombres de Nínive creyeron a Dios, y proclamaron ayuno, y se vistieron de cilicio desde el mayor hasta el menor de ellos. Y llegó la noticia hasta el rey de Nínive, y se levantó de su silla, se despojó de su vestido, y se cubrió de cilicio y se sentó sobre ceniza. E hizo proclamar y anunciar en Nínive, por mandato del rey y de sus grandes, diciendo: Hombres y animales, bueyes y ovejas, no gusten cosa alguna; no se les dé alimento, ni beban agua; sino cúbranse de cilicio hombres y animales, y clamen a Dios fuertemente; y conviértase cada uno de su mal camino, de la rapiña que hay en sus manos. ¿Quién sabe si se volverá y se arrepentirá Dios, y se apartará del ardor de su ira, y no pereceremos? Y vio Dios lo que hicieron, que se convirtieron de su mal camino; y se arrepintió del mal que había dicho que les haría, y no lo hizo.

Jonás 3:5-10

Ante esto, nos preguntamos: ¿Qué debe ser para un hombre que estuvo tan lejos de Dios acercarse a Él? También esta historia hace que recuerde la parábola del hijo pródigo que no solo regresó al hogar por haberse equivocado, sino que lo hizo con la condena por sus actos. Aun así, su padre corrió a recibirlo:

Volviendo en sí, dijo: ¡Cuántos jornaleros en casa de mi padre tienen abundancia de pan, y yo aquí perezco de hambre! Me levantaré e iré a mi padre, y le diré: Padre, he pecado contra el cielo y contra ti. Ya no soy digno de ser llamado tu hijo; hazme como a uno de tus jornaleros. Y levantándose, vino a su padre. Y cuando aún estaba lejos, lo vio su padre, y fue movido a misericordia, y corrió, y se echó sobre su cuello, y le besó.

Lucas 15:17-20

Creemos que cuando los de Nínive se arrepintieron, Dios corrió a abrazarlos. Además, creo que cuando un pecador se arrepiente, Dios corre a abrazarlo. No solo lo espera y le dice: «Adelante, pasa», sino que lo va a buscar, lo abraza y lo besa.

A través de los últimos años nos hemos encontrado con muchas miles de personas entre las que han habido algunas que venían a vernos y conversábamos acerca del cambio de parecer y el cambio de paradigmas. Entonces, les decíamos:

—Antes de subir tienes que preguntarte qué estás viendo.
Antes de subir tienes que chequear tus paradigmas, pues eres lo
que ves. Dios no nos dio la posibilidad de ver las cosas como son,
sino que las vemos como somos.
—Bueno, ¿y la verdad? —nos preguntaban.
—Dios tiene la verdad. Su Palabra es verdad.

Jesucristo es el camino, la verdad y la vida. No te decimos que te
conviertas en la verdad, sino que vayas hacia la verdad absoluta de
Dios aceptando que en el camino encontrarás otros como tú que solo
pueden ver ciento ochenta grados y tienen ciento ochenta grados de
ceguera. Deseamos mostrarte que a lo que te invitamos es a que ante
diferentes circunstancias empieces a cambiar tus paradigmas, a ver
los paradigmas de otros, a aceptar y poner al lado de los tuyos lo que
te muestran.

No es tiempo de salir corriendo hacia el otro lado de la voluntad
de Dios como hizo Jonás. El siglo veintiuno requiere que los cristianos
recibamos con los brazos abiertos a los que deseen conocer de Dios
y para eso debemos ir muchas veces hasta Nínive. Al Nínive de las
circunstancias, o de la manera de mirar de otros, o nuestro propio
Nínive. Estos hombres que estaban en pecado decidieron arrepentirse.
¿Y qué pasó? Dios los perdonó. Dios perdonó a una ciudad que había
hecho mucho más mal que todas las ciudades juntas de la época.

Llegó la hora de que podamos mirar nuestras ciudades con el
mismo corazón. El sesenta por ciento de la población mundial está
viviendo en urbanizaciones. Miren, debemos asumir la responsabilidad
de ir hacia esos lugares y ministrar allí. Sin embargo, escuchamos a
muchísimos cristianos quejarse por el mal que hace la gente. Por lo
tanto, no dan el paso de ir a testificarles acerca del amor de Dios.
Entonces, solo nos limitamos a decir: «Bueno, si quieren venir a la
iglesia, que vengan».

Señores, llegó la hora de mostrarle a ese mundo que Dios es
un Dios poderoso que quiere que se arrepientan de su mal, que se
acerquen a Él de manera que pueda tocar sus corazones. No obstante,
para eso necesita de muchos de nosotros. Necesita que empecemos
a elegir ser el Jonás del capítulo 3 de Jonás y dejar de ser el Jonás del
capítulo 1 de Jonás.

Es bien interesante poder entender, para ir cerrando este tiempo, que tenemos dos clases de personas: Las que van a reproducir la realidad que ven, y las que van a generar la realidad que quieren vivir. Jonás, en Jonás 1, lo que hacía era escribir todo lo que pasaba. Luego, en Jonás 3, lo que hace es generar una nueva realidad. Hay gente que lo único que hace es quejarse y describir lo que no ve. Así que se limitan a describir, describir y describir. ¿Eres más de los que reproducen la realidad que ven y viven hablando de ella todo el día sin cambiarla? ¿O eres de los que eligen cambiar la realidad? ¡Analízate!

PREGUNTAS DE REFLEXIÓN Y PRÁCTICA

- ◉ ¿Qué parte de tu historia te convierte en el tipo de observador que eres?
- ◉ Busca un elemento que te ayude a desarrollar el tipo de observador que quieres ser.

SEGUNDA PARTE:
MANERA DE SER

DESCUBRE QUIÉN ERES,
ELIGE QUIÉN QUIERES SER.

MÉTODOCC

**MODELO CRISTO CÉNTRICO
VOLUNTAD DE DIOS**
COMPROMISOS PROPIOS PARA IR HACIA ESE LUGAR

 MANERA DE VER   MANERA DE SER   MANERA DE RELACIONARSE  MANERA DE LOGRARLO

7 DISTINCIONES		TIPO DE OBSERVADOR
PLENITUD		RESULTADO EXTRAORDINARIO
VALORACIÓN		OPINIÓN
COMUNIÓN		RELACIÓN
UNCIÓN		VISIÓN
GENERACIÓN		MISIÓN

APRENDIZAJE - RESPONSABILIDAD - COMPROMISOS
ORACIÓN
DISCIPLINA - PERSEVERANCIA - RESILIENCIA

CAPÍTULO 6
GENERACIÓN

Después de estar en la base incorporando distinciones y recursos, comenzaremos a subir hacia lo extraordinario. No importa lo que esto signifique en tu vida, pero sabemos que es algo mayor a lo que has vivido hasta ahora. Sabemos que Dios no nos dio el poder de ver las cosas como son, sino que las vemos como somos y que la manera de subir hacia lo extraordinario estará determinada por haber incorporado las siete distinciones en la base e ir con ellas hasta la cima. Sin embargo, esto no es suficiente. Debemos trabajar nuestra manera de ser, no nuestra manera de hacer.

Muchas de las tendencias en estos tiempos apuntan a ayudar a la persona a trabajar su «carácter», lo que está haciendo, mientras que en el Método CC queremos que primero trabajes tu ser, esa persona que eres hasta ahora y que eliges llevar hacia nuevos horizontes.

REPRODUCTORES O GENERADORES DE LA REALIDAD

En el terreno de trabajar la manera de ser debemos primero preguntarnos nuestra posición ante la vida: ¿Somos víctimas de las circunstancias o protagonistas más allá de ellas? Para eso, antes de ver la misión y los tiempos que Dios tiene para nosotros, de elegir la visión hacia donde iremos y de ver si Él está ungiendo eso a lo que nos comprometimos realizar, debemos preguntarnos si somos reproductores de la realidad o sus generadores.

En el mundo de los últimos años, la descripción fue la manera más fuerte de relacionarnos unos con otros. Mientras que la búsqueda de la razón y la prueba del conocimiento fueron el modelo de juntarnos con otros y conjugar nuestras inquietudes viendo si estamos o no de acuerdo, el lenguaje descriptivo predominaba sobre cualquier otra opción. Sin embargo, en el tiempo donde se necesitan espacios para la relación debemos cambiar nuestra manera de mirar y ser generadores de nuevos espacios, primero a través del lenguaje y, luego, con todo nuestro ser.

Quizá haya cosas que has pensado lograr en tu vida que no has logrado aún y sabes que Dios te ha llamado a eso. A través del Método CC queremos ayudarte. Queremos guiarte a que puedas ir por el resultado extraordinario con la bendición de Dios y vivir una vida y un proceso de santidad. Dios quiere lo mejor para ti.

Es tiempo de que los cristianos entendamos que no solo tenemos que estar listos, sino también prepararnos. En el mundo, la cizaña va cada vez más en aumento. Así que no te sorprenda encontrarte con una gran cizaña y cada vez mayor cantidad de pecado. No obstante, del mismo modo que crece la cizaña, lo hace el trigo también. El trigo tiene que ser cada vez más puro.

Estamos en el tiempo de principio de dolores. Este es un tiempo de trabajo de parto y del nuevo ser que vendrá que sabemos que tiene que ver con la venida de nuestro Señor Jesucristo. En este contexto tenemos el llamado a ser cada día más puros. Para esto necesitamos prepararnos, necesitamos tener una misión y una visión diferente. Necesitamos entender que podemos influir en nuestras comunidades. Es más, debemos dejar de ser países en los que tengamos una gran cantidad de cristianos que no ocupan lugares en los que se toman grandes decisiones. Llegó la hora de que cada uno de nosotros pueda ser luz, como dice la Biblia, en medio de una generación maligna y perversa. Para esto te invitamos a cambiar la manera de hablar.

Nos han educado en el lenguaje descriptivo y uno describe lo que ve. El tipo de observador que eres va a influir en las decisiones que tomes y en los resultados que tengas. Basta de tratar de cambiar los resultados cambiando las acciones. Es tiempo de optar por intervenir en el tipo de crecimiento partiendo de nuestro interior. No es lo que entra, sino lo que sale, decía el Señor Jesucristo (véase Mateo 15:11). ¿Y qué es lo que sale? ¿Eres de los que siempre viven con un lenguaje descriptivo de la realidad?

Ahora, te vamos a mostrar dos vertientes. En la primera, por ejemplo, está el que vive siendo dueño de la verdad y dice: «La realidad es como la veo yo. Si no estás viendo lo mismo, es que estás equivocado». Ya conocemos en qué paradigma vive esta clase de persona. También está el que dice: «No me interesa tu manera de pensar porque las cosas son como las digo yo».

Un pastor que vivía en una urbanización se enteró que el vecino que acababa de mudarse era pastor de otra denominación. Para él fue una enorme felicidad saber que al lado de su casa había otro ministro cristiano. Entonces, lo invitó a tomar algo a su casa, se dio a conocer y, luego, le presentó a la gente de la zona. A continuación, lo primero que hizo fué preguntar: «¿Qué clase de bautismo practican ustedes? ¿Bautismo por aspersión o por inmersión? Ah, ¿y cómo lo hacen? Si no es así, ¡creo que todos lo que no lo hacen de esta manera son herejes!», le dijo mirándolo a los ojos. Ante esta andanada de preguntas, el otro pastor solo exclamó: «¡Vaya!». Así son los que creen vivir parados en la verdad.

Después está el otro equipo, el de la segunda vertiente. Se trata de los que tienen la posibilidad de ver desde otra perspectiva. Así que dicen: «Observo la situación de esta manera y sé que tiene que ver con mi mirada y no con que sea así en realidad. Me interesa escuchar tu punto de vista para tener una visión más amplia del asunto».

Es obvio que, en este caso, se refiere a dos miradas. ¿Qué puede suceder con esto? Puede suceder que te pongas de acuerdo con el otro porque la mirada, la posición y la perspectiva del otro son muy poderosas. Por lo tanto, serán capaces de encontrar un punto en común en que elijan respetarse el uno al otro a pesar de sus discrepancias.

El dueño de la verdad está comprometido a tener razón, pero las circunstancias son las que no le permiten lograr los resultados que quiere. Por eso no puede hacer nada porque las cosas son así y, de seguro, son los dueños de su vida como observador.

¿Eres de los que en algún momento de su vida vivieron en estos paradigmas? Este tipo de observador te ha llevado a ser quien eres y todo lo que te falta no lo vas a vivir con esta manera de ser. Por lo tanto, hay que ampliar el tipo de observador.

¿Qué te parece si empezamos a decir cosas como estas? Veamos...

- «Me comprometo a lograr este resultado en mi vida».
- «Este logro no tiene por qué ser un resultado».
- «Me comprometo con tal acción».
- «Estoy dispuesto a actuar y a ir aprendiendo sobre la marcha; por lo tanto, voy a reflexionar sobre la manera en que interpreto una situación para ver si me sirve o no y voy a buscar la que me brinde la posibilidad para las acciones».

¿Qué te parece si como observadores empezamos a pensar de ese modo?

CRISIS

Los japoneses escriben la palabra crisis con dos símbolos. El primero significa «peligro», como toda crisis. El segundo significa «oportunidad». Decíamos que este es el tiempo de dejar de tener un lenguaje descriptivo y dejar de ser personas que vivan en las gradas gritándole al árbitro o a los jugadores lo que tienen que hacer. Personas que describan cómo es la realidad, sacando de las circunstancias lo que sucede y creyendo que tienen la razón en todo y que no se puede porque lo ven así. A decir verdad, esto genera la crisis y lo que deseamos es la oportunidad que nos abra paso hacia el logro de lo extraordinario.

LENGUAJE GENERATIVO

A fin de evitar las crisis, comienza a usar un lenguaje más generativo, a crear un lenguaje. Tu vida es un lienzo en blanco y hoy es el primer día del resto de tu vida. Todo lo que pasó hasta ahora, no lo vas a poder cambiar. Por más millones de dólares que tengas para hacerlo, no lo vas a poder cambiar. El futuro no ha llegado todavía. Puedes elegir vivir el presente, como lo dice la misma Palabra, pero recuerda también que, según las decisiones que tomes hoy, vivirás mañana.

Así que tienes que encargarte de tu futuro y la manera es empezar a pintar en ese lienzo en blanco que es tu vida. Es decir, debes elegir quién quieres ser y no solo de quién quieres ser, pues de esto se habla mucho en el mundo.

Lo que a ellos les falta saber es que cada uno de nosotros vino con un plan especial. Cada uno tiene una misión, tiene un plan. Entonces, cuando elijas llevar adelante este plan en tu vida, vas a disfrutar como nunca antes. Te vas a dar cuenta de que te habían formado para ese plan. Dios tenía ese diseño para tu vida. Quizá ya encontrarás tu lugar en el mundo, ¿pero sabías que con solo conocerlo no es suficiente? Tenemos que elegir ir por más con un lenguaje generativo, sabiendo cuál es nuestra misión y sabiendo, además, cuál es nuestro llamamiento.

REPRODUCTORES CONTRA GENERADORES

Los reproductores de la realidad nos deben explicar por qué no logran lo que quieren, a la vez que creen que la explicación que dan es verdad. Al final, te darás cuenta que esto pasa en todos lados. Recuerdo que esto nos pasó a nosotros en una organización donde todas las reuniones eran una descripción tras otra. Así que asistir a las mismas era agotador.

En cambio, cuando somos generativos, decimos: «Soy consciente de que si uso el tiempo en explicar lo que no me gusta, no cambio nada, ni explico. Lo que hago es que me centro en generar la acción que me lleva a lograr lo que quiero». La pregunta ya no es: «¿Dónde estás?». Ahora la pregunta es: «¿Dónde quieres estar?». Por lo tanto, lo que debemos preguntarnos es hacia dónde queremos ir sin cuestionarnos lo que no tenemos.

Cuando te preguntas lo que no tienes, estás mirando hacia atrás.

Por eso es hora de preguntarnos qué nos falta. Cuando me pregunto qué me falta, esto tiene que ver con mi visión, con el diseño de Dios para mi vida. Tiene que ver con esta elección de pintar en el lienzo de mi vida. Tiene que ver con esta elección personal de ser quien Dios me llamó a ser y de vivir en un lenguaje generativo, sin explicarlo todo, sino enfocándome en las acciones que me van a llevar hacia lo que me falta.

El que vive describiendo la realidad, dice: «Es obvio y lógico proceder como lo hago yo, pues a mí me enseñaron así». Sin embargo, el que vive en el lenguaje generativo afirma: «¿Quién dijo que las cosas solo se pueden hacer de una sola manera? Mis compromisos guían mis acciones». A medida que me comprometo manifiesto la persona en que me voy convirtiendo. Entonces, elijo vivir en un ciclo poderoso.

Los que viven en el lenguaje descriptivo de la realidad dicen: «Me las arreglo solo. Como yo hago las cosas no las hace nadie, y si las cosas no las hago yo, nadie las puede hacer igual». Sin embargo, el que vive en el lenguaje generativo dice: «Hago pedidos, hago ofertas, elijo trabajar en equipo y genero relaciones poderosas».

En el esquema del Método CC hemos aprendido que no vivimos como una flecha aislada, sino en relación con otros. Por eso tenemos dos flechas que miran hacia arriba y hacia la derecha, debido al deseo de estar, y de vivir, para el otro. Dios lo diseñó así, pero para eso debemos aprender a hacer pedidos, ofertas, promesas y declaraciones. Sin duda, a través del Método CC, a medida que vayamos creciendo, iremos transformando el tipo de observador que somos. Asimismo, adquiriremos distinciones, principios y recursos y, entre ellas, ya veremos los actos lingüísticos que nos van a permitir ser poderosos en hablar, mediante nuestro lenguaje, nuestro cuerpo y nuestras emociones.

En este contexto te mostraremos lo que llamamos los postulados básicos: Decimos que interpretamos a los seres humanos como seres lingüísticos. Que interpretamos el lenguaje como generativo e interpretamos que los seres humanos se crean a sí mismo el lenguaje y a través de él. Estos tres postulados los analizaremos de manera más profunda. Por ahora, te decimos lo siguiente: «Este es nuestro tiempo». Así que queremos cerrar este segmento con este pasaje de la Biblia:

No os conforméis a este siglo, sino transformaos por medio de la renovación de vuestro entendimiento, para que comprobéis cuál sea la buena voluntad de Dios, agradable y perfecta.

Romanos 12:2

Antes de continuar, nos detendremos en algunas palabras:

- ⊙ **No os conforméis:** La palabra «conformar» en griego es susquematizo, que proviene de la palabra griega schema que significa «apariencia», y es conformarse a uno mismo, ser conformado. El tipo de observador que uno es nos conforma. Nos mete dentro de una «caja» y esto es lo que hace que uno no pueda ir más allá de ciertas situaciones.

- ⊙ **A este siglo:** Con respecto a esto, otra versión dice «al sistema de cosas que se terminan».

- ⊙ **Transformaos:** Lo que buscamos no es un simple cambio, sino una transformación. Tal como ocurre con la metamorfosis que experimenta la oruga para convertirse en mariposa.

- ⊙ **La renovación de vuestro entendimiento:** Esto nos da la clave para decirles que la transformación es posible cuando logramos renovar nuestro entendimiento o nuestra mente.

Por lo tanto, aquí queremos ayudarte y guiarte, a fin de que seas capaz de renovar tu mente. Entonces, ¿cómo renovamos la mente? La palabra «renovar» en griego es **anakainoo** que significa «hacer nuevo». Hay dos palabras para «nuevo», y estas son **kainos** y **neos. Neos** significa hacer algo nuevo de lo que no existía. Por ejemplo, cuando alguien va a ver a un recién nacido al hospital, va al departamento de neonatología, algo nuevo. Ahora bien, cuando se trata de algo nuevo en calidad, la palabra es **kainos.** De modo que la palabra aquí es **anakainosis.** Dios te está diciendo que está disponible al hacer nueva, en calidad, tu mente. No tienes que ir al supermercado, comprar una mente y ponértela. Es tiempo de que elijas hacer nueva tu mente en «calidad» y en esto estamos trabajando.

Si queremos la renovación de la mente en calidad, además de la sanidad de Dios, la santificación y el poder regenerativo del Espíritu Santo en tu vida, debes elegir no conformarte. Luego, como resultado, transfórmate por medio de la renovación para hacer nueva tu mente en calidad. El producto final será un nuevo tipo de observador que elige generar, que elige pintar en el lienzo de su vida, que elige ir por más, sin preocuparse por lo que le falta y que deja de explicar la realidad, a fin de poder crear la realidad y la vida que quiere vivir.

¿HOY PUEDE SER UN GRAN DÍA?

A veces me da la sensación que vamos por la vida como reproductores de sentimientos, circunstancias e incentivos externos. Que vamos como un espectador de la vida que llora y ríe ante cada estímulo. Lo que es más, que vamos pensando que todo depende de la historia, la cultura, los recursos, y que estamos expectantes ante un cambio de suerte en el próximo momento, hecho o programa, donde desde afuera nos dirán lo que debemos hacer.

Mucho peor me siento cuando parece que nada sale bien, que el mundo está en mi contra. Por lo tanto, cada circunstancia que se pronuncia en nuestra contra nos conduce a ser «espectadores» de una vida que no queremos vivir. Son en esos momentos que recuerdo más que nunca que Dios nos dio la vida para que la disfrutemos, para que ante cada circunstancia seamos protagonistas. De esta manera, seremos capaces de decirle al pasado y a la historia que ya no mandan en nuestro presente. También le podremos decir al futuro que no nos importa porque dejó de ser incierto. Luego, dejarán de preocuparnos las situaciones externas debido a que, por más fuego y calor que emanen en mi contra, las usaré para moderarme, aprender y seguir eligiendo mirar hacia delante comprometido con servir a Dios en cualquier circunstancia, situación y condición.

Si la vida me abofetea desde temprano, le pongo la otra mejilla, que es volver a correr el riesgo aunque ayer haya fracasado. Es decirle a cada día: «Hoy me declaro protagonista», y vuelvo a caminar en busca de mejorar, de ser especial, de que otros vean a Cristo en mí y lleguen a Él. Entonces, de ese modo lograrán ver que no hay nada mejor que ser cristiano, vivir en la presencia de Dios, que es morar con Él cada día.

UN NUEVO DÍA

Te invitamos a que cada día puedas decir lo siguiente:

Hoy comienzo un nuevo día y comprendo que tal vez nada cambiará en el exterior. Sin embargo, ya no importa, pues hoy el que elige cambiar seré yo.

Me pondré mi mejor sonrisa y saldré a la vida a regalarla. Caminaré en medio de la tormenta chapoteando en el agua y procuraré, te prometo que lo procuraré, amarte. Quizá todavía no se note porque me han dicho que los hombres no deben ser muy demostrativos. Aun así, hace poco volví a recordar que Dios es amor por sobre todas las cosas. Más allá de todo... Él es amor y lo ha derramado hasta lo sumo. No miró a quién se lo daba y lo hizo en medio de críticas y de falta de razones o fundamentos. Su amor es el que me salvó y me permitió darme cuenta que yo también puedo extender mi mano y abrazarte. Como te dije, prometo amarte. También buscaré hacer de este día un día único, pero ya no para mí, sino para ti. Luego, esperaré a que florezca lo que sembré, de modo que su olor fragante inunde todo a tu alrededor.

Además, elijo aprender, mirar cada detalle de la creación y alabar al Padre por una obra tan maravillosa y sublime. Quiero poder llegar a conocer cada pensamiento de mi Dios y hacerlo propio, y no quejarme por lo que no sucede, sino estar agradecido por lo que sí está pasando.

EL COMIENZO PARA GENERAR

Ahora, haz tuyas estas palabras también:

Hoy elijo dejar de describir el mundo en el que no quiero vivir y comenzar a generar en el que sí quiero formar parte y sé que esto se contagia... tú a mí y yo a él. Un día, sin darme cuenta, veré en otro mi sonrisa y ya no me preguntaré por qué la lleva, sino que estaré agradecido por verla tan hermosa en ese rostro. Quiero hacer de este día un día único y no significa que no vea que hay problemas. Se trata de que estoy dispuesto a generar soluciones y no quiero quedarme con un mundo caído. Dios no lo hizo, así que deseo soñar cada día con una eternidad a su lado y contigo. ¿Me acompañas? ¡Hagamos de este día un gran día!

PREGUNTAS DE REFLEXIÓN Y PRÁCTICA

- ⊙ ¿Qué puedes hacer para no ser reproductor sino generador de la realidad?

- ⊙ ¿Qué te falta generar para alcanzar tu resultado extraordinario?

SEGUNDA PARTE:
MANERA DE SER

DESCUBRE QUIÉN ERES,
ELIGE QUIÉN QUIERES SER.

MÉTODOCC

MODELO CRISTO CÉNTRICO
VOLUNTAD DE DIOS
COMPROMISOS PROPIOS PARA IR HACIA ESE LUGAR

MANERA DE VER

MANERA DE SER

MANERA DE RELACIONARSE

MANERA DE LOGRARLO

PLENITUD	RESULTADO EXTRAORDINARIO
VALORACIÓN	OPINIÓN
COMUNIÓN	RELACIÓN
UNCIÓN	VISIÓN
GENERACIÓN	MISIÓN

APRENDIZAJE - RESPONSABILIDAD - COMPROMISOS
ORACIÓN
DISCIPLINA - PERSEVERANCIA - RESILIENCIA

7 DISTINCIONES

TIPO DE OBSERVADOR

CAPÍTULO 7
MISIÓN

Acabamos de recorrer las bases del Método CC, las cuales nos ayudan a preguntarnos y repasar el tipo de observador que somos, tanto de nuestra vida, como la de otros. En ese espacio, preparándonos para escalar, pudimos incorporar la importancia de subir hacia el resultado extraordinario con distinciones y recursos.

Ahora comenzamos a escalar y nos resulta prudente saber que los principios solos son insuficientes. Necesitamos incorporar nuevas miradas para nuevos tiempos y nuevos escenarios. Vimos que el lenguaje como recurso es esencial. A decir verdad, es clave para el desarrollo de nuevos rumbos. Sin embargo, no uso el lenguaje para describir lo que veo y siento (en el nuevo milenio la moda ya no es «Pienso, luego existo», sino «Siento, luego existo»), sino para generar nuevos espacios. El lenguaje es lo que necesitamos para crear lo que no existe, para caminar hacia delante.

En el Método CC enunciamos que, antes de saber hacia dónde ir y definirlo con precisión, debemos ser poderosos, saber quiénes somos, reconocer y declarar nuestra identidad pública y desarrollar conciencia de nuestra misión. Creemos que toda persona tiene una misión en la vida. Es decir, no se limita a determinadas personas. Si fuera así, algunos serían iguales a otros, cuando todos somos diferentes. Hasta los gemelos tienen algunas particularidades que los distinguen del otro.

Si te diseñaron de esa manera, es porque tienes una misión especial. Por eso lo que vamos a buscar en este tiempo es que encuentres (si aún no lo has logrado) o que certifiques y confirmes (si ya lo sabes) cuál es tu misión en la vida. No hay nada más hermoso que vivir haciendo lo que te llamaron a ser.

En nuestro caso, cuando descubrimos cuál era nuestra misión en la vida, empezamos a disfrutar una felicidad y un gozo que hasta ese momento no teníamos siempre. Esto no quiere decir que no tengamos que hacer esfuerzos, ni que no pasemos pruebas, sino que empezamos a ver la vida desde otro lugar. Luego, a ciertas cosas o tentaciones que se te aparecen les dices: «No, gracias».

La misión nos permitirá generar las bases donde construiremos nuestro futuro, que debe ser la Roca firme. Si diseñamos acciones o incorporamos distinciones para llevarse a cabo sobre la arena, corremos el riesgo de que todo desaparezca en segundos cuando vengan las tormentas. No es útil ir por resultados con una visión poderosa si antes no declaro «la razón de ser», la misión, el «qué» y el «para qué» de nuestra existencia.

En las últimas décadas hemos visto gran cantidad de empresas y organizaciones que tienen resultados y superávit en sus finanzas, pero que sus líderes llegaron a ese lugar vacío, y siempre ese vacío se llena con algo o alguien. Hoy, las empresas y las organizaciones que han estado comprometidas al resultado por encima de todo, están invirtiendo millones de dólares en cuidar a sus líderes que han cubierto sus vacíos con adicciones y adulterios o permitiendo que los maneje «algo» o «alguien».

Treinta años después de escuchar a esos que predican que el fin que justifica todos los medios es el *resultado,* hoy los vemos revisar sus teorías. Incluso, llegan a una conclusión que conocemos en el cristianismo desde el principio de las eras: Antes que todo, antes de ir hacia el resultado extraordinario, tienes que reconocer tu misión, saber «para qué» Dios tiene un propósito para tu vida. En otras palabras, tienes que conocer su plan específico, pues Él te hizo especial. Es más, no hay nadie como tú que pueda hacer tu tarea.

EL LLAMAMIENTO

Para llegar a reconocer la misión en tu vida, primero debes ver los llamamientos y tiempos que Dios tiene para ti. Aunque seas un observador poderoso y tengas todas las distinciones incorporadas, llevar a cabo tu misión sin reconocer ni comprender con sabiduría los tiempos hará que te sientas frustrado. El resultado extraordinario con la bendición de Dios se desarrolla desde un observador poderoso que vive en su misión, va hacia su visión con la unción de Dios y en los tiempos de Él.

PABLO Y SU LLAMAMIENTO

Una vez que el Señor le tocó directamente y de anunciarle un ministerio con tanta grandeza, uno puede suponer que Saulo de Tarso, ahora comenzando a ser el apóstol Pablo, iba a salir disparado hacia Jerusalén a ocupar su lugar. Sin embargo, se fue a Tarso y luego de unos diez años comenzó la misión que le declaró Jesús. Tampoco su comienzo fue siendo el líder que conocimos después, sino que primero estuvo entre otros. Luego, formó parte del equipo con Bernabé y, solo un tiempo después, le reconocieron como líder de los que llevaban la Palabra de Dios a los gentiles.

En el contexto de ir hacia el resultado extraordinario los llamados tienen que ver con los tiempos que el Señor va eligiendo para nuestras propias vidas. Una excelente idea en un mal tiempo no será de bendición. Dios creó los tiempos para ubicar allí las distintas pautas que servirían de señal. Los llamados de Dios tienen que ver con esos tiempos diferentes en nuestras vidas.

Dios puede llamarte en un momento a una función y en otro momento a otra. Dado que los llamamientos son partes de un proceso y no un hecho en sí, algunos lo toman como la voz de Dios de una vez y para siempre para un solo propósito. Eso quizá sea tu misión, pero no el llamado. Los llamados y sus tiempos tendrán mucho que ver con tus tiempos de crecimiento y de relación con Él.

Saber y accionar conociendo tu misión en la vida es una de las mejores cosas que le puede suceder a una persona. Sin embargo, después de haber entrenado a cientos de personas durante años, nos hemos dado cuenta que esto no es suficiente. Por eso el método CC, aparte de ayudarte a conocer y llevar a cabo tu misión, te invita a conocer y vivir conforme a tu llamamiento. Creemos que Dios es el autor de la vida, que tu misión es concreta y que tienes un llamamiento. No importa cuál sea, pues para Dios no hay llamamientos grandes ni chicos.

A menudo, hablamos con líderes que no saben cuál es su llamamiento para esos tiempos ni la misión en la vida que desea Dios para ellos. La clave está en dejar que Dios trabaje en lo profundo de nuestro corazón.

Es interesante poder saber cuál es nuestra misión y nuestro llamamiento. El llamamiento tiene que ver con los «cuándo». con los tiempos del proceso de llevar a cabo tu misión. Antes de desarrollar y poner en práctica una visión poderosa, debemos conocer nuestros tiempos. El llamado a cada momento y responder en tiempo y forma hacen que uno pueda generar una misión poderosa.

JOSUÉ Y SU PROCESO

Josué fue el hombre que guió a Israel hacia la Tierra Prometida. Fue el líder de la liberación, del establecimiento del pueblo de Dios en la tierra y de la conquista valerosa. En fin, fue alguien especial. Sin embargo, lo llamaron a ser el ayudante de Moisés durante cuarenta años.

Las Escrituras dicen que mientras todo el mundo vivía desenfrenado haciendo un becerro de oro, Josué era el que estaba debajo del monte esperando a su líder. Es probable que en esos cuarenta días hubieran vientos y lluvias, días secos e inmenso calor. A todo esto se le añade un pueblo que a lo lejos se escuchaba festejar, reír y cantar en medio de algarabías y desenfreno. Aun así, en ese tiempo Josué tenía el llamado a estar allí y no se iba de ese lugar. En ese momento no estaba en la conquista de la tierra, tampoco se encontraba como líder junto a otros doce para espiar la Tierra Prometida, sino que esperaba a su líder.

En la vida de Josué vemos que su misión fue la misma, pero sus llamados fueron diferentes según los tiempos: Encabezó un grupo de expedicionarios para visitar la Tierra Prometida, asistió a su líder cuando recibió de la mano de Dios las tablas de la ley y lideró al pueblo en la batalla durante la conquista de lo que les entregó el Señor. En fin, diferentes tiempos y diferentes llamados, con una misión, un corazón y un compromiso.

La confusión de los llamados de Dios por no conocer su misión en la tierra y su parte en el plan del Altísimo hace que muchos líderes sean sordos a los nuevos llamados para la misma misión. En otros casos, los hace creer que el llamado para ese tiempo es el que tendrán para toda su vida y de allí no se mueven. Por eso no solo se quedan cuarenta días debajo del monte, sino cuarenta años. Entonces, cuando las cosas no suceden, no saben por qué y no se dan cuenta que se debe a que no han entendido los tiempos de Dios y sus llamados.

La misión de Dios la podremos llevar a cabo siempre y cuando estemos listos para que Él pueda llamarnos y nosotros contestar. Luego, si nos vuelve a llamar, nosotros seremos capaces de volver a responder. En caso de que nos llame una vez más, debemos estar listos para lo que Él quiera para nuestras vidas en ese tiempo.

INTRODUCCIÓN A LA MISIÓN

La misión es nuestro propósito en la vida. Es la tarea para la que nos diseñaron y que hace que nos esforcemos más allá del trabajo. Una de las maneras principales para ser poderosos y fructíferos en nuestros trabajos, en lo que hacemos, en la manera de relacionarnos con otros laboralmente, es reconocer nuestra misión.

Entonces, ¿por qué debemos encontrar la misión? Porque sin una razón de ser, por más éxito que acumulemos, en nuestra vida reinará el aburrimiento, la monotonía o los espacios vacíos que procuraremos llenar con algo.

Dios diseñó la vida para que se viva a plenitud. Todos hemos escuchado de personas que han pasado toda su vida haciendo lo que no deseaban y con grandes justificativos de sacrificio. En un mundo donde las máquinas ocupan cada vez más puestos de trabajo, los que busquen empleo se encontrarán con otros que tendrán la capacidad, así como la pasión de hacer y ser lo que pide el trabajo. Y uno, que solo iba en busca de una buena remuneración o de un nuevo desafío para cubrir la amarga y aburrida vida, se encuentra con la sonrisa de quien vive el puesto y puede hacerlo hasta sin pago.

¿A qué se debe esto? A que puede ser él mismo, a que esa es su misión en la vida, a que brota de sí su manera de ser. En fin, a que ese empleo es su misión que le permite ser poderoso en la sociedad. Así que tú lo único que haces es preguntarle a Dios por qué no tuviste suerte, por qué debes volver al viejo trabajo que hace años no te agrada y por qué la vida parece ser cada vez más pesada.

Cuando uno elige caminar por la vida de acuerdo con su misión, es probable que nuestra relación con otros sea de tal bendición que todo podrá acomodarse, por más sacrificio o esfuerzo que debamos hacer. En cambio, si solo caminamos en la vida porque ese es nuestro deber, aunque nuestra misión sea otra, de seguro lograremos resultados que no disfrutaremos y que no generarán lo que hace vibrar al ser humano: su razón de ser.

LA VISIÓN Y LA MISIÓN

La misión y la visión son poderosas declaraciones que te permiten entrar en contacto con tu propia grandeza. Es más, te guían para tomar decisiones.

Hemos visto personas **con la nuca como frente,** mirando hacia atrás y tratando de descubrir por qué le pasó lo que le sucedió en el pasado. Creemos que en estos tiempos, para lograr el resultado extraordinario, debemos comenzar a profundizar en nuestra misión en la vida eligiendo cuál es nuestra visión, hacia dónde queremos ir...

Por lo tanto, la misión nos ayudará a identificar *quién soy* y la visión nos llevará al presente para vivirse como un punto de partida que responda la pregunta de *quién quiero ser.* En manos de la relación de la visión con la misión, en un caminar con distinciones y compromiso, seremos capaces de ver cómo la grandeza se convierte en cotidianeidad y el gozo en un fruto constante de nuestro mirar.

¿PARA QUÉ TENER UNA MISIÓN?

Leonardo da Vinci pintó la **Mona Lisa,** Beethoven compuso la **Sinfonía #5** y Dios hizo **una versión única de ti.** Te diseñó de manera especial para encomendarte una misión única. Él utiliza como un buscador de oro las singulares piedrecitas de tu vida, esas que son solo tuyas.

A veces a las personas les cuesta encontrar su misión, por eso en este libro iremos trabajando desde las cuatro perspectivas siguientes:

- ⊙ **La misión trae verbos:** Algunos buscan la misión en grandes enunciados, en vez de preguntarse de forma específica cuáles son los verbos que traen. Todos generamos acciones que se repiten y que podemos traducir en verbos. Si nos preguntaras, por ejemplo, cuatro verbos que identificaran nuestra manera de ser, nuestra misión en la vida, hoy te diríamos: Escribir, organizar, entrenar, comunicar. Estos nos ayudan a reflejar nuestra misión.

- ⊙ **La misión trae sustantivos:** Los sustantivos nos ayudan a enmarcar los verbos y contextos en los que caminaremos identificándonos con nuestra misión. Es lo que les da sustancia a tus verbos maestros. Durante un tiempo, sólo importó el hacer y la sustancia de lo que se hacía como si por allí pasara la realización del hombre. Se premió, por ejemplo, el ser médico y sus verbos maestros como «curar» o «ayudar».

- ⊙ **La misión trae designios:** Antes que todo, eres hechura de Dios. Eres un poema escrito por Él que no se copiará nunca más. Traes una genética cultural y hereditaria que, sumada a los designios de Dios, te hace la persona que eres. Los designios son los planes que Dios tiene para ti. Son las cosas que Él determinó con antelación para cada uno de nosotros.

- ⊙ **La misión trae talentos:** Hay habilidades que Dios nos dio para usarse en medio de la comunidad. Es decir, no las entregó para que las ocultáramos, sino para que brillaran. ¿Recuerdas el caso del siervo que decidió esconder el talento que le dio su amo por temor a lo que este le dijera si fracasaba? ¡Es muy interesante! Argumenta, en primer lugar, que no usó el talento debido a que su amo era muy duro. Esto era solo su mirada, pero no era la verdad. Algo que había creído que se convertía también en una limitación para su vida (véase Mateo 25:14-30). En esta parábola, el amo simboliza a Dios y nosotros somos sus siervos. Así que debemos optar por hacer que fructifiquen nuestros talentos.

La observación desde estas cuatro perspectivas nos permitirá comprender más aún nuestro lugar en el mundo. ¡Qué bello es poder saber dónde debo estar y cuáles son las cosas para las que me formaron, hicieron y crearon! En su proyecto, Dios te ha confiado una tarea clave. Por eso, examina tus recursos y ponlos en acción, pues tus capacidades revelan tu destino.

Encontrar los verbos que te caracterizan te dará, antes que todo, mucha paz. Asimismo, te ayudará a elegir con la bendición de Dios los sustantivos que le darán «sustancia» y «acción» a lo que eres. Sin duda, estos verbos forman la base de tu carisma. La palabra **carisma** en griego es **caris,** que significa «don o talento».

En los últimos años, se ha hecho mucho hincapié en referirnos a individuos carismáticos como si estos fueran un solo modelo: Extrovertidos, oradores, motivadores y líderes pujantes que pueden enrolar a una multitud. En un mundo de redes y multitareas debemos volver a la vieja acepción de la palabra **carisma** que nos habla de personas con dones y talentos particulares. ¡Todos somos carismáticos! Lo que ha pasado es que estuvimos más comprometidos con el hacer que con el ser, sin encontrar ni desentrañar nuestras verdaderas pasiones. Lo que es peor, creyendo que la clave estaba en hacer y no en ser y en dejar que nos guiaran los carismáticos.

Todos debemos descubrir nuestros verbos maestros y salir al mundo a desarrollar lo carismático que nos hizo Dios. Luego, iremos tras una visión mayor que nosotros, no solo para alcanzarla, sino para agrandar nuestra manera de ser y que Dios pueda usar nuestros verbos en sustantivos de poder.

PREGUNTAS DE REFLEXIÓN Y PRÁCTICA

- Si tuvieras que definir ocho verbos maestros, ¿cuáles serían?

- ¿Qué sustantivos les pondrías a estos verbos maestros?

- ¿Hay algo que hagas con continuidad que puedas reconocer que es designio de Dios?

- ¿Hay algo que hagas con continuidad que puedas reconocer que te aleja del designio de Dios?

SEGUNDA PARTE:
MANERA DE SER

DESCUBRE QUIÉN ERES,
ELIGE QUIÉN QUIERES SER.

MÉTODOCC

MODELO CRISTO CÉNTRICO
VOLUNTAD DE DIOS
COMPROMISOS PROPIOS PARA IR HACIA ESE LUGAR

 MANERA DE VER MANERA DE SER  MANERA DE RELACIONARSE  MANERA DE LOGRARLO

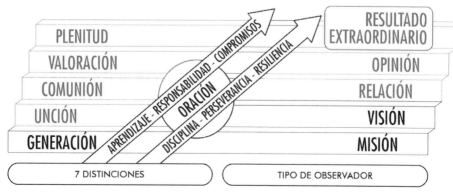

PLENITUD		RESULTADO EXTRAORDINARIO
VALORACIÓN	APRENDIZAJE - RESPONSABILIDAD - COMPROMISOS	OPINIÓN
COMUNIÓN	ORACIÓN	RELACIÓN
UNCIÓN	DISCIPLINA - PERSEVERANCIA - RESILIENCIA	VISIÓN
GENERACIÓN		MISIÓN

7 DISTINCIONES — TIPO DE OBSERVADOR

CAPÍTULO 8

VISIÓN

Cuando hayamos desarrollado la misión y el llamamiento, pasamos a un segundo escalón que tiene que ver con el coaching y el espacio que genera el mismo. Le llamamos «visión» y «diseño de acciones». Si sé mi misión y para qué estoy en este mundo, empiezo a comprometerme con el lugar hacia el que quiero ir: ¿Dónde voy a estar dentro de diez años? ¿Hacia dónde quiero ir? ¿Cuál es la visión que tengo para mi vida y para la vida de mi familia? ¿Cómo desarrollo este diseño de acciones?

Mucha gente tiene excelentes sueños, pero ninguno ha bajado a la tierra. Por eso cuando mantienen sus pensamientos en el aire... ¡vuelan! Entonces, dicen: «Quiero ser un locutor increíble», «Quiero tener un programa de radio», «Quiero ser cantante», «A mí me gustaría predicar», «Quiero ser diputado», «Quiero ser alcalde», «Quiero tener un negocio». No importa cuáles sean. Mucha gente tiene sueños y, sin embargo, siguen viviendo de la misma manera y con el mismo tipo de observador limitado.

Por lo tanto, las preguntas que nos hacen son las siguientes: «¿Cómo se logra? ¿De qué manera sabes cuándo una persona está haciendo la pregunta desde la opción de un aprendizaje acumulativo o transformativo?». La gente quiere «saber», y aunque sepa cómo hacerlo, no lo puede hacer. Por eso el saber «cómo se logra» no garantiza que uno lo lleve a la práctica.

En el Método CC, trabajamos espacios y contextos a fin de convertir los sueños en una realidad cotidiana. Así que después de este capítulo sabrás hacia dónde ir, cómo lograrlo y cuál es el diseño de acciones que tienes que desarrollar en tu vida para poder llevarlo a cabo. Es tiempo de vivir de acuerdo a cómo pensamos, la visión, y dejar de pensar en cómo vivimos.

Con esto en mente, nos encontramos caminando hacia el resultado extraordinario. Hemos desarrollado una misión poderosa. Ya no estamos tan preocupados de quiénes somos ni tampoco acerca de nuestra identidad pública. Trabajamos con ahínco nuestro modo de observar y elegimos comenzar a desarrollar un lenguaje generativo que cambie realidades y no solo las cuente. Por eso creemos en la importancia de incorporar distinciones como disciplina, perseverancia, resiliencia, compromiso, aprendizaje y responsabilidad. Estamos seguros que para llegar al resultado extraordinario necesitamos de cada una de estas distinciones. Sin embargo, saber quién soy sin saber hacia dónde ir, no es suficiente. De ahí que creamos que la «visión» sea la mirada con la que camino hacia allá, aparte del lugar al que elijo ir.

LA VISIÓN PROCEDE DEL FUTURO, PERO SE VIVE EN EL PRESENTE

Por lo general, cuando hablamos de visión, nos referimos a la **visión de futuro.** Alegamos que es el norte que guía nuestro rumbo, el propósito o la meta a cumplir. Entonces, ¿qué pasa con nuestra **visión del presente?** Tal vez creamos que el presente se da por sentado, que es así tal y como lo vemos. En este caso, no tendría sentido diseñar una visión del mismo y puedo cuestionarme lo siguiente:

- ¿Qué veo cuando «veo lo que veo»?
- ¿Dónde pongo el enfoque cuando observo?
- ¿Lo pongo en lo que hay o en lo que falta? ¿En la crítica o en el reconocimiento? ¿En la debilidad o la fortaleza? ¿En la posibilidad o la justificación?

- ¿Qué estoy buscando al mirar?
- ¿Hay algo que quiera defender? ¿Tal vez mi imagen?
- ¿Mis razones? ¿Quizá justificarme?
- ¿Procuro hacer contacto con el otro y lo veo como alguien legítimo?
- ¿Mi interés es cooperar o competir?
- ¿Desde dónde miro? ¿Desde el miedo? ¿Desde la confianza? ¿Desde la certeza? ¿Desde la comparación?

Vale, entonces, preguntarnos: ¿Cuál es la visión que tengo de mi pareja, mis hijos, mis padres, mi jefe, mis empleados, mis compañeros? ¿Cuál es la visión presente que tengo de mí mismo, de mi vida? ¿Qué sucedería si empezara a mirar de otra forma?

OBJETIVOS Y METAS

Antes de profundizar en la visión, sería útil hablar más acerca de los objetivos y las metas. El *objetivo* se define como «ese lugar al cual llegar» y la *meta* como «el factor cuantificado de ese objetivo. Por ejemplo, podría decir que mi *objetivo* es terminar este libro antes de las diez de la mañana y la meta es escribir dos mil quinientas palabras. Es importante que, al mirar hacia delante, desarrollemos con claridad nuestros objetivos y metas. Sin embargo, la clave para estos tiempos no es ponerse objetivos y metas.

Hace unos días, veíamos un programa de televisión que hablaba sobre la vida real de varias personas adictas al alcohol. Uno de esos casos hacía referencia a una mujer que llegó a una metrópoli para estudiar con la ayuda financiera de su padre, pero que al cabo de los meses todavía seguía sin inscribirse en algún curso de la universidad. Se pasaba el día durmiendo para despertarse a media tarde, vestirse y comenzar a beber. Se preparaba para salir y en el camino compraba varias botellas de bebidas que se las tomaba enseguida, para después irse a bailar en un estado deplorable. Según su testimonio, esa era la única manera en que podía bailar y «disfrutar» de la vida. Luego, continuaba en ese estado hasta temprano en la mañana que volvía a su apartamento alquilado para dormir. Cuando se despertaba por la tarde en muy mal estado y para repetir las acciones del día anterior, se concienciaba de lo mal que se sentía. En ese instante se planteaba «objetivos» y «metas» que hasta declaraba en «acciones», pero luego de los primeros intentos, volvía al mismo estado anterior.

En una oportunidad fue a la universidad para inscribirse. Parecía que quería cambiar su vida de verdad. El personal de la universidad la atendió con mucha amabilidad y le explicaron que para los pagos de cada materia necesitaba ser residente, pagar impuestos o tener un trabajo. Ante estas alternativas, presentó una solicitud para trabajar como camarera y la contrataron para comenzar al otro día. Por lo tanto, se preparó. Su objetivo de cambiar de vida estaba cerca. Así que trabajó todo ese día con éxito y alegría. Al terminar, se la escuchaba exultante contar cómo le gustaba el trabajo, la relación con la gente y ganar su propio dinero... ¡y se fue a festejar! Una vez más regresó a las ocho de la mañana y a las once, cuando tenía que presentarse en su nuevo trabajo, no podía levantarse de la cama. No logró su objetivo. ¿Por qué? Porque la clave para estos tiempos no es ponerse objetivos.

Por eso, ¡basta de decirle a la gente que se ponga objetivos! Sólo los ayudamos a extender más su desdicha al ver que no logran lo que se proponen. La enseñanza acerca de ir hacia el objetivo y cumplir las metas es un concepto estresante y arcaico que solo genera más excusas para seguir siendo de la misma manera. Lo que las personas necesitan comprender, entender e incorporar son las distinciones de **visión y compromiso.**

La diferencia entre **visión** y **objetivo** radica en que el **objetivo** está allá lejos y fuera de mí, y la **visión** no solo se convierte en el lugar donde estaré, sino en mi mirada, en mi manera de ser, en la forma que elijo mirar el camino por donde voy a transitar.

Si lo analizamos, una manera eficaz de relacionarse con la vida en un mundo de constante cambio que requiere de una manera de ser y de mirar poderosa hacia objetivos con esfuerzos y viejas maneras y miradas, ya no sirve... Un objetivo sin un plan de acción y un tiempo de realización es solo un sueño. Los objetivos se escriben en piedra y los deseos en la arena. Una vez que se declara la visión poderosa hacia la cual elegimos ir, nos servirá de ayuda comprender más acerca de los objetivos y las metas.

NO CONFUNDAS «OBJETIVO» CON «VISIÓN»

La **visión** es una declaración que vive en el lenguaje y tu manera de ser, mientras que el **objetivo** es función del hacer sobre la base de una elección comprometida. Puedes seguir parado siguiendo tu visión aunque no cumplas tu objetivo, ni obtengas un resultado conveniente. Cuanto más parado estés en tu visión, más objetivos tendrás el placer de cumplir y logros que compartir.

LA VISIÓN Y SU PODER

El poder de la visión está en que es el futuro diseñado hoy, el futuro deseado. Se trata de la fotografía de uno mismo, del equipo u organización en un determinado tiempo. Es un logro a alcanzar, un gran QUÉ.

Cuando una visión es poderosa, se convierte en nuestra razón de ser diaria para la acción. De ahí que tenga sentido fundacional y una intención transformativa. Es una realidad dinámica que vive en la declaración de posibilidad y muere ante la sola declaración de que no hay posibilidad. La visión se declara y es generativa con eminencia. No usa espacios descriptivos del pasado, sino crea y sostiene el modelo del futuro. Es una declaración de posibilidad que no está en nuestra realidad circunstancial.

¿DÓNDE VIVE LA VISIÓN?

Cuando lo analizamos, llegamos a la conclusión de que la visión vive en...

- El lenguaje como un hondo y profundo compromiso del corazón.
- Las conversaciones día a día con otros y, entonces, la visión es en común.
- Un lugar que no es el futuro al cual llegar.
- Un diseño de futuro desde el cual venimos.
- Donde se debe «ser íntegros como equipo», de ahí que sea un punto de partida en la presente declaración: «Somos íntegros».

- La coordinación de acciones diarias entre quienes están comprometidos con la visión.

BENEFICIOS DE UNA VISIÓN

Es evidente que la visión tiene una serie de beneficios importantes. Veamos algunos de ellos:

- Nos permite mirar hacia el desafío, pues la apatía y la falta de mirar hacia delante atenta contra una vida con resultado extraordinario.
- Rompe con la recurrencia del pasado, es decir, «más de lo mismo».
- Es una apertura poderosa para un futuro diferente.
- Crea un presente de conversaciones y acciones
- responsables.
- Desarrolla liderazgo e innovación. Para el modelo de ayer, no necesitamos innovación, sólo repetición. Para el modelo de mañana sí se requiere la invención.

LÍDERES VISIONARIOS

Sin duda, los líderes visionarios han cambiado el mundo. ¿Cuáles son sus principales características?

- Viven en la realidad que crean, no en la creada.
- Poseen resultados sostenidos.
- Son flexibles para adaptarse a los cambios en el proceso.
- Tienen una gran actitud aprendiente y compromiso de transformación.
- Se hacen cargo con responsabilidad de la «tensión creativa».
- Sus ojos y corazón están en la visión y sus pies en la acción.
- Se fijan objetivos audaces, por eso convocan y provocan.

¿CÓMO GENERAMOS UNA VISIÓN Y LA LLEVAMOS A CABO?

Antes que todo, debemos tener presente lo siguiente:

- ⊙ La visión debe ser más fuerte que la realidad actual.
- ⊙ Las aspiraciones deben ser altas.
- ⊙ Preguntarnos qué estamos dispuestos a crear y lograr.
- ⊙ Diseñar cómo lograrlo (proyecto) y accionar de manera coherente.
- ⊙ Mantenerse preguntando, inventando, descubriendo y diseñando las maneras de lograr el futuro deseado.
- ⊙ La pasión, la ambición y la convicción son parte esencial de una visión poderosa.
- ⊙ Confiar como si ya hubiera sucedido y mantenerse en la acción hasta que suceda.

Por lo tanto, la visión es una poderosa imagen mental de lo que quiero crear en el futuro. Así que la pregunta que debo hacerme es: ¿Cómo quiero verme dentro de «x» tiempo? Luego, tengo que recordar que Visión es igual a Sueño + Acción + Pasión (V = SAP).

ATRIBUTOS DE UNA VISIÓN

Para considerar una visión como tal, la misma debe tener ciertos atributos:

- ⊙ Declaración en el lenguaje.
- ⊙ Conversación de posibilidad (contexto para la acción).
- ⊙ Punto de partida.
- ⊙ Rompimiento con la historia (lo irrazonable).
- ⊙ Vive en la conversación y las acciones diarias.
- ⊙ Es el motor de nuestros compromisos.
- ⊙ Es el logro permanente más allá de los resultados.

Con esto en mente, llegamos a la conclusión de que no somos capaces de conocer los nuevos mares, si no estamos dispuestos y comprometidos a perder de vista la costa. Para eso, un coach trabaja con su equipo a fin de pararse en el resultado y ver desde allí el mundo: ¿Cómo se siente? ¿Qué está pasando? ¿Cómo lo logramos? ¿Cómo coordinamos las acciones? Estas son algunas de las preguntas que nos hacemos para «vivir el resultado». Una vez que realizamos esto, miramos hacia atrás y empezamos a ver lo que nos falta.

Al desarrollar la visión como el motor de nuestras vidas nos veremos **enfocados en la acción** y en los **resultados.** De ahí que un **coach** trabaje con su equipo para lograr resultados específicos y bien definidos, pues el futuro no existió ni existirá jamás, sino que es solo una conversación que tenemos hoy.

MISIÓN Y VISIÓN EN ACCIÓN

En la misión y la visión en acción debemos tener en cuenta las imágenes de fe. ¿Qué haces durante todo el día? Te levantas en la mañana y comienzas a vivir el día. Con esa manera de ser, llegaste hasta aquí. Sin embargo, para que suceda el resultado extraordinario va a haber que ir a un nivel diferente, a una nueva dimensión.

Esto mismo le pasó a Abram cuando recibe la misión para su vida y su respuesta es afirmativa. En ningún lugar de la Biblia se dice que discutió con Dios, sino que obedeció su llamamiento y partió con la bendición y la unción de Dios. En fin, fue tras su visión:

El Señor le dijo a Abram: «Deja tu tierra, tus parientes y la casa de tu padre, y vete a la tierra que te mostraré. Haré de ti una nación grande, y te bendeciré; haré famoso tu nombre, y serás una bendición. Bendeciré a los que te bendigan y maldeciré a los que te maldigan; ¡por medio de ti serán bendecidas todas las familias de la tierra!»

Abram partió, tal como el Señor se lo había ordenado.
Génesis 12:1-4

Entonces Dios le dijo algo muy importante a Abram, y este es el nuevo principio que quiero agregarle al desarrollo de la visión. Lo sacó en una noche estrellada y le mostró cada una de las estrellas que había en el cielo. Esas estrellas eran como cada uno de los hijos que tendría Abram:

El Señor le dijo: «Abram, levanta la vista desde el lugar donde estás, y mira hacia el norte y hacia el sur, hacia el este y hacia el oeste. Yo te daré a ti y a tu descendencia, para siempre, toda la tierra que abarca tu mirada. Multiplicaré tu descendencia como el polvo de la tierra. Si alguien puede contar el polvo de la tierra, también podrá contar tus descendientes. ¡Ve y recorre el país a lo largo y a lo ancho, porque a ti te lo daré!»

Génesis 13:14-17

Cuando Dios le dice a Abram «multiplicaré tu descendencia como el polvo de la tierra», se encontró con una gran brecha, pues no tenía ni un hijo siquiera... ¡la brecha era inmensa! Más tarde, Dios confirma su pacto con él, le cambia el nombre y le concreta su misión:

Este es el pacto que establezco contigo: Tú serás el padre de una multitud de naciones. Ya no te llamarás Abram, sino que de ahora en adelante tu nombre será Abraham, porque te he confirmado como padre de una multitud de naciones.

Génesis 17:5, nvi

Ahora, cuando Dios le dice a Abraham «serás el padre de una multitud de naciones», se encontró con otra gran brecha: ¡noventa y nueve años de edad!

Lo que procuramos decirte con esto es que el resultado extraordinario que tienes anotado, ya sea en lo laboral, personal, espiritual y relacional, tenga brecha. Si no tiene brecha, es porque lo vas a buscar con la misma manera de ser que tienes hoy. Entonces, si lo procuras llevar a cabo con esa misma manera de ser, los resultados van a ser idénticos a esos que tienes hoy... ¡y con excusas!

Es increíble cómo el mundo actual nos ha hecho maestros de los justificativos. Esto es como si esta noche llegaras a casa y leyeras ese resultado extraordinario que hasta ahora no has podido lograr y Dios te dijera: «Ven, ¿ves esas estrellas? Es como cada uno de los resultados que te está faltando». Dios le enseñó a Abraham a tener imágenes de fe.

A menudo, la visión no sucede en la vida de las personas porque no la ven y nunca se va a llegar a un lugar que no se ha visto antes.

Por ejemplo, imagínate una computadora. En primer lugar, no la veo cuando la compro, sino que la veo cuando la quiero, la pongo en marcha y cuando me comprometo a tenerla.

Muchísimas personas viven con un criterio contranatural, siempre mirando hacia atrás. Además, muchos no miran hacia delante porque tienen miedo. Incluso, no miran hacia delante porque creen los dichos o las descripciones de alguien que les dijo que no se puede... ¡por lo que dejaron de mirar hacia delante! Entonces, cuando Dios te dice: «Ve por la tierra que te mostraré», le respondes: «No, gracias, prefiero quedarme en este cuadradito que me construí como historia y vivir mal, pero acostumbrado».

La Biblia nos narra en Juan 5 que Jesús llegó a Jerusalén y en el tanque de Betesda había enfermos, paralíticos, cojos, etc., que llegaban a ese lugar para tocar el agua y sanar:

> Hay en Jerusalén, cerca de la puerta de las ovejas, un estanque, llamado en hebreo Betesda, el cual tiene cinco pórticos. En éstos yacía una multitud de enfermos, ciegos, cojos y paralíticos, que esperaban el movimiento del agua. Porque un ángel descendía de tiempo en tiempo al estanque, y agitaba el agua; y el que primero descendía al estanque después del movimiento del agua, quedaba sano de cualquier enfermedad que tuviese.
>
> **Juan 5:2-4**

Como esto ya había pasado, en ese sitio se juntaba gran cantidad de personas. Entre estas había un hombre en particular:

> Y había allí un hombre que hacía treinta y ocho años que estaba enfermo.
>
> **Juan 5:5**

Estaba mal, pero acostumbrado. Es más, sus piernas no le daban para llegar al estanque. Así que si te pones a pensar de manera lógica, era una locura que estuviera allí. Sin embargo, iba porque ya tenía la costumbre de ir al estanque de Betesda para ver cómo otros se le adelantaban, pues ya sabía que no iba a llegar. Lo interesante es que la sanidad se presentó ante él y la recibió, a pesar de que se había conformado con su situación:

Cuando Jesús lo vio acostado, y supo que llevaba ya mucho tiempo así, le dijo: ¿Quieres ser sano? Señor, le respondió el enfermo, no tengo quien me meta en el estanque cuando se agita el agua; y entre tanto que yo voy, otro desciende antes que yo. Jesús le dijo: Levántate, toma tu lecho, y anda. Y al instante aquel hombre fue sanado, y tomó su lecho, y anduvo.

Juan 5:6-8

Estamos en un tiempo de avivamiento, un tiempo de poder, de sanidad. Estamos en un tiempo en el que Dios está haciendo su obra en la cual no te necesita, pues su gracia es mayor que todos nosotros juntos. Es un tiempo donde va a haber miles de cientos de personas convertidas al poder de Dios. Así que, lo que hacemos nosotros es prepararte para el día siguiente. Lo que estamos buscando no es solo que estés listo para vivir en bendición, sino que estés preparado. Por lo tanto, ese poder de Dios lo que necesita es que cuando Él te diga: «Ve», lo hagas de inmediato. Es obvio que estamos muy acostumbrados a ver trabajar a Dios, pero lo que necesitamos ahora es que Él se acostumbre a vernos trabajar a nosotros.

Por eso nuestro objetivo hoy es que vayas hacia tu visión. Entonces, cuando venga la brecha, no digas: «No puedo». Por el contrario, debes decir: «Señor, ¿qué puedo hacer?». A continuación te pedirá que empieces a construir las imágenes de fe que quiere que tengas, pues la visión es lo que ya empiezas a vivir y disfrutar por esa fe.

PREGUNTAS DE REFLEXIÓN Y PRÁCTICA

- ⊙ Suponiendo que cada cosa que elijas se cumplirá y que tuvieses el éxito asegurado en todo lo que describas, ¿dónde estarías de aquí a un año en lo personal, espiritual, familiar y laboral?

- ⊙ Luego, evalúa lo siguiente: ¿Tu misión y visión están alineadas con la descripción hecha en la pregunta anterior? ¿Dónde estás hoy que te lleva hacia esa dirección?

- ⊙ ¿Qué acciones debes llevar a cabo para llegar a ese lugar?

- ⊙ ¿Qué conversaciones y con quién deberías generar espacios para llegar a ese lugar?

SEGUNDA PARTE:
MANERA DE SER

DESCUBRE QUIÉN ERES,
ELIGE QUIÉN QUIERES SER.

MÉTODOCC

MODELO CRISTO CÉNTRICO
VOLUNTAD DE DIOS
COMPROMISOS PROPIOS PARA IR HACIA ESE LUGAR

 MANERA DE VER

 MANERA DE SER

 MANERA DE RELACIONARSE

 MANERA DE LOGRARLO

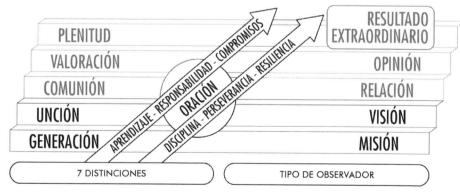

7 DISTINCIONES		TIPO DE OBSERVADOR
PLENITUD	APRENDIZAJE - RESPONSABILIDAD - COMPROMISOS / ORACIÓN / DISCIPLINA - PERSEVERANCIA - RESILIENCIA	RESULTADO EXTRAORDINARIO
VALORACIÓN		OPINIÓN
COMUNIÓN		RELACIÓN
UNCIÓN		VISIÓN
GENERACIÓN		MISIÓN

CAPÍTULO 9

UNCIÓN

Ahora, si conoces tu llamamiento, tu misión, sabes hacia dónde ir. Sin embargo, en algunos casos, las personas salen deprisa hacia su misión, pero tienen un gran vacío en su interior. Luego, vemos a muchos en el mundo que han corrido tras el objetivo, que lo han logrado, pero que llegan infelices, sin paz e incompletos.

Desde hace mucho tiempo, la misión y la visión se enseñan en las universidades. También desde hace treinta años que en las empresas multinacionales se trabaja con el concepto hacia los resultados. Aun así, por las estadísticas de los últimos cinco años se han dado cuenta que esto no es eficaz. ¿Por qué? Porque a pesar de que tenían superávit, se mantenían los problemas. Lograron llegar a su visión como empresas, llegar a su visión en cuanto a objetivos, pero lo hicieron con gerentes y empleados vacíos en su interior, con problemas entre sí.

Cuando uno está vacío por dentro, ese vacío lo va a llenar «algo» o «alguien». Entonces, dichas empresas descubrieron que muchos de sus empleados tenían adicciones y debían invertir fortunas en ayudarlos. Las estadísticas decían que gran cantidad de sus empleados se divorciaba o tenía doble vida. Por lo tanto, vivían en un mundo de resultados. Lo único que les importaba era el número. «Ustedes tienen

135

que facturar tanto», les ordenaban. Este era el concepto enfocado en el resultado y donde trabajan la visión y la misión. Sin embargo, esto no satisface.

Lo que trabajamos en el Método CC es caminar poniendo tus pies en las huellas de Jesús. Esto significa que vas a empezar a llenar cualquier vacío que tengas... que te empieces a preguntar qué principio, qué valor y qué acción desarrollaría Jesús. Es decir, ¿qué haría Jesús en tu lugar? Ya sabes cuál es tu misión y cuál es tu visión. Ahora la pregunta que cabe es la siguiente: ¿Haría Jesús esto que vas a hacer? Vamos a trabajar con mucha fuerza en la manera de llegar hasta la visión y ser feliz, a fin de no llegar vacíos ni a costa de otros.

A decir verdad, procuramos vivir en un espacio donde podamos poner con seguridad nuestros pies en las huellas del Señor y que su unción se derrame sobre nosotros. De esa manera, cuando lleguemos al mundo a relacionarnos con otros, no solo habremos adquirido disciplina, *resiliencia,* perseverancia, aprendizaje, compromiso y responsabilidad, no solo tendremos la misión clara y el llamamiento fresco y una visión poderosa con un diseño de acciones eficaces, sino la paz de saber que Él puso su mano sobre nosotros. Que bendice nuestro caminar y unge nuestra frente con aceite santo y bendición especial.

Muchísimos cristianos se preguntan cada día qué deben hacer para conocer su misión en la vida, encontrar los tiempos de su llamamiento, ser un mejor discípulo de Cristo, poder vivir con un mayor cometido a Dios y su Palabra para sentir y manifestar esa vocación como hijos de Dios en un mundo que necesita amor cada vez más. Sin embargo, la gran mayoría desfallece en el intento.

Ante esto, nos preguntamos si estas personas caminaron hacia su futuro con la bendición de Dios sobre sus hombros o solo «hablando» de hacia dónde habían elegido ir. Creemos que los hombres y las mujeres que deciden y eligen ir hacia el resultado extraordinario deben asegurarse que Dios bendice su caminar. Con tal objetivo, nos moveremos en dos direcciones: Unción y bendición.

La primera será seguir los pasos detrás de la relación, como en el caso de los profetas Elías y Eliseo. La segunda es preguntarnos qué haría Jesús en nuestro lugar. Si al finalizar este módulo puedes ir hacia tu visión, habiendo pasado por el camino que recorrió Eliseo y poniendo tus pies en las huellas de Jesús, tienes el éxito asegurado.

EL LLAMAMIENTO: TIEMPOS Y PROCESOS

Es de suma importancia el reconocimiento del llamamiento de Dios, los tiempos y los procesos en el que me llamaron para que llegara a ser mi misión. Por ejemplo, hoy tengo el llamado a ser pastor de jóvenes, mañana es a prepararme bajo los pies de «Elí» y después un profeta en nombre de Dios para su pueblo. Se trata de procesos dentro de una misión, donde los tiempos y los llamados irán moldeando mi misión para poder ser un reflejo de la gloria de Dios y trabajar de manera poderosa en su plan:

- Moisés pasó cuarenta años en el desierto preparándose para liberar al pueblo de Israel.
- Pablo se preparó por más de diez años para luego ser el apóstol de los gentiles.
- Josué estuvo más de treinta años asistiendo a Moisés antes de ser el gran líder que llevara al pueblo hacia la Tierra Santa, la tierra de prosperidad y bendición.

Estos eran los tiempos y los procesos que debían pasar cada uno. Por eso, este llamamiento tiene que ver con la palabra griega *kaleo*, la vocación, el llamado con un propósito específico.

HACIA LA VISIÓN

Ya sabes tu misión y tu llamamiento y eliges comenzar a comprometerte. Ahora comienzas a hacer declaraciones poderosas que sostendrás con acciones. Así que no vas hacia la descripción del pasado ni de la historia, sino hacia la visión, la que se torna incómoda, la que te pone nervioso, la que como concepto no es solo un punto de llegada, sino también un punto de partida.

Entonces, cuando empiezas a caminar hacia ella, te preguntas: *¿Es la voluntad de Dios el camino que elegí transitar? ¿Estoy yendo con su bendición sobre mí?* Luego, verás que si no hay unción en tu vida, no puedes completar la visión por más poderosa que sea.

DEFINICIÓN DE «UNCIÓN»

La unción se traduce en el acto de Dios al poner sus manos sobre ti, que vayas pasando y la nube vaya contigo. Esto es vivir bajo la unción del Altísimo. Es vivir bajo la presencia de Dios. Hay muchos orientalismos que tienen que ver con el ungimiento del rey, el aceite, el Mesías ungido con aceite para entrar triunfante a Jerusalén. En resumen, es la mano de Dios y su bendición sobre tu vida. ¿Qué pasa que muchas veces tienes clara tu misión, desarrollas y declaras una visión poderosa, pero las cosas no te salen como esperabas? La respuesta está en la gran pregunta que debes hacerte: «¿Hay bendición?».

SAÚL Y LA UNCIÓN

El caso de Saúl lo ejemplifica muy bien. Puedes ser un rey y tenerlo todo, pero vivir sin la bendición de Dios sobre ti y que tú y tu descendencia caigan de modo aparatoso en la miseria. Dios llamó a Saúl de manera especial. Lo ungió por medio de su profeta. Luego, cuando el ungido caminaba en medio del pueblo, «todas las cosas le salían bien». Nada de lo que hiciera era un problema, sino oportunidades para que el pueblo creciera y derrotara a sus enemigos.

Sin embargo, un día elige poner primero sus propios pensamientos que obedecer al Dios todopoderoso. Así que la bendición de Dios se retira de su vida. No dejó de ser rey, no dejó de vivir, pero Dios ya no estaba a su lado. La unción no se posaba sobre su cabeza. De ahí que pasara, junto con su pueblo, por gran cantidad de años de sufrimiento hasta que sufriera una humillante muerte a manos de sus enemigos.

Muchas veces caminamos con el ejército de Dios, pero sin Dios. Caminamos en nombre de Dios, pero sin su unción sobre nosotros. Pareciera que nada sucede, que todo está bien, pero no es así. Dios no está allí y eso marca la vida, la misión y la visión de cualquier persona. Está o no está. Por eso, cuando uno no conoce estas cosas, no hay mejor manera de saberlo que eligiendo caminar al poner nuestros pies en las huellas de Jesús. Además, debemos preguntarnos qué haría Jesús en nuestro lugar. Esta es una buena manera de saber si tengo la bendición de Dios para mi diario vivir. ¿Jesús estaría haciendo esto? ¿O que haría en mi lugar?

EN BUSCA DE LA UNCIÓN

Ahora, profundicemos acerca de la *unción* en la vida de Eliseo. Este profeta es un claro ejemplo de no solo vivir en la unción de Dios, sino el tener una doble porción de ella. A lo mejor tú dices: «Quiero vivir bajo la unción». Sin embargo, Eliseo prefirió más que eso, y no solo tuvo la mano de Dios sobre su vida, sino que la Palabra dice que recibió el doble de esa unción:

> *Dijo Elías a Eliseo: Quédate ahora aquí, porque Jehová me ha enviado a Bet-el. Y Eliseo dijo: Vive Jehová, y vive tu alma, que no te dejaré. Descendieron, pues, a Bet-el. Y saliendo a Eliseo los hijos de los profetas que estaban en Bet-el, le dijeron: ¿Sabes que Jehová te quitará hoy a tu señor de sobre ti? Y él dijo: Sí, yo lo sé; callad. Y Elías le volvió a decir: Eliseo, quédate aquí ahora, porque Jehová me ha enviado a Jericó. Y él dijo: Vive Jehová, y vive tu alma, que no te dejaré. Vinieron, pues, a Jericó. Y se acercaron a Eliseo los hijos de los profetas que estaban en Jericó, y le dijeron: ¿Sabes que Jehová te quitará hoy a tu señor de sobre ti? Él respondió: Sí, yo lo sé; callad. Y Elías le dijo: Te ruego que te quedes aquí, porque Jehová me ha enviado al Jordán. Y él dijo: Vive Jehová, y vive tu alma, que no te dejaré. Fueron, pues, ambos. Y vinieron cincuenta varones de los hijos de los profetas, y se pararon delante a lo lejos; y ellos dos se pararon junto al Jordán. Tomando entonces Elías su manto, lo dobló, y golpeó las aguas, las cuales se apartaron a uno y a otro lado, y pasaron ambos por lo seco. Cuando habían pasado, Elías dijo a Eliseo: Pide lo que quieras que haga por ti, antes que yo sea quitado de ti. Y dijo Eliseo: Te ruego que una doble porción de tu espíritu sea sobre mí.*
>
> ***2 Reyes 2:2-9***

Siguiendo la manera de actuar de Eliseo reconoceremos los primeros principios para vivir bajo la unción, para vivir con la bendición de Dios sobre nuestra vida.

Veremos cómo estuvo dispuesto a perseverar, a mirar hacia delante y depender de Dios. Es más, estuvo dispuesto para la batalla y para el servicio antes de recorrer el camino hacia la unción.

Antes de continuar, recuerda que nos encontramos en el segundo escalón del Método CC, a fin de emprender el camino en busca del resultado extraordinario. Ya tienes tu visión, sabes hacia donde vas y quién eres. Ahora, veamos a lo que estamos dispuestos a fin de recibir la unción de Dios.

Dispuesto a perseverar

El primer principio claro que nos muestra el relato de Elías y Eliseo es: «Persigue la unción». Te digan lo que te digan no la dejes. Ese es el ejemplo y la actitud de Eliseo.

Conozco a muchos cristianos que saben hacia dónde quieren ir, pero no están dispuestos a mover un dedo. Esperan que Dios venga y toque la puerta de su casa. Así que es tiempo de que si está la bendición, si viste la visión, si sabes con exactitud hacia dónde quiere Dios que vayas, no lo dejes, aférrate a ello y dirígete hacia allá.

Dispuesto a mirar hacia delante y depender de Dios

La lectura del pasaje de 2 Reyes es muy interesante. Primero, observamos la total dependencia de Dios. El profeta representaba al hombre de Dios en ese tiempo. Hoy, Dios habita en medio de su pueblo, que es considerado el Templo del Dios viviente. Sin embargo, ¿estás dependiendo por completo de Dios en lo profundo de tu corazón?

Eliseo «hasta quemó el arado» e hizo un asado con él (véase 1 Reyes 19:19-21). Dejó atrás el pasado. ¡Qué mejor ejemplo de lenguaje declarativo! Emprende el camino hacia lo que le falta y no se para en lo que no tiene. A diferencia del joven rico, que físicamente miró hacia atrás y le dijo al Señor: «No tengo la posibilidad de hacer lo que me pides» (véase Mateo 19:16-22), Eliseo quemó todo y miró hacia delante en una total dependencia de Dios.

¿Quieres ser un ungido de Dios? ¿Quieres tener la unción para ir y caminar dependiendo por completo de Él? Es posible que sepas tu misión, tu llamamiento y hacia dónde quieres ir, pero dudas si hay una total bendición de Dios sobre tu vida. Si estás en este lugar, pregúntate si Dios está siendo tu suficiencia y estás dependiendo en gran medida de Él.

Eliseo tenía un trabajo estable y excelente para aquella época. Sin embargo, cuando lo llamaron, eligió caminar por fe. Eligió seguir al profeta. Así que, más tarde, le pidió una doble porción de su espíritu. Mientras Elías le decía que no lo siguiera, lo que sería igual a cuando las personas te dicen que no sigas esa visión o no busques lograr ese sueño, él le respondía: «Vive Jehová [traducido al lenguaje actual sería "como que hay un Dios que existe en quien creo con total seguridad"], y vive tu alma, que no te dejaré» (2 Reyes 2:4).

Muchas personas oran como Eliseo: «Señor, dame una doble porción de tu unción», pero no tienen en cuenta la preparación a la que se sometió Eliseo para llegar a ese momento. Hemos escuchado a muchos decirnos: «Héctor y Laura, ¡cómo me gustaría hablar y preparar a la gente como lo hacen ustedes! ¡Cómo me gustaría poder reconocer el Método CC con tanta claridad en cada circunstancia y vivir de la manera que viven ustedes!». Sin embargo, esto es el fruto de la preparación, el sacrificio, el esfuerzo. Es muy fácil decir: «Quisiera ser esto» y no hacer nada en lo absoluto. En el caso de Elías, es interesante notar cómo lleva a Eliseo por diferentes pasos hasta que recibe esa doble porción del Espíritu Santo.

Dispuesto a la batalla y al servicio

Antes de recorrer el camino que Elías y Eliseo siguieron, quisiera destacar otra actitud. En 1 Reyes 19 vemos que Elías se enfrenta a los profetas de Baal y a la malvada reina Jezabel, para después ungir a Eliseo como su sustituto y quien, por la unción, estaría dispuesto para la batalla y el servicio a Dios.

> Le dijo Jehová [a Elías]: Ve, vuélvete por tu camino, por el desierto de Damasco; y llegarás, y ungirás a Hazael por rey de Siria. A Jehú hijo de Nimsi ungirás por rey sobre Israel; y a Eliseo hijo de Safat, de Abel-mehola, ungirás para que sea profeta en tu lugar. Y el que escapare de la espada de Hazael, Jehú lo matará; y el que escapare de la espada de Jehú, Eliseo lo matará [...] Partiendo él de allí, halló a Eliseo hijo de Safat, que araba con

doce yuntas delante de sí, y él tenía la última. Y pasando Elías por delante de él, echó sobre él su manto. Entonces dejando él los bueyes, vino corriendo en pos de Elías, y dijo: Te ruego que me dejes besar a mi padre y a mi madre, y luego te seguiré. Y él le dijo: Ve, vuelve; ¿qué te he hecho yo? Y se volvió, y tomó un par de bueyes y los mató, y con el arado de los bueyes coció la carne, y la dio al pueblo para que comiesen. Después se levantó y fue tras Elías, y le servía.

1 Reyes 19:15-17, 19-21

Es evidente que en esa parte de las Escrituras se nos muestra que Eliseo estaba dispuesto no solo a depender de Dios y seguir al hombre de Dios, sino también a convertirse en guerrero espiritual. Sin duda, Eliseo confiaba en Dios a plenitud.

Sin embargo, hay personas que no están dispuestas a marchar hacia la batalla. Con esto, no nos referimos a una batalla inventada, sino a esa que se pelea con amor y en la que los espíritus se van porque uno tiene autoridad. También hay personas que van tras su visión, pero ante la primera situación negativa se rinden. Por eso, debes tener presente que vas a recibir la unción de Dios cuando estés dispuesto a depender por completo de Él, cuando estés dispuesto a vivir por entero en el Señor.

Otra clave fue que Eliseo fue siervo de Elías primero. Algunos dicen: «Bueno, yo quiero la bendición para esto o para esto otro». No obstante, ¿estás dispuesto a servir? ¿Estás dispuesto a prepararte? ¿Estás dispuesto a que Dios sea tu suficiencia? ¿Estás dispuesto a ser bendecido? ¿Estás dispuesto a ser un guerrero espiritual? ¿Estás dispuesto a confiar en Él? Estas son las cosas que van sucediendo antes de que aparezca la unción.

LOS CUATRO LUGARES PARA RECONOCER LA UNCIÓN

Llega un momento en tu vida donde estás eligiendo ir por un resultado extraordinario. Cuando optas por esto, adquieres las distinciones para elevarte (disciplina, perseverancia, responsabilidad, compromiso, *resiliencia*, aprendizaje) y las usas para comenzar a encontrarle sentido a la vida, el propósito, el *qué* en tu diario vivir.

La Palabra de Dios nos muestra que Eliseo era un hombre de fe. En los días finales de Elías, antes de su partida, los profetas pasaron por cuatro lugares diferentes: Gilgal, Betel, Jericó y el Jordán.

Gilgal: El paso de la suficiencia al fruto

Antes que todo, Elías llevó a Eliseo a Gilgal. Cada uno de estos lugares en esta travesía de ir hacia la unción tiene un significado especial y Gilgal es el lugar donde comienza la fe. Hasta aquí llegó el pueblo de Israel viendo cómo cada día Dios les enviaba maná del cielo. Ahora, los años viviendo en la suficiencia de Dios terminaban en Gilgal.

El Señor llevó al pueblo a Gilgal y le dijo que desde ese día en adelante comerían del fruto de la tierra que les había entregado. La misma simbología se ajusta a Eliseo, así como para ti también: Deberás pasar de la suficiencia de Dios en tu vida a la generación de frutos. Además, es la misma simbología para todo el que desea ir por la unción. No nos basta con solo confiar en Dios, pues Él quiere que estemos dispuestos a generar frutos.

Si te diriges hacia una visión poderosa pero en la primera base, en Gilgal, cuando Dios te cuenta que debes tomar la tierra, confiar y producir ves que necesitas del maná porque sin él no puedes vivir, es que algo te falta. Quizá necesites mayor preparación, más tiempo, mayor incorporación de cada distinción que lograste en la base, más compromiso...

Por lo tanto, al llegar a Gilgal, como lo hizo el pueblo de Israel, debes aceptar que no habrá más comida en la boca, sino producción. O debes ser como Eliseo que, cuando todos los profetas lo invitaban a no continuar hacia las siguientes ciudades, no solo no se volvió atrás, sino que los hizo callar. Tu compromiso con el diseño de Dios para tu vida debe ser tan grande que ni los esfuerzos ni las críticas te detengan porque estás listo para ir junto con Elías y Eliseo a la siguiente ciudad.

La Biblia nos narra cómo en Gilgal el pueblo de Israel pasó de la tierra de suficiencia a la tierra de prosperidad. Además, nos muestra la ciudad en la que se invita a vivir por fe:

Los hijos de Israel acamparon en Gilgal, y celebraron la pascua a los catorce días del mes, por la tarde, en los llanos de Jericó. Al otro día de la pascua comieron del fruto de la tierra, los panes sin levadura, y en el mismo día espigas nuevas tostadas. Y el maná cesó al día siguiente, desde que comenzaron a comer del fruto de la tierra; y los hijos de Israel nunca más tuvieron maná, sino que comieron de los frutos de la tierra de Canaán aquel año.

Josué 5:10-12

Durante cuarenta años, el pueblo de Israel experimentó una columna de nube de día y una columna de fuego de noche, así como tuvieron maná cada uno de estos días. No obstante, en Gilgal, este maná terminó y Dios les dijo que a partir de ese día vivirían del fruto de la tierra.

En el recorrido hacia el arrebatamiento de Elías rumbo al cielo, el primer lugar por el que el profeta conduce a Eliseo es Gilgal. ¿Has caminado hacia tu Gilgal? ¿Has salido de la tierra de suficiencia y elegido que ya no sea solo el maná que te venga del cielo sino conquistar la tierra que fluye leche y miel?

Betel: El paso por la prueba

Después que salieron de Gilgal, fueron a Betel. En estos versos leíamos que Eliseo no abandonaba al profeta. Betel es el lugar de las pruebas y dificultades. Jacob pasó por Betel y para el pueblo de Israel simboliza el tiempo de prepararse y de pasar la prueba. Allí Jacob se refugió cuando huía de su hermano, perdió su familia y su comodidad. Luego, mientras dormía con una piedra como almohada, hizo un voto al Señor diciéndole que, si le dejaba volver en paz a la casa de su padre, Jehová iba a ser su Dios. Podría no haber hecho ese voto, pues su familia lo había dejado, su hermano lo perseguía y Betel se convertía en el tiempo de la prueba. Sin embargo, decidió hacerlo.

De la misma manera, cada uno de los que quieran vivir la unción tendrá que pasar por Betel. Se probarán antes de que Dios confíe en poner su unción sobre su cabeza. ¿Has pasado tu Gilgal? ¿Has pasado por Betel? Hay algunos que quieren salir de la tierra de esclavitud e ir derecho hacia la tierra de prosperidad, pero llegan sin unción. No están dispuestos a pasar por el tiempo, el espacio de preparación y prueba. Al llegar a Betel debes preguntarte qué te falta para tu visión y si estás comprometido a que te preparen, a esforzarte y a que te moldee el Alfarero.

Algunos salen disparados hacia el resultado extraordinario procurando que sea una realidad en sus vidas, pero camino a la visión no pueden ni sostener a Gilgal, ni a Betel. No pueden vivir sin que Dios les dé de comer cada día, ni pueden soportar el fuego requerido para moderar y purificar como el oro su carácter. Ante la menor presión, desisten y quiere volver a Egipto, o procuran enseguida llegar a la Tierra Prometida sin esfuerzo. Por más que tengas claro tu llamamiento, tu misión y una visión grande y poderosa en la vida, si no pasas por la unción, no llegarás completo. Además, Betel es un paso para ir hacia el doble de la porción. Esta es la segunda ciudad por donde pasó Eliseo a fin de llegar a la unción.

Jericó: El paso por reconocernos con valentía

Después, Elías y Eliseo fueron a una tercera ciudad, Jericó, la ciudad de la guerra. Este fue el lugar en el que Josué peleó y libró una de las mayores batallas del Antiguo Testamento (véase Josué 6).

Eliseo se transformó en un hombre de guerra en el espíritu. Entendía el poder que pertenece a cada creyente que puede desatar cadenas y abrir puertas. Estaba dispuesto a derribar fortalezas, a usar la espada y el poder del Espíritu Santo para ser un instrumento del Señor.

Jericó representa el tiempo de confirmar si en el camino hacia la visión poderosa eres un «valiente de Jehová». Cada guerrero que estuvo con Josué en la batalla de Jericó fue obediente a las palabras de su líder, y su líder a las de Dios. Debían dar siete vueltas alrededor de la ciudad y caerían las murallas. Sin embargo, nada sucedió en las primeras seis vueltas.

En esto, es muy oportuno el adagio que dice: «De todo se vuelve, ¡menos del ridículo!». Sin duda, se verían ridículos ante los ojos de los que les veían tocar el shofar (la trompeta), pero que nada sucediese. ¿Cómo ser un valiente de Jehová en medio de la presión del ridículo, de que nada suceda, de que todo esté igual y que parezca que lo único que cambia eres tú porque vas camino a la locura?

Jericó es el paso de valentía ante el temor, la incertidumbre y de que lo que viene no suceda todavía ante la mirada de otros. ¿Pasará tu visión Jericó? ¿Podrás aceptar ser un valiente en medio de las burlas, las faltas de resultados, la mirada y el comentario de otros? Si tuvieras que caminar tu visión en medio de tu comunidad, ¿podrás pararte erguido y valiente tocando la trompeta o vas camino a tu resultado extraordinario cabizbajo, sin que nadie se entere, con miedo, eligiendo hablar solo cuando la muralla se derribe en la séptima trompeta?

Ser un valiente es mirar desde la cima aun sin estar en ella. Es soportar las inclemencias de las circunstancias sin la prueba contundente que genera el éxito. Valiente es ganar sin haber ganado aún. Es que tu ímpetu y valor lleven bien alto la trompeta sin prestarle atención al qué dirán. A Eliseo le seguían diciendo: ¡Vete! ¡Vete!, pero él se mantenía firme en busca de la unción.

¿Has pasado por Jericó? ¿Es posible que quieras recorrer el camino hacia la unción, pero que no estés dispuesto a ser un guerrero del Señor?

Este lugar es muy interesante, pues aquí todos decían: *Vete porque la cosa está muy difícil*. Sin embargo, Eliseo no estaba dispuesto a irse sin su unción. ¿Y tú?

Jordán: La toma de conciencia de una vida con milagros

Elías y Eliseo llegaron juntos al Jordán. Esta era la última base antes del gran momento. Así que Elías tomó su manto, símbolo de autoridad espiritual, y con él golpeó las aguas del Jordán. El río se abre en dos y lo invita a pasar por el medio del milagro (véase 2 Reyes 2:8).

Aquí tenemos la gran opción de reconocer que la misión, la visión y las distinciones poderosas no son suficientes si no reconozco los milagros de Dios en mi vida. Quizá acepte comer del fruto de la tierra y me esfuerce. A lo mejor elijo y acepto que me preparen, pase por el fuego y me declare un guerrero de Dios y un valiente en cualquier circunstancia. Con todo, si no vivo cada día como un milagro de Dios y miro al mundo desde lo espiritual, no habrá unción o se perderá. Si no comprendo que como líder la autoridad más importante que tendré será la «del manto», la espiritual, mi conexión con Dios y representarlo con fidelidad, no llegaré al final con éxito.

El Jordán es el lugar en el que procuramos cruzar en medio de un andar espiritual, en medio de los milagros de Dios. Muchos líderes no logran lo extraordinario por querer hacerlo por sus fuerzas, por su capacidad y no por pasar la vida en medio del milagro, por vivir confiando en «el poder del manto». ¿Pasarás el Jordán? ¿Pasa tu visión el ver desde el milagro? ¿O te has vuelto tan preparado, tan entrenado, que ya no necesitas de nada ni de nadie, ni siquiera de Dios?

Como ves, Elías y Eliseo viajaron hasta el río Jordán donde el Señor probó la visión de Eliseo. Sin duda, ya este tenía su misión, su llamamiento y su visión, pero en ese momento surge esta conversación:

> *Cuando habían pasado, Elías dijo a Eliseo: Pide lo que quieras que haga por ti, antes que yo sea quitado de ti. Y dijo Eliseo: Te ruego que una doble porción de tu espíritu sea sobre mí.*
>
> **2 Reyes 2:9**

Eliseo no pidió poder, ni sabiduría, ni riquezas, sino que pidió mucha unción. No lo hizo por egoísta ni por codicioso, sino por necesidad. Es como si le dijera: *Necesito el doble que tú para llegar a vivir siendo el líder que Dios necesita de mí.*

Ante esta petición, Elías le respondió: «Cosa difícil has pedido. Si me vieres cuando fuere quitado de ti, te será hecho así; mas si no, no» (2 Reyes 2:10). En otras palabras, lo que quiere decir en estos versículos es que si tu visión es clara y tus ojos están en las cosas de arriba, lo vas a recibir.

Cuando tienes la visión clara, ve tras la unción y recorre estas ciudades. Pasa por medio de ellas que, al final, tendrás lo que pides. De lo contrario, si no sientes ni vives, no recibes la unción que necesitarás a fin de aclarar la visión para llegar a ver lo que te faltó en alguna de estas ciudades para, luego, salir del proceso con la bendición de Dios para tu vida. En realidad, esto no es una cuestión de tiempos, sino de compromiso, de elegir vivir el proceso...

TRES LLAVES IMPORTANTES

Hay tres llaves importantes que queremos que veas para que se cumpla la visión y la unción esté sobre tu vida. Esta visión debe ser clara, no algo confuso y lleno de preguntas. Uno debe correr para recibir y correr en términos bíblicos es orar con intensidad. Por lo tanto, la fe es vital para este caminar de unción.

A Elías lo usaron para dividir el Jordán. Luego, Eliseo lo volvió a dividir y, por eso, hubo un milagro allí. Todo tiempo de unción es tiempo de milagros y lo vas a ver en tu vida. Es decir, se trata de un andar de milagros. He aquí algunas claves para poder crecer en la unción:

1. **Asóciate a los que aman la unción.** Si ves a alguien que ama la unción, no lo dejes. Busca la manera de estar a su lado, míralo, obsérvalo y aprende de él. Entabla relaciones y amistad con los más experimentados. No esperes a que vengan, pues es muy probable que estas personas experimentadas tengan el día muy ocupado. Así que tienes que buscar la manera de hacer tiempo y generar la relación. Incorpórate al ambiente adecuado. Si estás esperando la unción para ser un evangelista, no te pases todo el día con médicos ni arquitectos, júntate con evangelistas.

2. **Practica alimentarte tú mismo.** Ten en cuenta lo que usas para alimentarte, ya sean libros, personas, devocionales, etc. Entra en la presencia de Dios y bebe de su amor. ¿Cuánto tiempo oras al día? Esto es importante, pues es fácil decir: «Quiero el resultado extraordinario», pero hay que ser un adorador agradecido. No vivas en la queja ni en la angustia. Da de lo poco que tengas y verás que te darán mucho más. La Palabra dice: «Dad, y se os dará» (Lucas 6:38). ¿Qué estás haciendo por Dios? ¿Cómo te relacionas con Él a través de tus ofrendas?

3. **Pide la unción del Espíritu Santo.** Cuando pides la unción, te equiparán con ella. Este es un tiempo especial en el que Él tiene que trabajar en tu vida. Por lo tanto, déjalo que cambie tus planes y tu agenda. Permítele que te diga hacia dónde ir y te vas a encontrar con sorpresas maravillosas para disfrutar

y vivir la unción. Cuando esta unción se haga realidad en tu vida, la vas a sentir en el cuerpo y te vas a relacionar con otros. Además, el fuego de Dios arderá en tus ojos y todos podrán ver que eres especial, que la unción de Dios está en ti.

Como vimos, la bendición y la unción están en las personas dispuestas a perseverar, a depender de Dios y mirar hacia delante, personas dispuestas a la batalla y al servicio. Aparte de vivir con la mano de Dios encima, deciden pasar por Gilgal y dejan de esperar que llueva maná del cielo y comienzan a dar frutos. Luego, tienen su Betel, se preparan y aceptan el esfuerzo para dirigirse a Jericó, a fin de ser valientes en cualquier circunstancia y a vivir en medio de milagros cada día en su Jordán.

¿QUÉ HARÍA JESÚS EN TU LUGAR?

Al pasar por el camino recorrido por Eliseo queremos llevarte a la segunda parte de este libro que es reflexionar en lo que haría Jesús en tu lugar. Con bendición y poniendo tus pies en las huellas de Jesús, iremos hacia el resultado extraordinario a medida que disfrutamos el proceso.

A continuación, queremos mostrarte algunos versículos muy interesantes:

Cuando Jesús estaba ya para irse, un hombre llegó corriendo y se postró delante de él.

—Maestro bueno —le preguntó—, ¿qué debo hacer para heredar la vida eterna?

—¿Por qué me llamas bueno? —respondió Jesús—. Nadie es bueno sino solo Dios. Ya sabes los mandamientos: "No mates, no cometas adulterio, no robes, no presentes falso testimonio, no defraudes, honra a tu padre y a tu madre."

—Maestro —dijo el hombre—, todo eso lo he cumplido desde que era joven.

Jesús lo miró con amor y añadió:

—Una sola cosa te falta: anda, vende todo lo que tienes y dáselo [en el griego se omite el artículo "lo"] a los pobres, y tendrás

tesoro en el cielo. Luego ven y sígueme [algunos manuscritos antiguos incluyen la frase "tomando tu cruz"].

Marcos 10:17-19, nvi

¿Qué es seguir a Jesucristo sin hacer lo que Él hizo?

Podríamos entonces comenzar a preguntarnos: ¿Qué haría Jesús en tal o más cual situación o esfera de mi vida? Analízalo... ¡y pon tus pies en las huellas de Jesús!

En la Biblia encontramos referencias que nos muestran que Jesús dejó huellas, la marca de sus pisadas, a fin de que anduviésemos en ellas. Sin duda, hay un camino surcado con claras pisadas: huellas estampadas que solo veremos en nuestras vidas a medida que vamos avanzando.

Seguir las pisadas de alguien es recorrer un mismo camino. Es interesante la ilustración en boca del profeta Habacuc cuando dijo:

El Señor Dios es mi fortaleza; Él ha hecho mis pies como los de las ciervas, y por las alturas me hace caminar.

Habacuc 3:19, lbla

¡Cuánta ternura hay en este ejemplo! Las ciervas, al tener a su cría, las guía y las enseña a caminar por los senderos más peligrosos y hasta por los caminos empinados que pudieran derrumbarse a medida que marcan el camino con sus pisadas. La prudencia les indica probar con sus dos patas delanteras la firmeza de las piedras o el terreno. Si es seguro, allí es donde pisarán sus patas traseras y allí es donde pisaran sus crías.

Dentro de las distinciones que hemos visto encontramos la palabra **responsabilidad,** que es la «habilidad para responder». Entonces, ¿qué sucedería si ante la demanda de la vida actuáramos como Jesús? Nuestra respuesta sería: «¡Heme aquí!». ¿Qué tal si provocamos e invitamos a otros a caminar de este modo? Con esto, no nos referimos a compartir la responsabilidad tomando una porción, sino asumiendo el compromiso al cien por cien. De este modo serás capaz de invitar a tu vecino a que responda, así como a tu hermano, tu amigo, tu cónyuge, tu compañero de trabajo, etc. De seguro que nos encontraríamos parados frente a una respuesta a la necesidad de una sociedad que sufre por falta de recursos, pero que sufre más por falta de esperanza.

Ante esto, nos preguntamos: «¿Qué pasaría si al llegar a la oficina Jesús fuera el jefe o el empleado, o estuviera en mi puesto? ¿Cómo serían, entonces, las cosas?». Muchas veces estamos ante situaciones dolorosas, miserables y, en ocasiones, injustas. Así que nos preguntamos: «¿Por qué?». Sin embargo, hoy la pregunta que deberíamos hacernos es: «¿Quién estoy siendo ante esta situación?». Por lo tanto, llegó el momento de buscar las huellas de Jesús y pisar en ellas. Llegó el momento para caminar de una manera diferente, utilizando lo que Dios nos ha dado desde un observador capaz de generar una nueva realidad. De ese modo nos comprometemos a amar y hacer eficaz la promesa de poder en nuestras vidas, andando en la total confianza por los logros que alcanzó Aquel que lo logró y resucitó para hacer de cada uno de nosotros la gran posibilidad de transformar un mundo perdido.

Entonces, ¿dónde comenzamos? La respuesta es sencilla: «¡Empieza por mí!».

CONCLUSIÓN

Cruza las ciudades y el Jordán hacia la unción. Luego, pregúntate qué haría Jesús en tu lugar y confirma su bendición en ti. De ese modo, estarás preparado para ir hacia el resultado extraordinario, comenzar a relacionarte con otros, incorporar los recursos lingüísticos que te faltan y generar una vida con poder.

PREGUNTAS DE REFLEXIÓN Y PRÁCTICA

- ¿Cuál de los cuatro lugares es tu próximo paso?
- Elige una situación en tu vida y piensa en qué haría Jesús en esa situación.

TERCERA PARTE:
MANERA DE RELACIONARSE

YA NO BASTA CON MIRAR POR EL OTRO,
ES HORA DE MIRAR DESDE EL OTRO.

MÉTODOCC

MODELO CRISTO CÉNTRICO
VOLUNTAD DE DIOS
COMPROMISOS PROPIOS PARA IR HACIA ESE LUGAR

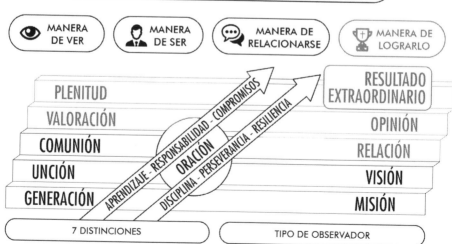

MANERA DE VER

MANERA DE SER

MANERA DE RELACIONARSE

MANERA DE LOGRARLO

7 DISTINCIONES		TIPO DE OBSERVADOR
PLENITUD		RESULTADO EXTRAORDINARIO
VALORACIÓN		OPINIÓN
COMUNIÓN		RELACIÓN
UNCIÓN		VISIÓN
GENERACIÓN		MISIÓN

APRENDIZAJE - RESPONSABILIDAD - COMPROMISOS
ORACIÓN
DISCIPLINA - PERSEVERANCIA - RESILIENCIA

CAPÍTULO 10
COMUNIÓN

Muchos no se han dado cuenta que a su alrededor hay gran cantidad de personas. Sin embargo, ya nosotros nos percatamos de que nos tenemos que relacionar con otros, que necesitamos entender de manera imperiosa que para llegar a un resultado extraordinario tenemos que vivir en un mundo de relaciones.

Hasta ahora, hemos incorporado distinciones, trabajado nuestra manera de mirar y asegurado quiénes somos y quiénes elegimos ser. Así que llegó el momento de comprender que la forma de llegar a la cima es con otros. Por eso, aquí en el Método CC, te vamos ayudar esta vez, y las veces que sean necesarias, para que seas poderoso y entiendas que necesitas capacidades comunicacionales a fin de poder vivir en común unión con otros que eligen ir hacia lo que Dios desea de cada uno.

VER DESDE LA POSICIÓN DEL OTRO

Si lo analizas, lo que ha hecho el mundo es prepararte para que seas un buen observador de ti mismo y para ti mismo. El cristianismo no solo te invita a que seas un observador de ti mismo y para ti mismo, sino a que empieces a mirar al otro. Es decir, ya no te miras a ti, tus necesidades y deseos, sino que miras al otro y sus necesidades. Lo que es más, este ha sido el estandarte del cristianismo durante dos mil años y así nos distinguimos en este mundo.

Si lo analizamos, vemos que nos quedamos cortos con solo mirar al otro. En el tiempo de la relación no solo debemos estar comprometidos a mirar al otro, sino también a mirar desde el otro. A fin de lograrlo, debemos prepararnos para mirar desde su cultura, su modelo mental, sus dones y sus limitaciones. Por eso, no basta con ser simpáticos. Debemos tener empatía, sin permitirnos conformarnos con solo sonreír y esperar, sino comprometernos a estar con todo nuestro ser y emociones para poder mirar al otro.

TENER UNA MANERA DE ESCUCHAR PODEROSA

Hay gente que no se da cuenta que el escuchar es el lado más poderoso del lenguaje. La manera de escuchar poderosa es mirar al otro, es bajar toda opinión que tengas y escuchar lo que está diciendo.

ESTABLECER CONTEXTOS CONVERSACIONALES

Establecemos contextos conversacionales cuando empezamos a elegir en qué espacios me voy a comunicar. ¿Elegiste estar en las conversaciones en que estás todo el día? Hay diferentes tipos de conversaciones: las de relación, las de acción, las de diálogo y las de intercambio de opiniones. Cuando intercambias opiniones, ¿cómo hablas? ¿De manera tosca? Empieza a elegir en qué conversaciones quieres estar. A veces te encuentras en murmuraciones y dices: «¿Qué hago yo aquí?». Quizá sea hora de decirle a esa persona: «Yo no elegí estar en este lugar». Por lo tanto, uno puede elegir los contextos conversacionales.

El Dr. Chris Argyris, de la Universidad de Harvard, acuñó el término *columna izquierda* refiriéndose a esas conversaciones que tenemos... o que a veces nos tienen. La *columna izquierda* es como el petróleo. Si lo refinas, te sirve de energía. Si te lo comes crudo, te puede dañar el organismo. Es como un enano espiritual que te dice: «¡Qué bueno lo que está diciendo el pastor! Sin embargo, ¡no es para ti! Hace veinte años te hubiera sido útil, pero ya estás viejo». Como ves, algunos se interesan en reprimir y controlar la *columna izquierda*. Por eso nosotros te decimos: «No la reprimas, háblale, dile: "Quiero escuchar, quiero llegar a ese lugar, quiero que Dios obre en mi vida, así que cállate tú"».

INCORPORAR LA PERSPECTIVA CULTURAL POSMODERNISTA

Para llegar a relacionarte de manera poderosa debes incorporar el entendimiento de la cultura posmodernista. Si tienes recursos para escalar hacia lo máximo, pero no estás comprometido con entender la cultura posmodernista, es muy difícil que logres llegar a sentir empatía por el otro.

Algunos hemos huido a los montes cuando la posmodernidad llegó cerrando nuestros templos y educando a nuestros hijos de manera aislada. Si bien este es el tiempo donde la cizaña está creciendo cada vez más, también es el tiempo donde está creciendo el trigo. Somos luz en medio de la cultura, si no nos escondemos debajo de una almohada. Además, Jesús nos invitó a vivir en medio de la gente, no fuera de la gente... Y para eso debemos comprender al mundo y los códigos en los que vivimos. Sin embargo, algunos siguen moviéndose como hace cuarenta años. Viven en un mundo donde lo único que importa es la verdad, lo racional.

El mundo moderno terminó en 1990, así que estamos en una cultura diferente en la que vamos a tener que servir y ser poderosos. Durante un tiempo entrenamos a un empresario cristiano para llegar al resultado extraordinario en su negocio. Este hombre estaba preparado, entendía del Método CC la aceptación de la manera de hablar poderosa. Ahora, debía cerrar un importante contrato y para eso se reuniría con un directivo que viajaría desde otro país para encontrarse con él. Cuando va a su reunión, se tropieza con una persona de veinticinco años de pelos parados, aritos, piercing, tatuajes, el pantalón arrugado, la camiseta por fuera y un maletín.

Ante esto, se pregunta quién será, y cuando el joven se presenta, resulta que se trataba del presidente de la compañía con la que tenía que hacer el negocio. Se dijo: *Está bien, lo voy a aceptar.* Sin embargo, la aceptación sola no fue suficiente. Debía comprender los nuevos códigos de identidad pública. El joven llevaba en su vestimenta y complementos más de dos mil dólares, mientras que él se había puesto su mejor traje de trescientos dólares.

No te digo que haya que estar de acuerdo con ciertas costumbres de hoy, pero hay que aceptarlas. Con esto, no me refiero a la permisividad, sino al respeto y el entendimiento cultural. Además, en ese entendimiento cultural tenemos que ser poderosos, tenemos que llegar a transmitir nuestros corazones más allá de las culturas.

Cuenta la historia de una iglesia que quería presentar una obra de teatro e hizo un *casting* para contratar a los actores. En ese momento, apareció una chica muy linda y la seleccionaron. Dos años después, esta misma señorita dio testimonio delante de toda la comunidad y dijo: «Hace dos años yo era budista y ustedes no lo sabían. Me trataron muy bien y nadie me preguntó en qué creía. Unos días más tarde, uno de mis compañeros me pidió que orara por él y, luego, otro me hizo la misma petición. Entonces, comencé a tener necesidad de conocer a lo que le tenía que orar hasta que empecé a desarrollar una relación poderosa con Jesús, a quien hice mi Señor. Así que hoy estoy aquí porque una vez ustedes me respetaron».

Estamos en tiempo de entender la cultura en la que vivimos y conquistarla. Como quiera, no debe hacerse del mismo modo que un elefante en un bazar que lo rompe todo, sino derramando tu corazón y abrazando al otro. Este es el tiempo en el que tenemos todo y no tomamos nada, que nos podemos comunicar con cualquier lugar del mundo y no hablamos con nadie, que toda la tecnología nos rodea y lo que hacemos es aislarnos. Llegó la hora de la campaña del abrazo. Ya va a llegar la hora del discipulado, de que nos alimentemos con carne, ¡pero hoy es el día del abrazo!

El mundo está necesitando que como cristianos tengamos un lenguaje declarativo y una visión poderosa, que estemos dispuestos a los procesos y que vayamos a esos procesos con unción. Ya no vamos a la iglesia a pedir, sino a dar. Por eso, no le tememos a las pruebas, pues ya pasamos por Jericó y ahora somos guerreros de Jesús. En este contexto, necesitamos conversar.

ESCUCHAR: LA PUERTA HACIA LA COMÚN-UNIÓN

Subimos al siguiente nivel con claridad acerca de nuestra misión de los llamamientos, los tiempos de Dios para la vida y de la visión poderosa que elegimos para nuestro futuro. También pasamos por el fuego de la unción.

Como te contábamos desde el comienzo, el hombre es un ser lingüístico que vive y se relaciona a través del lenguaje. Mucho más ahora que, en medio de esta aventura emocionante, sabemos que nada podemos hacer si no contamos con el otro.

Subiremos a la cima del resultado extraordinario incorporando capacidades comunicacionales, generando relación de comunión e interdependencia, reconociendo y eligiendo un tipo de influencia sobre otro que esté basada en principios y valores. Además, filtrando todo juicio propio y ajeno para reconocer si tiene fundamento o no. El énfasis está en ayudarte a relacionarte con otros, a generar acciones poderosas, a incorporar recursos lingüísticos que te permitan comunicarte con eficiencia y a darte los pinceles que requieres para pintar los cuadros de contexto relacionales que llevarás a cabo.

Acerca de las capacidades conversacionales, vamos a comenzar viendo que esto es una buena manera de reflexionar: Cuando salgo a vivir la misión de Dios en mi vida, me encuentro que no estoy solo, pues me doy cuenta que vivo en un mundo de relaciones. Así que ya no miro por mí, ni siquiera por el otro, sino empiezo a pensar y mirar desde el otro. Es más, veo sus necesidades y desde allí me relaciono con él.

Al lograr esto, generamos espacios de empatía, dejamos de ser solo simpáticos, que tiene que ver con uno, y comenzamos a sentir la empatía que es poder mirar desde el otro y que es un énfasis de la relación entre ambos. Ya no podemos relacionarnos con los otros si no vamos con nuestros recursos lingüísticos. Por lo tanto, necesitamos hacer uso de estos recursos que nos ha dado Dios. De ese modo llegaremos a desarrollar nuestra capacidad de hacer pedidos, ofertas y promesas. Comprenderemos que la vida descriptiva sin un lenguaje generativo no es suficiente. De ahí que nos haga falta comenzar a hacer declaraciones más poderosas.

También veremos que la declaración no es verdadera ni falsa, sino que valida o invalida. Que la validez de la misma depende de la autoridad de quien la mire, que la autoridad no se hereda, sino que se delega en un mundo que da y quita autoridad en dependencia del dominio. Entre otras cosas, veremos la importancia de desarrollar relaciones basadas en el compromiso y no relaciones por compromiso. Es clave entender también que los estados de ánimo y las emociones son predisposiciones para la acción.

En resumen, debemos tener en cuenta las capacidades conversacionales como la escucha, la empatía, los actos lingüísticos, las conversaciones basadas en compromisos, el entendimiento de la cultura posmodernista, los contextos conversacionales, los recursos para subir y nunca más volver a bajar.

Este es nuestro tiempo para ponernos en el foco, para seguir subiendo. Si llegaste medio cansado y con muchas actividades, llegó la hora de volverte a consagrar. Si estás a mil, bienvenido al entrenamiento para diseñar lo mejor. Este es el momento donde vamos a llenar esos espacios que ya generaste para que elijas vivir una vida especial, para que la gente pueda decir: «Yo quiero ser como tú porque elegiste ser como Cristo». Entonces, cuando tengas que abrir la boca, lo harás con poder, entendiendo el mundo en el que vives y sabiendo que se puede iluminar.

Una vez más, necesitamos recursos comunicacionales para llegar al resultado extraordinario. Conocemos nuestra misión, sabemos la visión hacia la que iremos e incorporamos las distinciones para poder subir. Ahora, debemos cruzar la brecha. Es hora de comprender que no manejamos personas y que, como líderes, debemos manejar acuerdos.

Muchos llegan hasta aquí confiando en que recibirán excelentes recursos para hablar, pero queremos decirte que antes de saber hablar debemos aprender a escuchar. La acción de escuchar es el lado más poderoso del lenguaje. Alguien que sabe escuchar con poder será capaz de relacionarse mejor con su entorno y llegar a disfrutar del proceso hacia el resultado extraordinario.

LA DISTINCIÓN DE «ESCUCHAR» EN LA PALABRA DE DIOS

La Biblia habla con claridad acerca del pensamiento de Dios en cuanto a ser una persona que escucha bien:

Al que responde palabra antes de oír, le es fatuidad y oprobio.
Proverbios 18:13

Siempre hay personas que, mientras habla el otro, están pensando en lo que le van a contestar. Ni siquiera prestan atención a lo que dice el otro. Solo están esperando su tiempo para que el «universo» escuche su verdad absoluta. Si mi actitud en la relación es responder antes de oír, traerá malos resultados a mis relaciones. La Biblia llama «fatuidad y oprobio» lo que genera una boca que no escucha.

En este pasaje, también se infiere que si no ponemos como prioridad escuchar a los demás, nos convertimos en necios, que es lo contrario a sabio. ¡Da vergüenza que siendo imitadores del Altísimo seamos personas que respondan antes de hablar!

Si uno desea morar y relacionarse con sabios, debe optar por escuchar de manera comprometida. Además, si cuando escucho se me muestra lo que no veo, tendré la seguridad de estar bien rodeado para un futuro de poder. Conocemos líderes que tienen un gran corazón, que predican con poder, que ayudan a las personas, que tienen clara su misión y su visión, pero no escuchan. No hacen uso de este recurso tan poderoso y viven rodeados de personas sumisas que jamás le dirán nada. Lo que es peor, viven en medio de necios. Luego, se quejan y oran por no tener buena gente a su alrededor, pues no logran que los sabios los inviten a morar con ellos. Así que están solos y no se dan cuenta que es importante que tengan en cuenta escuchar, lo cual es un vehículo para generar relaciones poderosas. Eclesiastés lo precisa de manera genial:

Las palabras del sabio escuchadas en quietud, son mejores que el clamor del señor entre los necios.

Eclesiastés 9:17

Si tengo el compromiso de escuchar en quietud, me daré cuenta que el aprendizaje que recibiré será mejor que mil discusiones con personas que no ven aunque yo sea su líder. Así encontramos muchos ejemplos en las Escrituras que nos ayudan a comprender que escuchar es el lado más poderoso del lenguaje.

MODELOS QUE NOS AYUDAN A LA HORA DE ESCUCHAR

A fin de comprender mejor la importancia que tiene escuchar, veremos seis modelos que nos ayudarán a ser poderosos escuchando.

1. ***Las interrupciones al que habla:*** Para estar comprometido con escuchar debemos comenzar a poner el auricular solo en quien nos habla. Las conversaciones internas, las reacciones, las emociones y el teléfono boicotean la opción de dedicarnos a escuchar. También nuestros gestos corporales interrumpen muchas veces con nuestra mirada al reloj, con no mantener la mirada, con parecer que prestamos atención cuando con nuestras expresiones le decimos: «No me interesa lo que dices».

2. ***La concentración en los detalles para perderse lo principal:*** Si cuando estoy escuchando lo hago parado en mis intereses, estaré buscando el detalle y no la conversación completa. Hay personas que empiezan a mover sus manos y a mirar hacia otro lado cuando la parte que se está hablando no coincide con sus intereses. Debemos escuchar de manera comprometida durante la conversación completa.

3. ***Adaptación de todo a una idea preconcebida:*** Llegar a una conversación con una idea preconcebida nos cegará para escuchar lo que el otro nos quiere decir en realidad. La escucha previa cierra posibilidades, limita lo que escuchamos y enturbia la conversación. Si entendemos que escuchar no es solo oír (que eso es solo biológico) sino que implica la interpretación de lo que digo, tener una escucha previa me generará interpretaciones bien lejos de lo que está diciendo el otro. La idea preconcebida puede ser también un problema de cultura o de historia, y lo que escuchamos no será lo que intenta decirnos el otro.

4. *La manifestación de una actitud corporal pasiva:* Antes hablamos de la actitud corporal y su importancia. Por eso debemos tener en cuenta que el cuerpo habla del mismo modo que lo hacen las emociones y nuestra boca. Si a través de nuestras palabras somos tiernos, pero nuestra actitud corporal es desagradable, poco compasiva o desinteresada, no es una manera de escuchar comprometida. El cuerpo habla y está siempre diciéndole a la gente las cosas que uno piensa. Si en el corazón no hay entrega y deseo de estar para el otro, es muy difícil que el cuerpo logre mostrar otra cosa. Con esto en mente, podríamos parafrasear lo siguiente: De la abundancia del corazón también habla el cuerpo.

5. *La creación y la tolerancia de las distracciones:* En medio de una conversación, el problema no está en las distracciones, sino en cuando uno las crea o, lo que es peor, cuando las toleramos. Hemos visto líderes que en su corazón compasivo aceptan que otros los saluden y les hablen mientras alguien les dice algo de suma importancia. Así que con la bandera del amor solo generan espacios de permisividad. Como dice el dicho: «No conozco la fórmula del éxito, pero sí la del fracaso que es intentar agradar siempre a todos». En medio de una conversación provechosa debemos enfocarnos en lo que vamos a hablar y con quién vamos a hablar. Si alguien quiere interrumpirnos, debemos decirle con amabilidad: «Te atenderemos cuando termine». Por eso, dime cuánto te importo antes de contarme lo que te importa. Si me importan más las distracciones que la persona que tengo delante, no puedo procurar que a la persona le importe lo que le digo.

6. *Las distracciones permisivas que bloquean el mensaje:* No nos propongamos solo conversar, sino generar contextos que nos motiven a profundizar y a hablar con libertad, a escuchar de manera poderosa y a desarrollar una relación basada en nuestra forma de escuchar.

¿POR QUÉ A VECES NO ESCUCHAMOS AL OTRO?

Para lograr una comunicación eficaz, tanto en nuestra vida profesional como privada, la clave está en algo muy sencillo, pero a la vez difícil: Escuchar con eficiencia. A un nivel muy general, hemos sostenido que la acción de escuchar es una de las capacidades más importantes del ser humano. En función de esto, entablamos nuestras relaciones personales, interpretamos la vida, nos proyectamos hacia el futuro y definimos nuestra capacidad de aprendizaje y de transformación del mundo. Los problemas a la hora de escuchar suelen ser recíprocos: Quien no se siente escuchado, casi nunca sabe escuchar a los demás.

¿Qué se necesita para que lleguemos a escuchar?

El acto de escuchar está basado en la misma ética que nos constituye como seres lingüísticos. Esto lo vemos en...

- ⦿ El respeto mutuo.
- ⦿ Aceptar que los otros son diferentes a nosotros y que en esa diferencia son legítimos.
- ⦿ La aceptación de su capacidad de actuar en forma autónoma de nosotros.

¿Qué factores influyen para que se escuche de manera eficaz?

Sin duda, hay una serie de factores que debemos reconocer para escuchar con eficacia:

- ⦿ **Nuestra biología:** Un hombre de ochenta y cinco años escucha de manera diferente a un joven de veinte años.
- ⦿ **Contexto donde nacimos:** Nuestro contexto socioeconómico y cultural determina la forma de escuchar que tenemos (no es igual la de un joven de bajos recursos a la de uno de clase alta).
- ⦿ **Nuestra historia personal:** Según las experiencias vividas, vamos a tener diferentes interpretaciones.
- ⦿ **Nuestras distinciones:** Si no sé nada de música, mi modo de escuchar un concierto va a ser distinto por completo a la de un experto.
- ⦿ **La emocionalidad:** Mi estado de ánimo me predispone a diferentes formas de escuchar.

TIPOS DE ESCUCHA

Escucha previa: Esto se manifiesta de distintas maneras. Veamos...

- Cuando el otro habla y yo estoy escuchando mi conversación interna.

- Cuando ya sé de lo que me están hablando.

- Cuando mientras habla el otro, me la paso juzgándolo todo el tiempo.

Escucha generosa: *El otro es otro*, y solo en este reconocimiento puedo apartarme de la «escucha previa» y generar la «escucha generosa», a fin de ofrecerle un espacio para que el otro «sea» él mismo.

Escucha comprometida: Esta manera de escuchar está relacionada con nuestra capacidad de intervenir en el diseño de nuestro futuro. Las posibilidades se crean a partir de conversaciones, en hablar y escuchar. Por lo tanto, teniendo en cuenta esos resultados a los que estamos comprometidos a lograr, podemos diseñar nuestro modo de escuchar para detectar oportunidades o diseñar acciones alineadas con nuestro compromiso.

Ventajas de la manera de escuchar comprometida

Cuando escuchamos de forma comprometida, disfruto de una serie de ventajas que de seguro mejorarán mis relaciones. Veamos algunas de dichas ventajas:

- Mejor conocimiento del otro.

- Suavizamos situaciones tensas.

- Logramos mayor cooperación.

- Más tiempo para pensar.

- Conseguimos mayor rapidez en los acuerdos.

- Seguridad en la toma de decisiones.

Reglas básicas para mejorar la manera de escuchar

Si deseamos escuchar como se debe, debemos tener en cuenta esta serie de reglas básicas que mejorarán nuestra manera de escuchar:

- Crear y establecer un clima agradable.
- Concentrarse y evitar distracciones.
- Prepararse sobre el tema a escuchar.
- Tomarse el tiempo necesario para escuchar.
- Aceptar al otro tal y como es.
- Escuchar y resumir.
- Comprender la estructura del argumento.
- No adelantar conclusiones.
- Escuchar con empatía.
- Preguntar y tomar notas.

PREGUNTAS DE REFLEXIÓN Y PRÁCTICA

- ¿Qué acciones puedes llevar a cabo a fin de mejorar tu manera de escuchar?
- ¿Por qué a veces el otro no escucha?
- Durante la próxima semana, examina el tipo de escucha que manifestarás con las personas con las que te relacionas. Menciona al menos tres.
- ¿Cuáles de las reglas para escuchar mejor tuviste que modificar en las conversaciones del ejercicio anterior?

TERCERA PARTE:
MANERA DE RELACIONARSE

YA NO BASTA CON MIRAR POR EL OTRO,
ES HORA DE MIRAR DESDE EL OTRO.

MÉTODOCC

MODELO CRISTO CÉNTRICO
VOLUNTAD DE DIOS
COMPROMISOS PROPIOS PARA IR HACIA ESE LUGAR

 MANERA DE VER

 MANERA DE SER

 MANERA DE RELACIONARSE

 MANERA DE LOGRARLO

7 DISTINCIONES		TIPO DE OBSERVADOR
PLENITUD		RESULTADO EXTRAORDINARIO
VALORACIÓN	APRENDIZAJE - RESPONSABILIDAD - COMPROMISOS / ORACIÓN / DISCIPLINA - PERSEVERANCIA - RESILIENCIA	OPINIÓN
COMUNIÓN		RELACIÓN
UNCIÓN		VISIÓN
GENERACIÓN		MISIÓN

CAPÍTULO 11
RELACIÓN

Subiendo por el Método CC llegamos al tercer escalón. Así que estamos muy cerca de la cima. Estamos a punto de llegar a un lugar muy especial en lo que tiene que ver contigo. Ya soltaste, sabes tu llamamiento, tu misión, tu visión y el diseño de acciones. Además, tienes una íntima relación con el Señor y sales a la calle con todo eso y te encuentras que no vives solo.

Entendiendo que relacionarse con otros cuando solo hablamos de acciones, o con los que tenemos en común «la razón», es más fácil. Sin embargo, este es un mundo en el que para triunfar nos piden cada vez más que nos relacionemos con el otro *sin medir desde dónde venimos,* sino *hacia dónde vamos.* Es allí cuando comenzamos a darnos cuenta que no estamos preparados.

Por eso, en medio de tu elección de una vida consagrada, te percatas de tu falta de preparación para las relaciones. Entonces, viene alguien que te dice algo que no te gusta y tú, que elegiste vivir una vida cristiana, te apartas de tu objetivo, te enojas y entras a un espacio de peleas y cegueras. Todo esto trae como resultado la terminación del llamamiento, la misión y la visión... y, al final, te echan de la organización.

Lo que vemos en este tercer escalón es que Dios nos creó en un mundo de relaciones. Su propósito no era que fuéramos entes aislados, islas, ni seres individuales sin conexión con el espacio exterior. Como no vives solo, ahora debes desarrollar capacidades conversacionales.

¿Sabes lo que es una petición, lo que es una oferta, una promesa, una declaración? Mucha gente cree que viene al mundo y que las capacidades conversacionales o lingüísticas son iguales que el corazón, que funcionan solos, que vienen dentro del paquete original. Por eso es que nosotros nos tenemos que preparar para esto.

Llegó el momento de prepararnos para incorporar recursos lingüísticos, contextos conversacionales, una manera de conversar basada en el compromiso y no solo en justificativos externos y la fina comprensión de la perspectiva cultural. Es un excelente tiempo para construir el mundo en el que queremos vivir. Lo que creemos es que no vienes al mundo a descubrir quién eres, sino que vienes al mundo a crear junto con Dios la persona que quieres ser. Por lo tanto, en el Método CC te ayudaremos a desarrollar capacidades conversacionales.

Miles de pastores y ministros con un gran llamamiento, una visión clara, un diseño de acciones comprometido, un corazón íntegro y dedicado en seguir al Señor fracasan por no saber hacer una petición, distinguir la diferencia entre dos actos lingüísticos y hacer un uso generativo del lenguaje. A pesar de su gran cantidad de talentos, se frustran porque solo lograrán ser expertos en descubrir y justificar la realidad.

En un tiempo como el tercer milenio, donde la prioridad es la relación creciente entre las partes y no el producto involucrado, debemos ser personas con una manera de relacionarnos bendecida. A diario vemos personas muy desarrolladas en el llamamiento, en la misión, en la visión, pero que no saben comunicarse. Nosotros te vamos a ayudar en ese campo.

¿Cuál es la diferencia entre una declaración y una petición que genera en el otro? ¿Qué es una promesa? ¿Por qué cuando digo a las cinco llego a las cinco y media? ¿Qué está pasando en mí cuando escucho una oferta de alguien? Entonces empezamos a relacionarnos con los otros a través del lenguaje.

ACTOS Y CAPACIDADES LINGÜÍSTICAS

Llegamos a un punto donde nos dimos cuenta de la necesidad de tener más recursos para la comunicación. Así que hemos incorporado muchos de estos recursos y hemos obtenido un avance importante. Antes veíamos que aunque pueda expresarme, esto no garantiza que me entienda el otro. ¡Cuántas veces nos pasa en la vida que cada una de las partes por separado hace un trabajo excelente! Ahora, cuando ves que el trabajo en equipo es un desastre, el castillo se cae porque no dio resultado la construcción, la edificación, que se tenía que hacer entre todos.

Esto es una realidad en el mundo, pero mucho más para nosotros los cristianos que tenemos el llamado a movernos como miembros de un mismo cuerpo, donde la cabeza es el Señor Jesucristo. Por lo tanto, si queremos ser eficientes, si queremos tener poder, este poder debe ser una capacidad de acción eficaz. No es lo mismo accionar que accionar con eficiencia, no es lo mismo comunicarse que comunicarse de manera eficiente.

Nos hemos encontrado con pastores y ministros que tienen un corazón increíble, pero no saben hablar, no saben la diferencia entre una petición y una oferta, entre una afirmación y una declaración. Si digo: «Esto es un vaso», se trata de una afirmación, ya sea verdadera o falsa, es un hecho observable. Si digo: «Este vaso me lo voy a llevar mañana para Argentina», esta es una declaración porque ya no es verdadera o falsa, sino que es válida o inválida. Cuando hago una declaración, me comprometo a validar y a generar las acciones coherentes con lo que declare.

¿Por qué mucha gente solo describe? Porque le temen a hacer declaraciones. ¿Por qué tiene miedo a declarar? Porque le temen a tener autoridad. Es hora de que empieces a usar tu autoridad y a hacer declaraciones poderosas.

Hay personas que nunca usan su lenguaje para prometer. Cuando hago una promesa, me estoy comprometiendo a la sinceridad, la competencia y el cumplimiento de la promesa involucrada. Con el lenguaje creas esta nueva realidad. Entonces, para lograrlo, necesitamos tener recursos eficaces que se traducen en los actos lingüísticos.

ACTOS LINGÜÍSTICOS BÁSICOS

Los actos lingüísticos básicos con los que vamos a empezar son los siguientes:

1. Afirmaciones
2. Declaraciones / juicios
3. Peticiones
4. Promesas
5. Ofertas
6. Quejas contra reclamaciones

El lenguaje nos rige, el lenguaje es de suma importancia, el lenguaje genera realidad. Los actos lingüísticos son la base para la comunicación y las relaciones eficaces. Sin un buen manejo de los mismos, no se llega a nada por más visión, misión y diseño de acciones que tengamos. Ahora, pasemos a detallar los seis actos lingüísticos que tiene todo idioma.

Afirmaciones

En las afirmaciones, la palabra debe adecuarse al mundo. Así que, en conclusión, tendríamos lo siguiente:

Afirmaciones = Descripciones = Observaciones = Hechos

Las afirmaciones se tratan de proposiciones acerca de nuestras observaciones. Con todo, debemos recordar que las afirmaciones no describen las cosas como son, sino de la manera en que las observamos. Entonces, ¿para qué sirven las afirmaciones? Ya sea en nuestra vida personal o laboral, las afirmaciones nos permiten contar con hechos o datos para evaluar de forma imparcial, y no arbitraria, determinadas situaciones. Las afirmaciones se pueden utilizar para considerar lo que es posible llevar a cabo, analizar las oportunidades futuras y para tener un panorama preciso de la realidad actual: Dónde estamos y a dónde queremos ir.

En las afirmaciones, ejecutamos un acto lingüístico. Es decir, adquirimos un compromiso y debemos aceptar la responsabilidad social de lo que decimos. ¡El hablar nunca es un acto inocente! Por ejemplo, describo y afirmo que es de noche. Ya sea que lo diga o no, esto no hace que cambie la situación. En realidad, se puede comprobar. Es comprobable, y ustedes pueden comprobarlo, pero esto lo que hace es describir un hecho que consensuamos porque todos decimos que la oscuridad del exterior se llama noche. Para nosotros, ese es el acuerdo, quizá en otro lado no sea así.

Sin embargo, a veces pasa con algunos elementos que no es el mismo acuerdo lingüístico de nuestra sociedad. Tú hablas de «mesa» en algunas tribus de África y para ellos no existe tal distinción de mesa, la ven como un elemento para transportar leña, frutas y otras cosas. Entonces, el consenso es importante a la hora de entendernos. Por lo tanto, la afirmación lo que hace es describir un hecho observable o un objeto.

Declaraciones

En las declaraciones, la palabra modifica al mundo. Es más, el mundo debe adecuarse a lo dicho. De modo que las declaraciones se presentan en otro ámbito, se presentan para la posibilidad. Desde el punto de vista lingüístico, la declaración crea un mundo que no existe para nosotros. Esto quiere decir que el poder de la lengua está en la declaración.

Esta declaración puede que sea poderosa y puede que no sea poderosa. Incluso, puede que no tenga un efecto. La acción siempre produce algo, pero quizá no sea lo deseado. Dentro de las declaraciones tenemos los juicios, las promesas, las ofertas y las peticiones. Además, el objetivo de estos actos lingüísticos es incorporarlos hasta tal punto que logren distinguir lo que están hablando. Para esto se requiere que tengan voluntad, que escuchen, observen y presten atención. Asimismo, es importante que todo esto se destaque bien en su lenguaje y que sean capaces de distinguir si están describiendo o generando.

Las declaraciones son un acto del lenguaje en el que una persona, con la autoridad para hacerlo, crea algo nuevo que no existía antes. ¡Imagínate! El lenguaje tiene la capacidad de abrir un espacio de posibilidades para los seres humanos.

Las declaraciones personales del tipo «Voy a perder quince kilos antes del 1 de julio» o «Escucharé con más paciencia las preocupaciones de mi mujer», tienen el poder de determinar nuestras vidas, si van seguidas de un comportamiento consecuente. Por eso, las cuestiones a considerar relativas a las declaraciones son: ¿Tiene la persona la autoridad para hacer esta declaración? ¿En qué grado esta persona se compromete a vivir su vida de manera que cumpla la declaración? Sin duda, solo generamos un mundo diferente mediante nuestras declaraciones si tenemos la capacidad de llevarlas a cabo. Esta capacidad puede provenir de la fuerza que se nos ha otorgado como autoridad. (Entre paréntesis, la autoridad es el poder que nosotros, o la comunidad, otorgamos a ciertas personas para hacer declaraciones válidas). Veamos dos ejemplos de fuerza y autoridad:

- ⦿ *Ejemplo de fuerza:* Declaración de estado de sitio en un país.
- ⦿ *Ejemplo de autoridad:* Poder dado a un juez de paz para celebrar un matrimonio y declarar marido y mujer a una pareja.

La acción de hacer una declaración genera una nueva realidad. Una vez que se hace una declaración, las cosas dejan de ser como antes, pues las declaraciones no son verdaderas o falsas, como lo son las afirmaciones. En realidad, las declaraciones son válidas o inválidas, según el poder de la persona que las hace. Entonces, ¿cuál es mi compromiso al hacer una declaración?

Cuando declaramos algo, nos comprometemos a comportarnos de manera coherente con la nueva realidad declarada. Por ejemplo, el juez que celebra una ceremonia de matrimonio, no se puede arrepentir después. También nos comprometemos por la validez de nuestra declaración. Esto significa que sostenemos tener la autoridad para hacer tal declaración y que se hizo de acuerdo con las normas que acepta la sociedad.

¿Para qué sirven las declaraciones? Las declaraciones sirven para lo siguiente:

- Para crear un mundo distinto.
- Para generar proyectos.
- Para cambiar el curso de los acontecimientos.
- Para hacer realidad las metas, para recrear las relaciones.

Las afirmaciones y las declaraciones tienen una serie de diferencias. Cuando nuestra palabra se adecúa al mundo, se dice que nos referimos a la **afirmación.** Es decir, hablamos a partir de lo que vemos y describimos. Para su estudio, las afirmaciones las dividimos en tres tipos:

1. ***Afirmaciones verdaderas:*** «Ustedes están leyendo».

2. ***Afirmaciones falsas:*** «Ustedes no están leyendo».

3. ***Afirmaciones variables o indecisas:*** «Mañana va a llover (no está en mi poder que llueva, pues es una afirmación a futuro)».

Por lo general, las afirmaciones son en presente o en pasado, ya que podemos contar lo que pasó y te puedo describir un hecho cualquiera.

Una afirmación es la descripción de la realidad o de un objeto. Estamos de acuerdo porque tienen que ser hechos observables. Si digo: «Esto es una casa», lo que hago es una afirmación. En caso de que diga que es «linda o fea», ya se trata de mi juicio. Lo primero, es una realidad que puedo decir, pero lo segundo sale de mí. De esto podemos manifestar que las afirmaciones dependen de los acuerdos sociales.

Sin embargo, cuando la palabra modifica al mundo y este debe habituarse a dichas palabras, estamos hablando de una declaración. Por ejemplo, cuando el mundo se adecúa a mis palabras, yo no lo hago a lo que está. No declaro cosas negativas ni digo: «No viene nadie a la iglesia». Por el contrario, diré: «A partir de mañana voy a llenar todas las sillas. El Señor nos va a bendecir, pero vamos a trabajar para lograrlo». Esto una declaración que genera acciones, genera posibilidad.

También puedo llegar a decir: «Voy a empezar a hablarle a la gente porque esto es un desastre». En este caso, la declaración es negativa, pero es una declaración y estoy generando un mundo. Necesitamos que nuestras declaraciones no solo generen, sino que generen una realidad poderosa y esto depende de nuestro lenguaje. La Palabra de Dios dice lo siguiente:

Porque cuál es su pensamiento en su corazón, tal es él.

Proverbios 23:7

Si creemos que Dios no va a respaldar nuestras declaraciones ni que estas van a ser poderosas, si no creemos nuestras declaraciones, no van a tener efecto. Al menos no será paradójico, pues alguien lo va a creer y le va a servir. Eso es lo paradójico, ¿verdad? A veces hay gente que lanza productos o negocios en los que no cree, pero otros creen y esos otros tienen resultados. Esto se debe a que la confianza y la creencia parten del juicio.

La Palabra declara en Hebreos 11:1 «Es, pues, la fe la certeza de lo que se espera, la convicción de lo que no se ve». ¿Cómo podemos creer algo que no vemos? Lo podemos creer porque hubo una declaración que está creando un mundo nuevo para nosotros. Dios declaró en su Palabra poder para nosotros.

En Génesis 1:3, Dios dijo: «Sea la luz». Por lo tanto, Él le dio poder a la palabra hablada, y no solo le dio poder a lo que hablamos, sino que también nosotros, siendo seres lingüísticos, nos hizo con la capacidad de crear un mundo con nuestro lenguaje. Además, la Biblia nos habla acerca de la lengua:

La lengua es un miembro pequeño, pero se jacta de grandes cosas. He aquí, ¡cuán grande bosque enciende un pequeño fuego! Y la lengua es un fuego, un mundo de maldad.

Santiago 3:5-6

Una investigación reveló que en el medio del nervio central todo el cuerpo del ser humano está conectado a la lengua. La lengua es lo que va a regir lo que pasa con mi cuerpo. ¿Por qué la lengua? Porque somos seres lingüísticos y la lengua lo que va a hacer es expresar lo que hay en el lenguaje y de ahí su nombre. A través de nuestros pensamientos, generamos sanidad, hormonas y enfermedad. Para las enfermedades depresivas hay tratamientos clínicos donde el psiquiatra administra antidepresivos para equilibrar las funciones del cerebro. En realidad, lo que se equilibra son las hormonas que combaten la depresión.

En un estudio realizado, se les aplicaron estas hormonas a la mitad de los pacientes con un alto grado de depresión. A la otra mitad le aplicaron una terapia constructiva una vez por semana, donde se les animaban, les daban expectativas de vida, les dedicaban tiempo. Después de tres semanas, los dos grupos habían tenido la misma evolución. Fíjense en el poder de la conversación que manejó cada uno. Los pensamientos y las conversaciones con que lidiaron fueron los que hicieron que salieran de ese alto grado depresivo.

Peticiones

Una petición es la acción que se realiza cuando se busca la ayuda de otro para satisfacer un interés subyacente del solicitante. Se hace en el presente, en el momento de pronunciarla, pero invita a una acción futura pronunciada por otro u otros. Una petición supone también un compromiso de parte del solicitante que se satisfará si se cumplen con las condiciones que se precisan en la petición. Si estas condiciones se cumplen y el solicitante no está satisfecho, la persona que ha cumplido su promesa puede considerar al solicitante manipulador, injusto o exigente.

Pedir implica reconocer que uno necesita algo que puede obtener con la ayuda de otra persona. Admitir la carencia que implica una petición (algo que me falta) hace que muchas personas elijan no pedir o lo hagan sin rigurosidad para ocultar sus necesidades. La interpretación encubierta a esta manera de ser tiene que ver con la autoestima, pues para algunas personas el pedir implica debilidad o incompetencia. Una forma de superar esta creencia es reconocerse humano y ver en la petición una oportunidad que implica para el otro la posibilidad de ayudar o sentirse útil.

Otra de las razones por las que algunas personas no piden es para no sentirse rechazadas. Hay quienes no pueden diferenciar entre un «NO» a su petición y un «NO» a su persona. Debajo de cada petición hay un «interés subyacente» que quiere satisfacer el que la fórmula. Este interés tiene que ver con algo que le resulta valioso y que está relacionado con los valores que rigen su vida.

Promesas

Una promesa es lo que decimos para expresar el compromiso de llevar a cabo lo que solicita otra persona. Aquí está implícito que uno comprende muy bien la petición de esa persona, y que es competente y sincero en cuanto al cumplimiento de lo que nos pide. La confianza es un juicio muy importante que hacemos sobre el rigor y la sinceridad de las promesas de una persona. Cuando las promesas no se cumplen y la persona no asume la responsabilidad de las consecuencias del fracaso, el solicitante puede sentirse o bien traicionado o albergar resentimientos y empezar a desconfiar de esa persona. Sin confianza, las relaciones, las organizaciones y las sociedades se encontrarán en un estado de continua vigilancia y caos.

Gran parte de nuestra vida social está basada en nuestra capacidad de hacer y cumplir promesas. Por eso, cuando lo analizamos, vemos que el acto de hacer una promesa comprende cuatro elementos fundamentales:

1. Un orador.
2. Un oyente.
3. Una acción a llevarse a cabo, con condiciones de satisfacción.
4. Un factor tiempo, donde se involucran el proceso de hacer la promesa y el de cumplirla.

Las promesas siempre incluyen una conversación entre, al menos, dos personas. En nuestras conversaciones internas, las aparentes promesas pueden convertirse en declaraciones. Por ejemplo: «Prometo comenzar los ejercicios el viernes». Para hacer la distinción de una promesa decimos que necesitamos a «otro», o sea, otra persona que se comprometa con nosotros, o bien que nosotros nos comprometamos con ella, a realizar una acción. En la danza lingüística de las promesas se espera de este «otro» más que un simple oidor. Se espera de ambos integrantes de la conversación que su acción vaya más allá del solo hecho de escuchar. Por lo tanto, la *promesa* involucra dos acciones lingüísticas: la acción de ofrecer una promesa y aceptarla, y la acción de pedir una promesa y la de aceptarla.

Ofertas

La capacidad de hacer ofertas está directamente relacionada con la «actitud de servicio». Los seres humanos hacemos ofertas cuando consideramos una oportunidad para los demás. Dado que la oferta apunta a los intereses de la otra persona o grupo, es indispensable escuchar y entender las necesidades del otro para generar ofertas que sean de utilidad.

Cuando dudes en formular una petición o una oferta, te invitamos a que incorpores la práctica de preguntarte: «¿Cuál es mi compromiso?». Si ante una situación determinada en la que declaras tu compromiso de obtener un resultado cualquiera no te animas a hacer una petición ni una oferta, es muy probable que en esa situación estés comprometido con tu imagen y no con el resultado que dices que quieres lograr. Esto no está ni bien ni mal, la pregunta que se impone es otra: «¿Te resulta útil este juego de acuerdo con el resultado que quieres lograr?».

Como las peticiones y las ofertas son, en esencia, movimientos de apertura para obtener promesas, abarcan los mismos elementos básicos que identificamos en estas. De ahí que incluyan un orador, un oyente, unas condiciones de satisfacción y un factor tiempo. Una promesa que no especifica con claridad el tiempo en el que debe cumplirse o las condiciones de satisfacción, no es una promesa.

Quejas contra reclamaciones

Después que alguien nos hiciera una promesa y no la cumpliera o no lo hiciera de la forma en que se lo pedimos (condiciones de satisfacción, tiempo), tenemos la posibilidad de realizar tres acciones diferentes:

1. **No decir nada:** Este enunciado lo explica todo.

2. **Quejarnos:** A decir verdad, tenemos dos alternativas: Buscar personas con ciertas características para que nos escuchen, pero que casi nunca pueden hacer nada para solucionar el problema. Contamos con su simpatía y sabemos que vamos a tener su apoyo, se harán cómplices de nuestra posición de víctimas, sin ser sinceras para señalarnos las posibles incoherencias en nuestro relato. La otra alternativa está en el dominio emocional: Las quejas expresan descontento y enojo,

por lo que tendemos a buscar una venganza para castigar al otro por su incumplimiento. En este caso, lo que hacemos es hablar de la persona que consideramos responsable de lo que nos pasa, dañando su identidad, pues comenzamos la conversación quejándonos sobre la promesa incumplida y terminamos emitiendo una cantidad de juicios acerca de su irresponsabilidad: «Siempre me haces lo mismo», «Eres un irresponsable», «No tienes derecho», «Esto no es posible», «Me tienes cansado», etc. Por lo general, con esta modalidad lo que disparamos en el otro es una reacción de rechazo.

3. **Hacer una reclamación:** Dado que tenemos el juicio de que hay un daño ocasionado por el incumplimiento de la otra persona y una conversación de resentimiento al respecto, la reclamación es una forma de generar acciones para reparar el daño y mejorar el estado de ánimo. Está orientado a buscar una solución y no un culpable. Permite, además, crear un espacio para el aprendizaje, ya que puede revisar dónde o cómo se produjo el error o la ineficacia en la coordinación.

APLICACIÓN DE ALGUNOS ACTOS LINGÜÍSTICOS

Al igual que en cualquier otro diseño de conversación, no olvidemos tener en cuenta que debemos chequear nuestra intención y establecer el contexto adecuado como lo es el lugar, el tiempo, la confidencialidad, el estado de ánimo, etc. ¿De qué manera aplicaríamos los actos lingüísticos? Veamos un ejemplo:

- ⦿ **Declaración de apertura:** «Quiero hablar contigo para resolver una situación que me resulta problemática y dificulta mi relación contigo».

- ⦿ **Afirmación:** «Tú prometiste hacer "tal cosa" en un tiempo "X", ¿es esto cierto?». (Ahora es fundamental que analicemos si el otro escuchó lo que le dijimos, pues de esa manera lograremos verificar el compromiso).

- ⦿ **Declaración/juicio:** «Tu falta de cumplimiento me perjudicó en "X" cosas, ¿consideras que esto es así o lo ves de otra manera?». (El incumplimiento de una promesa influye en tres dominios: El operativo, relacionado con la tarea; el de la relación, por la pérdida de confianza;

y el personal, pues la persona siente pena debido a que la defraudaron. En este caso, se trata de evaluar los daños y hacer las reclamaciones correspondientes).

- ⊙ **Petición:** «Por lo tanto, como una forma de asumir tu responsabilidad, te pido que...». (Aquí lo que se haría es reparar, compensar, negociar para establecer otro compromiso, etc.).

- ⊙ **Reclamación:** «¿Ves otra forma de hacerte cargo?» (Aquí generamos la oportunidad de que el incumplidor se responsabilice, y si nos declaramos satisfechos, nos comprometemos a terminar y cerrar esa situación; es decir, a no utilizarla en el futuro. De ahí que la reclamación nos sirva para reparar y fortalecer la eficacia, la confianza, la paz y la integridad).

Si comenzamos a hacer uso de los recursos lingüísticos entendiendo que somos seres lingüísticos, el lenguaje también puede preceder a la acción y generar un nuevo entorno en el cual relacionarnos. Aun así, no nos sirve solo para describir ni justificar lo sucedido. Por eso, cuando podemos comprender la importancia de cada recurso y capacidad lingüística y nos comprometernos a llevarla a cabo en nuestras vidas, podemos asegurar que algo grande vendrá a nuestras naciones, nuestras familias y nuestras vidas.

ALGO GRANDE VIENE

Dios está tocando a nuestras vidas, nos está llamando. Algo grande viene y eres un escogido para que suceda en ti, desde ti y por ti. Hoy es el día en que puedes consagrar de nuevo tu trabajo, tu vida y tu familia, de modo que todo lo que hagas sea en Él.

Algo grande viene... ¡y te llamaron para eso! Las pequeñeces quieren hacerte creer que ocuparán todo tu día y que no hay espacio para sueños. Sin embargo, Dios te llamó de manera especial. ¿Cómo será esto posible?

- ⊙ *De la misma manera que le sucedió al criado del profeta Eliseo cuando Dios le abrió sus ojos:*

    Y se levantó de mañana y salió el que servía al varón de Dios, y he aquí el ejército que tenía sitiada la ciudad, con gente de a caballo y carros. Entonces su criado le dijo: ¡Ah, señor mío! ¿qué haremos? Él le dijo: No tengas miedo, porque más son los que están con nosotros que los que están con ellos. Y oró Eliseo, y dijo: Te ruego, oh Jehová, que abras sus ojos para que vea. Entonces Jehová abrió los ojos del criado, y miró; y he aquí que el monte estaba lleno de gente de a caballo, y de carros de fuego alrededor de Eliseo.

2 Reyes 6:15-17

⊙ **De la misma manera que Abraham miró hacia el cielo y le creyó a Dios cuando le dijo:**

Mira ahora los cielos, y cuenta las estrellas, si las puedes contar. Y le dijo: Así será tu descendencia.

Génesis 15:5

⊙ **De la misma manera que Juan el Bautista vio al Mesías delante de sus ojos y supo que empezaba un nuevo tiempo para la posteridad:**

Al ver [Juan] a Jesús que pasaba por ahí, dijo: —¡Aquí tienen al Cordero de Dios!

Juan 1: 36, nvi

⊙ **De la misma manera que Simeón, cuando vio al niño Jesús, adoró sabiendo que ya podía morirse porque había visto al Rey de reyes:**

Cuando los padres del niño Jesús lo trajeron al templo, para hacer por él conforme al rito de la ley, él [Simeón] le tomó en sus brazos, y bendijo a Dios, diciendo: Ahora, Señor, despides a tu siervo en paz, conforme a tu palabra; porque han visto mis ojos tu salvación.

Lucas 2:27-30

⊙ **De la misma manera que Pedro y Andrés, cuando vieron al Maestro, ya nada fue más importante que seguirlo:**

Andando Jesús junto al mar de Galilea, vio a dos hermanos, Simón, llamado Pedro, y Andrés su hermano, que echaban la red en el mar; porque eran pescadores. Y les dijo: Venid en pos de mí, y os haré pescadores de hombres. Ellos entonces, dejando al instante las redes, le siguieron.

Mateo 4:18-20

⊙ **De la misma manera que los discípulos que, cuando Jesús les preguntó lo que buscaban, no pidieron dinero, ni sabiduría, ni poder, sino morar en su presencia:**

> *Jesús se volvió y, al ver que lo seguían, les preguntó:*
> *—¿Qué buscan?*
> *—Rabí, ¿dónde te hospedas? (Rabí significa: Maestro).*
> *—Vengan a ver —les contestó Jesús.*
> *Ellos fueron, pues, y vieron dónde se hospedaba, y aquel mismo día se quedaron con él.*
>
> **Juan 1:38-39, nvi**

¡Algo grande viene! Solo tienes que levantar tus ojos y mirarlo. Está llegando. Solo tienes que dejar lo cotidiano para mirar lo extraordinario. Algo grande viene por ti y por nosotros, pero no será mañana, ni en diez años. Esto será cada día en todos los que se salvan, los que confían, los que se paran, los que dejan el mal, no por temor, sino por convicción.

¡Algo grande viene! Así que usa este tiempo para que cantes, lo alabes y lo grites, pues tú formas parte de esto... El mundo está a punto de cambiar. Esto no será en cien años, sino hoy cuando extiendas tu mano, cuando sonrías, cuando pongas tus pies en las pisadas del Maestro.

¡Algo grande viene! ¡Qué bueno es poder dejar de preocuparnos! ¡Qué bueno es no buscar más técnicas para ser felices y saber que el amor que viene cubre multitud de pecados, llena vidas, construye puentes en relaciones rotas, sana al herido y levanta al caído!

¡Algo grande viene! Y lo que viene, es seguir al Maestro y vivir con Él, por Él y para Él.

¿Por qué perder más tiempo? Hoy es el día para que la grandeza sea nuestro estandarte y nuestra pasión por mostrarle al mundo que no hay nada mayor que seguir a Cristo, nuestro escudo.

PREGUNTAS DE REFLEXIÓN Y PRÁCTICA

◉ Si te animas a declarar tu visión en vez de describirla, ¿cómo lo harías?

◉ ¿Qué actitud asumes cuando alguien no cumple una promesa? ¿No haces nada, te quejas o haces una reclamación?

◉ ¿Qué te está limitando para hacer peticiones?

◉ ¿Cuál o cuáles de los virus del lenguaje te están afectando? ¿Cómo los vas a contrarrestar?

TERCERA PARTE:
MANERA DE RELACIONARTE

YA NO BASTA CON MIRAR POR EL OTRO,
ES HORA DE MIRAR DESDE EL OTRO.

MÉTODOCC

MODELO CRISTO CÉNTRICO
VOLUNTAD DE DIOS
COMPROMISOS PROPIOS PARA IR HACIA ESE LUGAR

 MANERA DE VER

 MANERA DE SER

 MANERA DE RELACIONARSE

 MANERA DE LOGRARLO

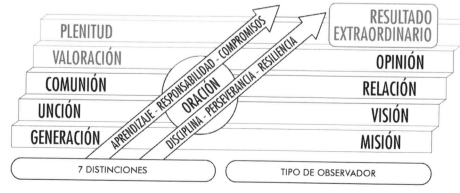

7 DISTINCIONES	TIPO DE OBSERVADOR
PLENITUD	RESULTADO EXTRAORDINARIO
VALORACIÓN	OPINIÓN
COMUNIÓN	RELACIÓN
UNCIÓN	VISIÓN
GENERACIÓN	MISIÓN

APRENDIZAJE - RESPONSABILIDAD - COMPROMISOS
ORACIÓN
DISCIPLINA - PERSEVERANCIA - RESILIENCIA

CAPÍTULO 12
OPINIÓN

Ya estamos bien cerca de la cima. En el cuarto escalón decimos que sabes hacia dónde vas y conoces tu misión, tu visión y tu diseño de acciones. Empezaste a poner tus pies en las huellas del Señor, a tener comunión con otros y a vivir exitosas capacidades relacionales. No obstante, llegaste a un momento en el que te pondrán a prueba. ¿Por qué? Porque cuando eres bueno, en algún momento alguien te quiere comprar o desviar. Entonces, ahí vamos a ver si los recursos son más importantes que tus principios y si eres una persona con valores o con precio.

Las estadísticas nos revelan que las multinacionales en este tiempo, debido a que se han ocupado en los últimos treinta años de generar resultados, han provocado que muchos en su personal no tengan principios ni valores. Así vemos que empresas donde se manejan miles y millones de dólares e influyen sobre países enteros, que el gerente y el empleado no se pueden ni mirar. Esto se debe a que no confían el uno en el otro, pues no tienen principios ni valores.

Desde el punto de vista del cristianismo, trabajaremos en los principios y los valores. Creemos que el cristianismo es el depósito de la humanidad y que tenemos gran cantidad de principios y valores que estuvieron escondidos debajo de un manto de religiosidad y de gran cantidad de rituales. Sin embargo, cuando le quitas ese manto y miras los principios y valores que planteó el Señor Jesús como modo de vida, son increíbles. Así que ahora desarrollaremos las capacidades emocionales y lo que denominamos «juicios y opiniones».

Otro de los grandes problemas que tenemos los seres humanos es que creemos que todo lo que nos dicen es verdad y que lo dicho le pertenece a quien te lo expresa. Por eso este será un tiempo maravilloso de reflexión.

¿Cómo tomas las opiniones? ¿Las consideras verdaderas? Hay veces que las opiniones sin fundamento de otros se toman como ciertas y limitan la vida de la persona en su camino hacia el resultado extraordinario. En otros casos, debido a que no escuchamos una voz con fundamento, una opinión que sirve, terminamos sufriendo consecuencias por nuestra manera de actuar. De ahí que debamos generar maestría en poder aceptar las opiniones de los demás. Siempre sirven las opiniones. Es más, cuando no tienen fundamentos, me sirven para ayudar a la persona que me está hablando y, cuando lo tienen, te sirven para aprender a ver cosas que te están faltando, que no estás viendo y que sí ve el otro. A decir verdad, todo me resulta útil. Sin embargo, es lamentable que no estemos desarrollados para aceptar los juicios y opiniones de la gente. Por eso, vamos a enunciar la diferencia entre la aceptación, el control y la resignación.

ACERCA DE LOS JUICIOS Y LAS OPINIONES

El juicio es un proceso mental a través del cual decimos que algo es de un modo o de otro. Aun así, no describe nada externo. Es una interpretación de un hecho. No es la descripción del hecho en sí, sino que es la interpretación del mismo y, al emitirse, habla del observador que lo expresa y le pertenece.

Los juicios están dentro de la clase de actos lingüísticos que denominamos «los actos lingüísticos básicos», que se encuentra en la categoría de las declaraciones. Todo juicio es una declaración, pero no toda declaración es un juicio.

Ustedes saben que el lenguaje es acción y que estas declaraciones generarán nuevos mundos y crearán nuevas realidades. Vivimos constantemente emitiendo y recibiendo juicios. La clave no está en no tener juicios u opiniones, pues esto resultaría imposible. Tampoco está en controlar los juicios que emitimos y/o recibimos, pues sería un camino sin posibilidades de relacionarnos con el otro y en un terreno de absoluta soledad.

La clave para este tercer milenio es poder convivir con los juicios, aprender de ellos, disfrutar la vida en espacios donde se emitan juicios fundados y encontrar el uso y el servicio de los mismos. Los juicios no son ni verdaderos ni falsos; ni válidos ni inválidos. Los juicios son fundados o infundados. Los juicios siempre hablan de la persona que los emite, sin importar lo que te diga.

Ahora, comparemos estos dos enunciados: «Alejandra tiene el pelo castaño» y «Alejandra es perseverante». ¿Podríamos decir que la perseverancia es algo que le pertenece a Alejandra de la misma forma que le pertenece el pelo castaño? La primera proposición remite a lo que llamamos «hechos» (es una afirmación). La segunda implica una opinión y, en materia de opiniones, no necesariamente vamos a estar todos de acuerdo.

Lo que una afirmación dice acerca de alguien es diferente a lo que dice un juicio.

El juicio siempre vive en la persona que lo formula. Los juicios existen solo en el lenguaje, no tienen existencia independiente de este. Los juicios, sobre todo los fundados, nos sirven para diseñar el futuro; nos sirven para entrar en el futuro con menos incertidumbre. Si no estuviéramos preocupados por nuestro futuro, no habría necesidad de juicios. Es en cuanto suponemos que el pasado nos puede guiar hacia el futuro que emitimos juicios. Los juicios nos permiten intervenir y operar en distintos dominios.

Las preguntas que tenemos que hacerte son: «¿Qué juicios te tienen? ¿Qué juicios te tienen con respecto al pasado que no te permiten diseñar futuro?». Los juicios son fundados o infundados y ahí sí se fundan en las acciones del pasado. Entonces, ¿con qué se fundan? Se fundan con afirmaciones. Por lo tanto, no se fundan juicios con juicios. Los juicios se dicen en el pasado, se emiten en el presente y afectan el futuro. De modo que hay una serie de condiciones que fundamentan un juicio:

1. «Para qué» emitimos un juicio.

2. Tiene que haber un estándar.

3. Dominio.

4. Reunir las afirmaciones.

5. Fundar el juicio contrario.

Si los juicios no satisfacen estas condiciones, los llamamos juicios infundados. Entonces, ¿cuál es el compromiso que requieren los juicios? Veamos...

- ⊙ **Tener la autoridad para hacer ese juicio** (por ser una declaración): La gente, sin embargo, siempre está emitiendo juicios, aun cuando no se les haya otorgado autoridad.

- ⊙ **Compromiso adicional:** Poder fundamentar el juicio. Los juicios pueden ser fundados o infundados de acuerdo con la forma en que se relacionan con el pasado.

Ante esto, ¿qué puedo hacer para modificar un juicio? Lo que puedo hacer es modificar las acciones. Una vez dicho esto, debemos recordar las siguientes cosas:

- ⊙ Cuando hago una **afirmación,** me comprometo a la veracidad de lo que afirmo mediante evidencia o testigo.

- ⊙ Cuando hago una **declaración,** me comprometo a la validez (autoridad para hacerla y a lo adecuado de lo declarado) y a generar las acciones coherentes con lo que declaré.

- ⊙ Cuando hago una **promesa,** me comprometo con la sinceridad, la competencia y el cumplimiento de la promesa involucrada.

- ⊙ Cuando hago un **juicio,** me comprometo a fundamentarlo.

MADUREZ RELACIONAL

Hemos hablado de juicios y cómo estos influyen en nuestro modo de relacionarnos. Ya en la cima del resultado extraordinario necesitamos ser muy agudos en nuestra relación con otros y en nuestra manera de ir hacia la visión. Además, hemos descubierto que aunque apliquemos todos estos principios e incorporemos las distinciones, antes debo saber con exactitud cuál es la madurez relacional de los involucrados en mi visión. El reconocimiento del trato y las relaciones debe ser una prioridad. Con esto convivimos sin cesar y a través de esto miramos el mundo y lo que le rodea. No solo son importantes los principios que uno tenga, sino su relación con el otro y su etapa de maduración.

Basándose en las teorías de Piaget, Lawrence Kohlberg diseñó una escala que denominó «Desarrollo del juicio moral». La misma nos será bien útil para medir nuestra mirada y nuestra maduración en medio de la sociedad. Si tienes una gran inclinación de valores y principios cristianos, pero con una madurez relacional muy baja, será muy difícil que logres el resultado extraordinario. Por eso elegimos antes de que llegues a la cima que nos preguntemos: «¿Dónde sembrar nuestros principios y desarrollo moral?».

A veces no es la falta de recursos ni de personas con talento lo que hace que una organización no llegue a lo extraordinario, sino sus relaciones interpersonales y la «etapa» en la que se encuentran como individuos y como sociedad. Por lo tanto, vamos a analizar cada una de las etapas que usaremos para comprender la madurez relacional que la persona o la organización tiene viéndolo desde el punto de vista del individuo. Esto sería desde dónde mira las cosas, lo que cree que es justo y las razones por las que llega a desarrollar una manera de ser especial que les trae consecuencias o beneficios a él y a los que se encuentran a su alrededor.

ETAPAS DEL DESARROLLO MORAL SEGÚN KOHLBERG[3]

Siguiendo los lineamientos de Kohlberg, encontramos las siguientes etapas:

---

[3]. Véase «La teoría de Lawrence Kohlberg » en http://ficus.pntic.mec. es/~cprf0002/nos_hace/desarrol3.html; accedido el 16 de abril de 2010.

Primera etapa

En esta etapa, la persona mira desde sí mismo. Por lo que tiene un punto de vista egocéntrico, donde la persona no puede reconocer intereses de los otros como diferentes a los propios. Cuando esto ocurre con los niños, forma parte de su desarrollo y crecimiento. Sin embargo, las personas mayores, y muchas con funciones de liderazgo, que se mantienen en esta manera de ser generan un mundo de «ombliguistas» que solo piensan en sus propios intereses. En esta etapa es muy difícil que alguien le dé autoridad a otro más allá de los términos propios. Además, le cuesta mirar las intenciones de los actos, solo puede ver las acciones que se producen, tanto propias como ajenas. Sus razones para hacer lo justo son evitar el castigo y el poder superior de las autoridades. A esta etapa, Kohlberg la denominó: «El castigo y la obediencia (heteronomía)».

Segunda etapa

En la segunda etapa, la persona tiene una perspectiva característica que es el individualismo concreto. Se desligan los intereses de la autoridad de los propios, y se reconoce que todos los individuos tienen intereses que quizá no coincidan. De esto se deduce que lo justo es relativo, ya que está ligado a los intereses personales y que es necesario un intercambio con los otros para conseguir que se satisfagan los intereses propios. Lo justo en esta etapa es seguir la norma solo cuando beneficia a alguien, actuar a favor de los intereses propios y dejar que así lo hagan los demás. Asimismo, la razón para hacer lo justo es satisfacer las necesidades propias en un mundo en el que se tiene que reconocer que los demás también tienen necesidades e intereses.

Quizá esta etapa, que Kohlberg denominó «El propósito y el intercambio (individualismo)», sea la que más nos motivara en su momento a desarrollar el Método CC. Veíamos a muchísimos líderes de organizaciones cristianas con gran cantidad de conocimiento e información de las Sagradas Escrituras y de modelos y estrategias para llevar adelante su pastorado, pero con una mirada limitada. Algunos se encontraban en un nivel netamente egocéntrico, donde solo le dan autoridad a alguien si esa persona opina igual que ellos, y manejándose en organizaciones en busca de evitar el castigo, siendo obedientes solo para no causar daños.

La cultura del relativismo, que tanto se ha introducido en los pensamientos del siglo veintiuno, ha «tocado» a otros y posee una mirada en lo propio, se separa de la mirada del otro, entiende lo justo como relativo y elige intercambiar y relacionarse con los demás para conseguir lo que tiene que ver con sus propios intereses. Este es un nivel de desarrollo moral y relacional que solo invita a seguir la norma cuando beneficia a alguien.

Muchas de las conversaciones que hemos tenido que ayudar a *limpiar* en los últimos años son de intereses. Se trata de personas en la segunda etapa de lo relacional y moral que no pueden ver lo extraordinario porque el nivel en su punto de vista es individualista. Es más, procuran cubrir sus propios intereses y solo escuchan con atención cuando le beneficia lo que dice o propone el otro.

La aceptación de que el otro puede pensar distinto es bien buena, sobre todo teniendo en cuenta que en siglos pasados aniquilaron a muchos por su manera de pensar diferente. Aun así, creemos que la gran cantidad de organizaciones ancladas en esta etapa hace que el pensamiento del otro se tome como una muralla de desinterés por su vida, y que solo genere atención en nosotros si se nos parece en su punto de vista.

La gran cantidad de especializaciones y dominios en el mundo actual no significa solamente que se haya globalizado lo que nos gusta ni que podamos interrelacionarnos con millones. También expresa que sólo mirarás con los otros que lo hacen igual que tú, sólo intercambiarás relaciones con los que estén beneficiados e interesados en cambiar contigo e invertirás tu tiempo nada más que con quienes sacarás un provecho en el final de la relación.

Un mundo de organizaciones cristianas y de cristianos egocéntricos e individualistas no será un testimonio para los que necesitan ver lo que no ven, que otros les tiendan la mano y encontrar ejemplos en quienes modelarse. Creemos que el **modelo del Método CC** debe ser una experiencia de transformación para que quienes todavía viven su cristianismo en estos niveles de relación puedan avanzar, subir, buscar lo extraordinario y comenzar a ver lo que no veían.

Estamos persuadidos que si la persona cambia su manera de mirar, aceptando que otros miren diferente, no para distinguirse sino para poder mirar desde el otro, es capaz de reconocer sus tiempos y llamamientos, aunque la autoridad que lo discipline tenga una mirada diferente. Luego, si se compromete a su misión y declara una visión poderosa hacia dónde ir, con una identidad pública, con una manera de ser que influya en los otros, con acciones concretas que lo ayuden a llegar a lugares diferentes, podrá relacionarse con otros más allá de su propio individualismo.

Esto también lo veíamos en segmentos anteriores cuando trabajamos los actos lingüísticos. Si solo describimos la realidad que vemos, estamos mostrándote que nuestra manera de mirar está en una primera o segunda etapa y que no estamos comprometidos a salir de allí. Sin embargo, al comenzar a hacer uso de otros recursos en medio de una visión poderosa, podemos relacionarnos con los demás con la posibilidad de mirar desde dónde miramos y establecer una interrelación.

Tercera etapa

Ahora, subimos a la tercera etapa. En este nivel la perspectiva consiste en ponerse en lugar del otro. Es el punto de vista del individuo con relación a otros individuos. Aquí se destacan los sentimientos, los acuerdos y las expectativas comunes, pero no se llega aún a una generalización del sistema. A esta etapa Kohlberg la denominó «Expectativas, relaciones y conformidad interpersonal (mutualidad)».

En esta etapa lo justo es vivir de acuerdo con lo que esperan las personas cercanas a uno mismo. Esto significa aceptar el papel de buen hijo, amigo, hermano, etc. «Ser bueno» significa tener motivos valiosos y preocuparse por los demás. También significa mantener relaciones mutuas de confianza, lealtad, respeto y gratitud.

La razón para hacer lo justo es la necesidad que se siente de ser una buena persona opuesta a sí misma y ante otros, preocuparse por los demás y la consideración de que si uno se pone en lugar del otro, quisiera que los demás se portaran bien. Es probable que aquí ya las relaciones empiecen a ser más poderosas y duraderas.

A este tiempo también se le ha llamado «el comienzo de una moral convencional», a diferencia de las etapas anteriores que se ven como una moral anterior a la convencional. Se empieza a ver la vida desde los ojos del otro y su parecer ya no solo vale, sino procura entender y mirar desde el parecer del otro. Hay un fuerte compromiso a hacer bien las cosas y a interrelacionarse.

Sin duda, esta etapa te invita a la siguiente. Cuando uno está en camino de ser cada vez más poderoso en su manera de relacionarse con otros y se compromete a salir de una mirada egocéntrica e individualista, comienza a percibir modelos que hasta ese momento le estaban ocultos por completo. De esta manera, se llega a la cuarta etapa.

Cuarta etapa

A esta etapa Kohlberg la llamó «Sistema social y conciencia (ley y orden)». Aquí el individuo no solo se interrelaciona desde la mutualidad, sino que genera nuevos espacios de conciencia social. Su punto de vista en esta escala es comenzar a identificarse con el que posee el sistema social que define los papeles individuales y los comportamientos sociales. Es capaz de diferenciar los acuerdos y los motivos interpersonales desde el punto de vista de la sociedad o grupo social que se toma como referencia.

Lo justo es cumplir los deberes que se han aceptado ante el grupo con anterioridad. Por eso, deben cumplirse las leyes. También se considera como parte de lo justo la contribución a la sociedad, grupo o instituciones. Las razones para hacer lo que está bien son mantener el funcionamiento de las instituciones, evitar la disolución del sistema, cumplir los imperativos de conciencia (obligaciones aceptadas) y mantener el respeto propio.

Creemos que este es el nivel inferior en el mundo de las relaciones y la manera de mirarlas es desde un estado de conciencia de las organizaciones. Si bien este nivel es muy superior al que solo mira desde el individualismo o el egocentrismo, aquí predomina el sistema social que hace que muchas personas se conviertan solo en engranajes de una gran estructura organizativa. De esta manera, se pierden, junto a la creatividad, el llamamiento, la misión y la visión ante la búsqueda continua de solo hacer las cosas para mantener el buen funcionamiento de las instituciones. Este nivel relacional es sano y poderoso para nuevos espacios, o para el cuidado del grupo y su crecimiento, pero requerirá del individuo más que adecuarse al orden social para poder llegar a ser la persona que le llamó a ser Dios y para interrelacionarse de forma poderosa con el otro.

Quinta etapa

En esta etapa llegamos a los dos últimos niveles. Como Método CC, en este lugar deseamos que puedas avanzar al resultado extraordinario en tus relaciones y en tu organización. A estos dos niveles se les llama «moral postconvencional o basada en principios».

Kohlberg definió la quinta etapa como «Derechos previos y contrato social (utilidad)». En la misma se parte de una perspectiva previa a la de la sociedad: la de una persona comprometida con valores y derechos anteriores a cualquier pacto o vínculo social. Luego, se integran las diferentes perspectivas individuales mediante mecanismos formales de acuerdo, contrato, imparcialidad y procedimiento legal. Además, se toman en consideración la perspectiva moral y la jurídica, destacándose sus diferencias y encontrándose difícil conciliarlas.

En esta etapa lo justo consiste en ser consciente de la diversidad de valores y opiniones y de su origen relativo a las características propias de cada grupo y cada individuo. Consiste también en respetar las reglas para asegurar la imparcialidad y el mantenimiento del contrato social. Se suele considerar una excepción por encima del contrato social en el caso de valores y derechos como la vida y la libertad, que se ven como absolutos y deben respetarse en cualquier sociedad, incluso a pesar de la opinión mayoritaria.

La motivación para hacer lo justo es la obligación de respetar el pacto social a fin de cumplir y hacer cumplir las leyes en beneficio personal y de los demás, protegiendo los derechos propios y los ajenos. La familia, la amistad, la confianza y las obligaciones laborales se sienten como una parte más de este contrato aceptado con entera libertad. Existe interés en que las leyes y los deberes se basen en el cálculo racional de la utilidad general, proporcionando el mayor bien para una cantidad de personas considerable.

Aún recuerdo (habla Héctor) a un empresario de una organización muy importante multinacional que se me acerca un día y me pregunta: «¿Qué eres antes que todo, pastor, coach cristiano o director de una organización?». A lo que le respondo: «Un hombre con principios».

En este nivel, cada uno da de lo que ha recibido y piensa en lugar del otro después de haber elegido y descubierto quién es. Asimismo, se relaciona con otros mientras genera una misión clara de su propia vida y va en busca de lo extraordinario. Todo esto lo hace sin una mirada egoísta ni individualista. Tampoco procura generar algo dentro del propio marco interno de las relaciones íntimas ni va siquiera en pos de una organización y su desarrollo. Por el contrario, su mirada y perspectiva de poder se basan en principios. Una vez que elige quién va a ser y lo que va a hacer, camina con seguridad hacia el lugar elegido y se compromete a interrelacionarse con otros, respetar las reglas y generar espacios de bendición.

En esta etapa la persona puede ver si tiene valor o precio, si ha sido hasta ahora solo parte de un sistema que pensó en su lugar o si nutrió al sistema con lo que Dios había trabajado en su interior. Aquí podrá darse cuenta si está preparado para mirar por encima está dispuesto a mirar por encima, es probable que pueda caminar supervisando (que en su traducción más literal es el que «ve más») a los que lo eligen como líder.

Una organización egocéntrica o individualista tiene vida limitada. Esto nos hace recordar a un líder que se ufanaba diciendo que no eran los mejores, sino que eran los únicos... Una persona que solo se ocupa de su familia o su medio íntimo no será de influencia en su comunidad. Es triste ver iglesias donde solo pasan al altar los cristianos que vuelven a buscar intimidad con Dios y no quienes han venido a encontrarse por primera vez con el Señor. En este nivel relacional es muy difícil que logres ser de influencia más allá de tu propia red.

Los que ayudan y viven solo para que una institución se mantenga con vida quizá influya en muchos, pero viva con limitaciones. Por eso, cuando eliges «ser» antes de «hacer» y caminas por principios acordados con Dios para después comprometerte en una organización, estarás obedeciendo y siendo de influencia y poder en otros y hacia otros más allá de ti mismo, *pues no te estás mirando el ombligo, ni sus alrededores*

y paredes, sino que diriges tu vista hacia el cielo. De este modo, se hace realidad cada vez más que Jesucristo es tu Señor y que trabajas para Él. Estamos en un tiempo de tanto cambio constante que nuestro equilibrio se debe sustentar en una profunda mirada del lugar en que estamos y hacia el lugar que vamos, para poder interrelacionarnos con otros y así disfrutar lo que hacemos.

Sexta etapa

Finalizamos la última etapa hacia el mayor resultado extraordinario de una organización o persona y la vida en el desarrollo moral y relacional que titulamos «Principios éticos universales (autonomía)».

En esta última etapa se alcanza por fin una perspectiva moral de la que se derivan los acuerdos sociales. Es el punto de vista de la racionalidad, según Kohlberg, donde todo individuo reconoce el imperativo categórico de tratar a las personas como lo que son, fines en sí mismas, y no como medios para conseguir ninguna ventaja individual o social.

Lo que es justo desde esta mirada es seguir los principios universales. Las leyes y los acuerdos sociales son válidos porque se basan en esos principios. En el caso de que se violaran o fueran en su contra, deberá seguirse lo indicado por los principios universales de la justicia, la igualdad de derechos y el respeto a la dignidad de los individuos que no son solo valores que se reconocen sin prismas por el que se toman decisiones concretas. Desde esta etapa la razón para hacer lo justo es que racionalmente se ve la validez de los principios y se llega a un compromiso con ellos. Ese es el motivo por el que en esta etapa se habla de autonomía moral.

Si nos **entrenamos** para crecer en nuestras organizaciones a etapas relacionales que tengan una mirada en el otro, de seguro nos distinguiremos en el mundo y haremos historia. Asimismo, cuando estamos a punto de llevar a cabo un proyecto extraordinario, debemos medir el nivel relacional que tiene nuestra gente, o los que poseen esos con los que nos relacionaremos, de modo que nos permita saber con qué contamos y a no tener sorpresas ni frustraciones. Luego, si nos ocupamos de saber en detalles dónde estamos, esto también nos servirá para que no responsabilicemos al modelo por nuestras limitaciones, ni pensemos que no nos satisface tener una manera poderosa de ver, ser y relacionarnos. Por último, si estamos comprometidos a la relación con el otro, podremos ayudarlo a crecer en su nivel de madurez relacional mediante distintos recursos y capacidades lingüísticas.

Nuestra oración al Dios todopoderoso es que hoy sea un día de elecciones y decisiones que nos lleven hacia la vida extraordinaria con la bendición de Dios y disfrutando el proceso. Que nos comprometamos a elevarnos y ser una posibilidad para que otros aumenten su nivel de madurez relacional.

ESTADOS DE ÁNIMO Y EMOCIONES

En el contexto de las opiniones o la manera de mirar el mundo, no solo son esenciales la comprensión y la fundamentación de los juicios y el reconocimiento de la madurez relacional del otro, sino también la posibilidad de tener una observación aguda acerca de los estados de ánimo y las emociones. ¿Por qué? Porque estos influirán de manera poderosa en la manera de mirar, de ser y de relacionarse. Además, podrán ayudarnos a lograrlo o que muramos en el intento.

Las emociones y los estados de ánimo no deben controlarse, sino que hay que aceptarlos y construir sobre ellos. No hay ningún relato en las Escrituras que diga que cuando Jesús lloró, procuró que nadie lo viera, ni de que tratara de reprimir sus emociones, ni de que estas lo dominaran, sino que formaran parte de la persona que era. Esto nos da una visión clara y un compromiso en acción cuando nos alineamos a la persona que elijo ser, sin que tengan el poder de «enturbiar» mi visión.

Los estados de ánimo son biológicos, por eso es que la psiquiatría ha tenido gran éxito. Esto explica que algunos químicos en el cuerpo alteren los estados de ánimo de una persona. Por ejemplo, los pacientes con depresión toman ciertos medicamentos capaces de trabajar en la transformación del estado de ánimo. Sin duda, estos químicos existen, pero también sabemos que el cuerpo genera dichos químicos, de ahí que no necesite poner algo externo para tener un estado de ánimo diferente. Entendiendo esto, sabemos que podemos intervenir.

Los estados de ánimo son como los lentes a través de los cuales vemos el mundo. Por eso es que nos vamos a mover de acuerdo con el estado de ánimo que tengamos. Para lograrlo, hay que intervenir en el estado de ánimo y no resignarnos a lo que experimentemos en un momento dado, pues a cada instante nos movemos en un mundo de estados de ánimo.

Las conversaciones son recursos decisivos para el diseño de los estados de ánimo. Cuando el estado de ánimo te busca para tenerte, hay que hablarle. Entonces, ¿desde dónde le hablamos? Si le hablamos desde la historia y lo describimos, seguiremos igual. Si le hablamos desde nuestra visión, podemos intervenir.

En el caso de que existan estados de ánimo que te controlan, la mejor pregunta sería esta: «¿Cuál es la visión que tengo?». Tu visión debe ser lo suficientemente grande para contener los estados de ánimo y no tan pequeña como para meterla dentro de un estado de ánimo en sí. Los estados de ánimo viven en el trasfondo de los juicios y las opiniones que poseemos y detrás de todo se encuentran tus estados de ánimo. ¿Por qué hay personas que no consiguen un trabajo jamás? ¿Por qué hay personas que viven entregadas y no pueden levantarse de la cama? Porque tienen conversaciones muy fuertes a las que le sigue un estado de ánimo o una emoción.

Es evidente que nos encontramos en estados de ánimo que no elegimos ni controlamos. Si tratamos siempre de controlar los, ellos terminarán controlándonos. Al analizarlo, vemos que los estados de ánimo son transportables, temporales, colorean y lo condicionan todo, son contagiosos y nos poseen. Siempre estamos en estados de ánimo... ¡Invariablemente! Por lo tanto, seamos sabios, pues hay cinco cosas que pueden afectar a una persona: el medio o las circunstancias, los espíritus diabólicos, el Espíritu de Dios, las personas y uno mismo.

Nosotros podemos intervenir en los estados de ánimo debido a que detrás de cada uno de ellos hay un juicio. Si cambias el estado de ánimo, el mundo cambia también con él. Cuando digo: «Estoy triste» o «Estoy contento», manifiesto lo siguiente: «Tengo determinada predisposición para la acción». Cuando los discípulos del Señor Jesús sintieron temor, Él intervino:

Habrían remado unos cinco o seis kilómetros cuando vieron que Jesús se acercaba a la barca, caminando sobre el agua, y se asustaron. Pero él les dijo: «No tengan miedo, que soy yo».

Juan 6:19-20, nvi

En tu caso, debes intervenir, pues no te puedes quedar en la conversación de ese estado de ánimo.

Los estados de ánimo se controlan con el dominio del lenguaje y el cuerpo. Cuando te das cuenta que con la conversación no es suficiente, pon música. Si con la música te quedas corto, sal a correr o, de lo contrario, pide un abrazo, habla diferente, pero es importantísimo que intervengas de inmediato. Por eso es que también debemos ser observadores de los estados de ánimo.

Los estados de ánimo y el lenguaje están relacionados. Entonces, ¿cómo intervienes de manera lingüística? Con conversaciones generativas. Algunos aspectos de esos estados de ánimo son recurrentes, como la tristeza, el miedo, el enojo, la culpa, el deseo, la insaciabilidad, etc. Por lo tanto, necesitas intervenir y recurrir a la única fuente que te ayuda a superar y controlar estas debilidades.

¿TIENES EMOCIONES O LAS EMOCIONES TE TIENEN?

Hablando de emociones, tenemos que decir que en los últimos años hemos cambiado mucho. A decir verdad, este mundo ha cambiado de una manera alocada y cada vez cambia más. No solo estamos en un tiempo de cambio, sino también en un tiempo de cambio constante.

Hace unos treinta o cuarenta años la clave era esa frase del famoso filósofo Descartes: «Pienso, luego existo». De modo que vivíamos así y procurábamos conocer y conocer... Con esto pensábamos que en el conocimiento teníamos la clave del éxito: Cuanto más conocíamos, mejor éramos. Sin embargo, ese modelo cambió y muchos de los que estamos hoy aquí conocemos mucho, pero nos hemos dado cuenta que esto no es suficiente.

Aunque el conocimiento es muy bueno, el saber hacer es mejor... ¡y eso no es todo! ¿Por qué? Porque vivimos en un mundo que ya no te dice: «Pienso, luego existo», sino: «Siento, luego existo». De ahí que nos encontremos jóvenes que procuren vivir la experiencia sin que les importe mucho el conocimiento. En realidad, lo trascendental para ellos es sentirlo y vivirlo. En un mundo donde lo que importan son las emociones, encontramos que los cristianos somos excelentes conocedores de las Escrituras, pero andamos medio flojitos con las emociones. En los últimos tres años, nos hemos encontrado con personas que tienen problemas con sus emociones, pues en vez de tener emociones, las emociones los tienen a ellos.

Hay un versículo muy interesante en Efesios que dice lo siguiente:

Somos hechura suya, creados en Cristo Jesús para buenas obras, las cuales Dios preparó de antemano para que anduviésemos en ellas.

Efesios 2:10

¡Qué hermoso sería que lo único que sucediera en nuestras vidas fueran solo buenas obras una y otra vez! Sin embargo, aunque tengamos el deseo y la actitud, algo sucede y nos levantamos por la mañana con ganas de vivir una vida santificada, una vida de victoria y con poder, pero no disfrutamos a menudo de las buenas obras. ¿Qué nos pasa?

Cristianos, ¡Dios nos llamó a ser de influencia en nuestras congregaciones, ciudades y lugares en los que vivimos! La Palabra de Dios nos dice que tenemos el llamado a ser «luminares en el mundo» (Filipenses 2:15) en medio de una «generación mala y adúltera» (Mateo 16:4). A Dios no le preocupa tanto que el mundo cambie, sino que cambiemos nosotros y que seamos luz. Sin embargo, sucede que andamos con la llamita apagada... ¿Por qué? Porque olvidamos la primera parte de Efesios 2:10 que dice «somos hechura suya». La palabra «hechura» en griego es poiema que, en castellano, significa decir «un poema de Dios».

Cuando Dios te creó, cuando te pensó, no lo hizo en serie. De modo que te pensó único y de una manera muy especial. Nos imaginamos a Dios diciendo: «Bueno, vamos a hacer a Héctor. Así que hagámoslo lindo, gordito y con barba». En lugar de decir: «¿Y qué es eso? Bueno, pongámosle Héctor», ¡nos hizo especiales!

Tú eres único y especial, y así lo estudiamos en la Palabra, pero el mundo nos quiere hacer creer que somos parte de una masa.

Por lo tanto, hay algo que no permite que lleguemos a ese lugar especial y mucho de esto tiene que ver con nuestras emociones. Lo que ocurre es que nos creemos que todas las emociones que vivimos son verdad y no nos damos cuenta de que muchas de las cosas que nos pasan deforman nuestra manera de mirar. Es más, mucho de lo que nos sucede viene de manera automática, sin siquiera elegir que nos suceda, y eso ocurre con los sentimientos y con otras sensaciones que tiene nuestro cuerpo.

¿Cuántas veces te has encontrado angustiado, triste o preocupado y piensas que ese sentimiento es verdadero porque es tuyo? El mundo está siempre tratando de tocar tus emociones y tú andas por la vida diciendo: «¡Tócame, tócame, no hay problema!». Entonces, pregúntate: «¿Tienes emociones o las emo-ciones te tienen?». Queremos decirte que puedes intervenir en tus estados de ánimo y en tus emociones y que, además, puedes ser tan poderoso en el terreno de las emociones como lo eres en el conocimiento. No importa lo que esté sucediendo fuera, puedes ser poderoso y decirle a la vida: «¡Oye, aquí el que manda soy yo! Por lo tanto, ese mando se lo entrego al Señor y me pongo en línea con Él».

Este es un tiempo especial en el que el mundo necesita cristianos con mucha palabra y con un corazón firme, pero que sepan pararse ante la vida. Luego, cuando vengan las situaciones difíciles y las angustias, seremos capaces de decir: «Yo elijo no ser una víctima, sino ser un protagonista».

Para ilustrar esto queremos mostrarte un relato muy interesante que se encuentra en 1 Samuel sobre la vida de David. Sin duda, se habla mucho acerca de este hombre llamado «amigo de Dios», que trabajara de una manera tan especial con Él y lograra que su presencia habitara en medio de su pueblo. Entonces, ¿cuál es el momento más importante en la vida de David? Algunos podrían decir que cuando llegó a Jerusalén con el arca y la presencia de Dios empezó a habitar en medio de su pueblo. A decir verdad, creemos que ese fue un momento clave en la vida de David, pues es determinante que Dios habite siempre en nuestra vida, que perseveremos y que el arca esté viva en nuestro ser. Si Dios no está habitando en tu vida, por más técnicas que tengas, por más que conozcas, por más que hagas cosas espectaculares, nada va a suceder. En cambio, si la presencia de Dios está en tu vida, harás grandes cosas en su nombre. Recuerda, ¡Dios puede sacar agua de una piedra y hacer que hable un asno!

Sin embargo, no creemos que este fuera el gran momento de David. Entonces, es posible que digamos que el gran momento de David fue cuando Dios lo ungió. ¡Qué momento! Es fantástico saber lo que Dios quiere para nuestra vida. De modo que si no tienes claro lo que Dios quiere de ti, es tiempo de que te ocupes de saberlo, pues el día que lo sepas nada va a importar más que eso y muchas cosas que hoy te roban la paz van a dejar de hacerlo porque sabes con certeza cuál es tu potencial y cuál es tu llamamiento.

Cuando David venía de pastorear sus ovejas, se encontró con que el hombre de Dios estaba en su casa para ungirlo como rey. En realidad, esto sucedió en un día cualquiera y sin que le enviaran una invitación especial. Así que, tal vez pienses que ese fue el gran día de David cuando lo ungió el profeta. No obstante, creemos que ese tampoco fue el gran día....

Uno quizá piense que el gran día de David fue cuando libró a su pueblo del gigante Goliat. ¿Quién no diría que ese no fue un gran día en el que eligió ser el representante de los creyentes ante los gigantes? ¿No sería un gran día en nuestra congregación si los levantáramos en contra de los gigantes que destruyen al pueblo de Dios? Sería un gran día si dijéramos hoy:

> Señores, vamos a salir y atacar todo gigante que se está comiendo nuestro pueblo y que está trayendo temor y tribulación. Ataquemos a esos que nos quieren hacer creer que la economía tiene que ocupar gran parte de nuestro tiempo en vez de darnos cuenta de que Dios es el que nos prospera. Lancémonos en contra de esos gigantes que se quieren comer a nuestros hijos y que los engañan al mostrarles cosas que son excelentes en apariencia. Ataquemos esos gigantes y demostrémosles a nuestros niños y jóvenes que es mejor tener valor que precio. Vamos a atacar a nuestros gigantes que tratan de quedarse con nuestras generaciones y digámosle a la gente: «Soy cristiano... ¿y qué?

Vengo a influir en esta nación y me levantaré frente a la alcaldía».
Luego, le voy a decir: «¿En qué puedo servirte?». Así que no me
quedaré a juzgar cada cosa ni me encerraré en mi casa siendo un
espectador de la vida, mientras veo cómo los impíos manejan mis
recursos, mi tiempo, mi dinero y mi trabajo.

Sin duda, debe ser un gran día cuando salgamos a atacar gigantes que, como el filisteo incircunciso, ¡no puedan con el ejército del Dios viviente! Debe ser un gran día y creo que lo fue para David también. Todo el pueblo turbado trató de hacerlo callar, incluyendo a sus hermanos mayores. ¿Cuántas veces los que saben no nos dejan ir por los gigantes? Sin embargo, este no fue el gran día de David.

Creemos que el gran momento en la vida de una persona es cuando tiene que elegir si tiene emociones o si las emociones lo tienen en su lugar. Después de haber investigado en las Escrituras, creemos sin lugar a dudas que el gran día de David se narra en 1 Samuel 21:10:

Y levantándose David aquel día, huyó de la presencia de Saúl, y se fue a Aquis rey de Gat.

¿Qué sucedió ese día? Si lo analizamos, vemos que las cosas en la vida de David transcurrieron bien: Lo ungieron, mató filisteos, cuidó a su rey y fue a donde le pidieron. Con todo, su recompensa fue recibir tribulación, persecución y angustia. De modo que llegó el día en su vida cuando tuvo que elegir bajar los brazos. Si te suceden cosas malas porque hiciste cosas malas, puedes decir que son las consecuencias. En cambio, que te pasen cosas malas cuando haces cosas buenas, ¿quién lo entiende? ¿Cuántas veces nos pasa que hacemos todo bien y nos va mal? Y nos va mal con la familia, con el dinero, con el trabajo.

David es el abanderado en este momento de todos esos cristianos que andan por el mundo haciendo bien las cosas, pero que a pesar de eso hay un momento en el que no tienen resultados. Incluso, todo el mundo está en su contra y lo persigue hasta el mismo rey.

Entonces, un triste día como podemos tener todos, dijo: «No juego más, me gustaba esto de ser rey, pero ya estoy cansado, agotado, angustiado, preocupado y solo tengo ganas de llorar. Creo que Dios es poderoso, pero algo está pasando, algo no está funcionado, y voy a huir». Así que elige huir de lo que Dios quería para él. Huyó de su destino como algunos huyen de su casa, de sus valores, sus principios o su futuro. Por eso, cuando eliges huir porque las cosas te van mal, te va a ir peor. ¿Por qué? Porque estás permitiendo ver desde las emociones. Sin duda, las emociones te distorsionan el cuadro y crees estar viendo cosas que no son. Mira lo que dice el versículo 11:

> *Y los siervos de Aquis le dijeron: ¿No es este David, el rey de la tierra? ¿no es este de quien cantaban en las danzas, diciendo: Hirió Saúl a sus miles, y David a sus diez miles?*

> *1 Samuel 21:11*

Es como que en un día de angustias te metas en un bar, te emborraches, te cruces con tus enemigos y todos te miren y digan: «¿No era este el que me evangelizó un mes atrás? ¿No es el que dio testimonio en la iglesia del poder de Dios?». Los siervos admiraban a David, pero esta vez lo vieron en una situación terrible. Así que David puso en su corazón estas palabras y tuvo gran temor de Aquis, rey de Gat. ¿Qué le pasó? Tuvo temor.

El temor puede ser o bien una emoción (la emoción es algo automático) o un estado de ánimo que después te puede llevar a otras cosas. El rey David no estaba exento, pues sintió temor. Creemos que esta es una simbología que Dios deja en su Palabra para todos los que muchas veces nos dimos cuenta de que Dios nos llamó a ser reyes de nuestra casa, de nuestras vidas, y andamos temerosos, angustiados y tristes en medio de nuestros enemigos porque elegimos en esa mañana huir de la presencia de Dios. Por eso David es el abanderado de todos los que en algún momento estuvimos, o estamos, en ese lugar. De modo que si el Señor te está hablando de una forma especial, tómalo, pues hoy es el primer día del resto de tu vida. Hoy tienes la posibilidad de limpiar y ser la persona que Dios te llamó a ser.

El versículo 13 dice que David cambió su manera de comportarse delante de los filisteos y se fingió loco. Por lo general, cuando empiezas a caer, cambias tu manera de comportarte. Como David permitió que sus emociones lo dominaran, cambió su manera de comportarse a tal punto que se fingió loco... ¡y estamos hablando de alguien que todo el mundo respetaba y amaba! Es como si un día vieras entrar a tu pastor, a tu líder, echando baba por la boca y todo desencajado, como dice el pasaje bíblico. ¿No te sorprendería verlo así?

[David] tuvo gran temor de Aquis rey de Gat.
Y cambió su manera de comportarse delante de ellos, y se fingió
loco entre ellos, y escribía en las portadas de las puertas, y dejaba
correr la saliva por su barba.
1 Samuel 21:12-13

A decir verdad, ¡el rey de la tierra daba lástima! ¿Cuántas veces te pasó que dejaste de ser quien Dios te dijo que fueras y anduviste haciéndote el loco pintando locuras en las portadas de tu ser? El rey David nos muestra algo muy importante en su vida:

Y dijo Aquis a sus siervos: He aquí, veis que este hombre es
demente; ¿por qué lo habéis traído a mí? ¿Acaso me faltan locos,
para que hayáis traído a este que hiciese de loco delante de mí?
¿Había de entrar este en mi casa? Yéndose luego David de allí,
huyó a la cueva de Adulam.
1 Samuel 21:14–22:1

Dos veces se usa la misma palabra, pues el mismo rey de los enemigos lo vio y sintió lástima. ¿Cuál va a ser el peor día de tu vida? El día en que ni el mismo diablo se ocupe de ti. David había caído tan bajo que ni siquiera el enemigo se ocupaba de él... le dio lástima.

No hay peor cosa que la indiferencia. Si te estás peleando con tu esposa, esa mujer te ama. Sin embargo, una vez más, ¡no hay peor cosa que la indiferencia! El día que se acuesten en la cama y ni siquiera se saluden, es porque algo está pasando con tu vida y es probable que te estés haciendo el loco... y quizá hoy sea el día en que vuelvas en sí.

En el caso de David, huyó a la cueva de Adulam. Nos imaginamos a David que llega a esa cueva con sus ropas llenas de polvo, sediento, el rostro castigado por el sol y con el corazón vacío por haberse hecho el loco y alejado tanto de aquel que Dios le llamó a ser. Es posible que sus emociones le perturbaran y le hicieran decir: «Estoy angustiado, no quiero nada. Quiero rendirme. Sé que ser rey es lo máximo, pero ya no puedo más. No quiero ser rey. Solo quiero entregarme y esconderme en una cueva».

En el Salmo 142 encontramos lo que escribió David mientras estaba en la cueva de Adulam. La Traducción del Lenguaje Actual lo expresa de la siguiente manera:

Mi Dios, a ti elevo mi voz para pedirte ayuda; a ti elevo mi voz para pedirte compasión. Cuando me siento deprimido, a ti te hago saber lo que me angustia. Tú sabes cómo me comporto. Hay algunos que a mi paso me tienden una trampa. Mira bien a mi derecha: ¡nadie me presta atención! ¡No hay nadie que me proteja! ¡A nadie le importo! Dios mío, a ti te ruego y te digo: «¡Tú eres mi refugio! ¡En este mundo tú eres todo lo que tengo!». ¡Atiende mis ruegos, pues me encuentro muy débil! ¡Líbrame de mis enemigos, pues son más fuertes que yo! ¡Sácame de esta angustia, para que pueda alabarte!

Este era el David que se encontraba en la cueva de Adulam. Sin embargo, las Escrituras también hablan acerca de los que le acompañaron en la cueva:

Yéndose luego David de allí, huyó a la cueva de Adulam; y cuando sus hermanos y toda la casa de su padre lo supieron, vinieron allí a él. Y se juntaron con él todos los afligidos, y todo el que estaba endeudado, y todos los que se hallaban en amargura de espíritu.

1 Samuel 22:1-2

El versículo siguiente no dice que, cuando vio llegar a toda la gente, dijera: «No, Dios, no entendiste, me rendí. No quiero saber nada. Así que, muchachos, se equivocaron de rey. Vayan a buscar a otro». Tampoco explica que cuando llegaron los que lo llamaban a ser el líder escogido por Dios, afirmara: «Bueno, Dios, de la única manera que lo voy a hacer es si me das bendición y prosperidad, si me agrandas la casa y pagas mi hipoteca. De lo contrario, no cuentes conmigo». No dice eso. David estaba en lo peor de su vida. Aun así, era su gran momento para elegir si las circunstancias controlaban su vida o su llamamiento, si era una víctima de la adversidad o era un protagonista de los desafíos.

En semejantes situaciones, uno espera que se nos acerquen personas para ayudarnos. Incluso, uno espera que se nos acerque gente buena y valiente... A David, en cambio, se le acercaron los afligidos, los endeudados, los angustiados. Las Escrituras dicen que en ese momento clave de su vida, «fue hecho jefe de ellos; y tuvo consigo como cuatrocientos hombres» (1 Samuel 22:2). En medio de la adversidad, eligió ser quien Dios le llamaba a ser. Así que nos imaginamos que dijera: «No importa que me haya hecho el loco ni que haya llegado hasta aquí. Voy a ser su líder». También la Palabra dice que, a la larga, este grupo llegó a conocerse como «los valientes que tuvo David» (2 Samuel 23:8).

Permítannos decirles a todos los angustiados, a todos los preocupados, a todos los afligidos que están leyendo estas líneas que Dios los ha llamado a ser valientes de Jehová. Además, queremos decirles que asuman el liderazgo de su vida, de su familia, de su trabajo, de su ciudad. No importa cómo se sientan hoy. No importa las emociones que tengan. De seguro pasarán si se paran firmes y erguidos ante el llamamiento de Dios para su vida y dejan atrás todo tipo de emoción automática que el mundo les hizo creer que tenían que sentir en su vida. Es posible que en este momento las cosas no les estén saliendo como querían, pero si se paran firmes, les aseguramos que Él va a hacer que haya bendición y prosperidad en sus vidas.

Por lo tanto, es hora de preguntarse: «¿Tengo emociones o las emociones me tienen?». Empieza el tiempo de tener nuevos aires, así que tú eliges con exactitud qué aire vas a vivir, qué emoción vas a sentir y cómo vas a disfrutar la vida. ¡Qué importa si te está yendo mal! ¡Qué importa si estás afligido! ¡Qué importa si te persigue el rey! Deja todo eso atrás y sal de la cueva que te tiene cautivo.

¿Cómo se llaman esos cuatrocientos que te están buscando? Quizá esos cuatrocientos sean un niño de tres años que te hala del pantalón y te dice: «¡Quiero que seas mi líder!». Tal vez esos cuatrocientos sean una esposa que te dice: «Llega un poco más temprano... así comemos juntos». A lo mejor esos cuatrocientos sean esos jóvenes que vienen a tu grupo a esperar que les abras la Biblia o esos adultos que se juntan con un corazón apasionado para influir en un vecindario. Comienza a decirte cada mañana que tienes más futuro que pasado.

¿Qué fue lo que hizo que las emociones no tuvieran a David y que pudiera tener emociones? Eligió ser el jefe de esos cuatrocientos... ¡y ser su jefe significaba futuro! Eligió vivir desde el futuro y no desde el pasado.

Es tiempo de que diseñemos nueva vida. Así que cierra tus ojos y diseña esos nuevos tiempos que necesita tu vida. Además, para ser jefe tienes que venir desde el futuro. ¿Cuál es ese futuro que te está llamando a ser jefe? ¿Cuál es ese futuro que te dice que cambies tu historia? ¡Ha llegado el momento de salir de la cueva!

PREGUNTAS DE REFLEXIÓN Y PRÁCTICA

- ¿Qué estados de ánimo y emociones que te tienen sería bueno que cambiaras de modo que no afecten tu visión?

- ¿Qué compromisos deberías declarar de cara al futuro para diseñar acciones con el propósito de cambiarlos?

TERCERA PARTE:
MANERA DE RELACIONARTE

YA NO BASTA CON MIRAR POR EL OTRO,
ES HORA DE MIRAR DESDE EL OTRO.

MÉTODOCC

MODELO CRISTO CÉNTRICO
VOLUNTAD DE DIOS
COMPROMISOS PROPIOS PARA IR HACIA ESE LUGAR

 MANERA DE VER

 MANERA DE SER

 MANERA DE RELACIONARSE

 MANERA DE LOGRARLO

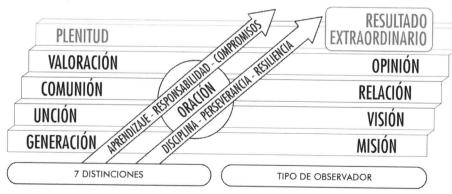

7 DISTINCIONES		TIPO DE OBSERVADOR
PLENITUD		RESULTADO EXTRAORDINARIO
VALORACIÓN		OPINIÓN
COMUNIÓN		RELACIÓN
UNCIÓN		VISIÓN
GENERACIÓN		MISIÓN

APRENDIZAJE - RESPONSABILIDAD - COMPROMISOS
ORACIÓN
DISCIPLINA - PERSEVERANCIA - RESILIENCIA

CAPÍTULO 13
VALORACIÓN

Las personas con una visión clara, comprometidas con un diseño de acciones poderoso, que eligen vivir en el aprendizaje constante, poseen capacidades lingüísticas y un excelente ejercicio de las relaciones, logran profundizar en la comunión con sus pares y viven buscando el logro, tienen el éxito asegurado. Sin embargo, ¿de qué se trata ese éxito? Encontramos un mundo con muchas distinciones y recursos, pero sin principios. De ahí que surjan líderes despiadados, sin piedad, sin una íntima relación con Dios y que, en algún momento dado, sea más el daño que causen que el beneficio que puedan traer. Por eso no podemos subir y elevarnos sin cotejar nuestra base sólida de principios y valores.*

Una de las preguntas que en estos tiempos de entrenamiento nos gusta hacer es la siguiente: «¿Tienes valor o tienes precio?». Luego, nos dedicamos de lleno a generar contextos conversacionales que nos permitan valorar y ser valorados. Como dice el refrán popular: «No me cuentes lo que te importa hasta que me digas cuánto te importo».

El cristianismo es la reserva moral de la humanidad, y para que esto sea una realidad cotidiana debemos valorar y valorarnos. En cuanto a la valoración de los demás es fundamental comenzar a generar espacios

211

de conversación donde el otro tenga su lugar y pueda expresarse, sentirse reconocido y caminar a mi lado y yo al suyo. A continuación, veamos algunos contextos de conversación que nos ayudarán a establecer la valoración del otro.

CONVERSACIONES PARA LA RELACIÓN

Esta clase de conversaciones es un espacio que generamos con el propósito de poder iniciarlas para el contexto en el que suceden: la relación entre las partes. A fin de tener dichas conversaciones, debemos cuidar la forma en que emitimos juicios y declaraciones. Esto es ideal para abrir posibilidades con las personas que, a nuestro juicio, están cerradas a la comunicación y no se encuentran preparadas para mantener conversaciones que inviten a la acción.

CONVERSACIONES DE REFLEXIÓN (ESPECULACIÓN)

En estas conversaciones reflexionamos sobre la factibilidad de las posibles acciones y están compuestas por un espacio para el diálogo y la discusión.

DIÁLOGO

El diálogo es la exploración conjunta de un tema importante. Es la posibilidad de escuchar a los otros e indagar el porqué de sus juicios e interpretaciones, así como de eliminar suposiciones. Es más, se trata de un espacio para exponer juicios y afirmaciones. Por lo tanto, el diálogo tiene sus condiciones:

- *Suspensión de juicios.* Esto no significa que se deje de tener juicios, sino que se pongan en suspenso de modo que se esté disponible para los juicios de los demás. Es estar dispuestos para conversar sobre nuestros juicios y sobre los de los demás.

- *Verse como colegas.* En un diálogo todos somos iguales. No hay jerarquías.

- **Compromiso del mantenimiento del conte to del diálogo.** Se refiere al compromiso de mantener estas condiciones del diálogo.

DISCUSIÓN

Este es otro espacio dentro de las conversaciones de reflexión, donde definimos las posibles líneas de acción en el espacio de la discusión. Implica escuchar con atención y abrir un espacio para las declaraciones y juicios. Aquí comienzan los ciclos de peticiones y ofertas:

- **Discusión talentosa:** Podemos pasar por esta discusión que es centrarnos en algún curso de acción.

- **Discusión cortés:** También podemos instalarnos en una discusión cortés que nos aleja de llegar a coordinar acciones, pues nos situamos en el lugar de una conversación interna mediante la cual descalificamos al otro pensando que tenemos razón.

- **Debate tosco:** Este es lo peor, pues es el tipo de discusión arrebatada que nos aleja a todos de poder tomar acciones eficaces.

- **Conversaciones crónicas:** Este es un escalón donde las conversaciones nos alejan aun más de poder llegar a la acción eficaz, pues cuando nos instalamos allí, nos pasamos todo el tiempo hablando sin tener ninguna intención de buscar un diseño de acciones.

A fin de llevar a cabo una conversación de reflexión que sea eficaz, debemos tener en cuenta una serie de componentes para la discusión:

- **La invitación a un diálogo o a una discusión:** Se invita, no se obliga, pues la persona tiene que estar dispuesta.

- **Escuchar:** En este componente lo que predomina es lo que se escucha.

- **Suspensión de juicios:** En la suspensión de juicios encontramos tres procesos importantes:

  1. **Afloración:** Es decir, que aparezca el juicio.

  2. **Exhibición:** Estar dispuestos para la posibilidad de reflexionar sobre el asunto.

  3. **Indagación:** Adentrarnos en lo que se discute y reflexionar al respecto.

En resumen, podríamos decir que en el diálogo hablamos de cómo estamos y en la discusión talentosa definimos cómo actuar. El diálogo está relacionado con el análisis situacional y la discusión talentosa está relacionada con el diseño de acción.

CONVERSACIONES SOBRE JUICIOS PERSONALES

Estas son las conversaciones privadas que solo tienen como objetivo «enjuiciar» los hechos de las personas que creemos que nos perjudican. Este tipo de conversaciones se muestra de tres formas posibles:

- ⦿ **Se culpa a alguien:** Para esto siempre tenemos nuestro «candidato» al título en forma previa.

- ⦿ **Se emiten juicios:** Por lo general, sin enmarcarlo en un dominio, enjuiciamos en todos o en algunos de los contextos del candidato.

- ⦿ **Se expresan según experiencias pasadas:** Lo hacemos con temporalidades previas. En ocasiones creemos que lo acontecido siempre será así.

CONVERSACIONES PARA LA ACCIÓN

Estas son las conversaciones que nos conducen a la acción y al logro de aspectos positivos. En esta clase de conversaciones encontramos los siguientes aspectos:

- ⦿ **Declaración del logro:** Logramos que las cosas se hagan a través de declarar lo que queremos lograr.

- ⦿ **Coordinación de acciones:** Nuestro compromiso aquí es coordinar acciones. A partir de ahí, ¿qué acciones realizamos?

- ⦿ **Relación mediante actos lingüísticos:** En las conversaciones para la acción nos encontramos con una petición o una oferta y una promesa de cumplirla. Por ejemplo, Pedro pide una reunión y Carlos acepta la solicitud. Además, produce una acción futura, la reunión, y un compromiso para la acción futura.

¿TIENES VALOR O TIENES PRECIO?

Hasta este punto, ya podemos vivir el diseño de futuro conforme a la visión que planteamos y a los compromisos que declaramos y desde los que actuamos. Además, hemos incorporado distinciones que llevamos con nosotros y tenemos la certísima seguridad de quiénes somos, quiénes elegimos ser y si Dios está bendiciendo nuestro caminar.

Por lo tanto, no nos quedamos aislados pensando y esperando que Dios lo haga todo, ni tampoco vamos a nuestro mundo de relaciones a «ganar amigos», «a influir en los demás», a «ser simpáticos» solo porque deseamos llevar a cabo nuestros intereses. En su lugar, elegimos establecer relaciones partiendo de la entrega y el amor mediante capacidades lingüísticas y conversacionales. Esto lo hacemos con poder y mirando desde el otro, sin dejarnos llevar por cada juicio y opinión que aparezca, e interviniendo en nuestras emociones de modo que estén alineadas a la voluntad de Dios para nosotros y con mi deseo de trabajar en equipo con otros.

De esta forma entramos en la manera de lograrlo, sabiendo que es el tiempo de poder hacer lo que venimos desarrollando desde las primeras páginas. Así que antes de hablar de cómo nos relacionamos con el poder y la técnica de la co creatividad que nos ayudará a ir hacia lo extraordinario, debemos primero ver cómo llegamos hasta este lugar.

VALOR CONTRA PRECIO

Muchos líderes que tenían un llamamiento claro, eran flexibles, manejaban con poder sus relaciones y que casi estaban en el nivel que Dios deseaba que tuvieran, sucumbieron debido a que no se preguntaron lo siguiente: «¿Tienes valor o tienes precio?». Hay personas que tienen valores, pero hay personas que tienen precio. Cuando hablamos de precio, a menudo pensamos en el dinero... ¡y es posible que sea así! Para algunos su precio es la fama, mientras que para otros su precio es el amor, lo que es peor, a veces es solo que

215

les acaricien. El mundo está tan mal y tan necesitado de nosotros los cristianos que vemos a la gente que se vende por tan poco.

Antes de continuar, te contaremos que el mundo en veinte años va a necesitar mucho de nosotros, pero no tanto de nuestro conocimiento solamente, pues va a necesitar mucho de nuestro corazón. Cada vez más, la gente viene a la congregación en busca de amor, de relación, en busca de un abrazo. Así que, para los próximos veinte años, vamos a tener que convertirnos en expertos en abrazos. El mundo necesita que nosotros estemos dispuestos a abrazarlos, que vivamos vidas felices y que disfrutemos de la vida.

Sin embargo, ¿cómo vamos a lograr que suceda eso? No llegamos a través de circunstancias. Si ustedes creen que el mundo va a cambiar y que eso los va a hacer felices... olvídenlo. Esto es imposible. En su carta a la iglesia de Filipos, el apóstol Pablo nos dice:

Haced todo sin murmuraciones y contiendas, para que seáis irreprensibles y sencillos, hijos de Dios sin mancha en medio de una generación maligna y perversa, en medio de la cual resplandecéis como luminares en el mundo.

Filipenses 1:14-15

Como ves, vivimos en un mundo que no va a cambiar. Si te pasas el día generando acciones para que el mundo cambie, estás perdiendo tu tiempo. Lo que Dios quiere no es que cambies al mundo, sino que elijas cambiar tu mundo. Dios te trajo hasta aquí para que entiendas que cuando elijas hacer de tu vida una vida especial, escoger la bendición, elegir vivir con integridad y tener pasión por las cosas de Cristo, Él te dará bendición y prosperidad, pase lo que pase en el exterior. Además, debemos decirte que si el mundo fue bravo contigo hasta hoy, no lo podemos cambiar. Lo que pasó ya pasó, pero tú tampoco puedes cambiarlo, ¡ya pasó!

Ahora bien, si llegas a esta porción del Método CC preocupado por lo que vas a darle de comer a tus hijos mañana, quiero decirte que aún no ha llegado ese día. Los dos grandes destructores de la vida de la gente son las condenaciones por el ayer y las ansiedades por el mañana. Dios te invitó a vivir el hoy como un presente; es decir, que sea un regalo, que tú seas un regalo para Dios, para ti y para tu familia. Sin embargo, para ser estas cosas necesitamos tomar decisiones, y cuando lo hacemos, cuando optamos por decidir, vamos a tener opciones. En medio de esas decisiones, cuando tienes que decidir, ¿tienes valor o tienes precio? ¿En las últimas decisiones te moviste por precio o fuiste valeroso? Por lo tanto, acompáñanos con mucha atención a lo que vamos a mirar, pues si todo lo que vimos hasta ahora lo desarrollamos en el contexto del aprendizaje de este capítulo, seremos personas a las que nada ni nadie será capaz de doblegarnos.

UNA MISIÓN Y UN LLAMADO

En 2 Crónicas, se menciona un personaje que desde una temprana edad ocupó un puesto importantísimo en la nación de Israel:

> *De veinticinco años era Amasías cuando comenzó a reinar, y veintinueve años reinó en Jerusalén; el nombre de su madre fue Joadán, de Jerusalén.*
>
> ***2 Crónicas 25:1***

Como ves, las Escrituras dicen que a Amasías lo llamaron al reinado a los veinticinco años. Por eso, si tienes menos de treinta años, te decimos que Dios te puede llamar para ser rey. Dios quiere que seas el rey de tu vida, que lideres, que seas una posibilidad para otros. Dios quiere que seas el sacerdote de tu hogar.

Hay personas de veinticinco años a las que les dicen: «Llegó el momento de tener éxito». A esto, les responden: «¡Qué va! A mí me faltan como quince años. Por ahora, me quedo aquí comiendo en la casa de mi madre, durmiendo hasta las doce del mediodía, jugando con mi Playstation. Todavía soy joven para las responsabilidades».

Si tienes dieciocho, diecinueve o veinte años, ¿por qué no ser el líder de esta nación? ¿Por qué no ser el líder de tu familia? ¿Por qué no ser un líder en tu trabajo? Amasías es un gran ejemplo de que Dios mira de manera especial a los jóvenes y no para mañana, sino para hoy. En 2 Crónicas 25:2 se nos dice cómo era Amasías:

> *Hizo él lo recto ante los ojos de Jehová, aunque no de perfecto corazón.*

Es cierto que Amasías no era perfecto, pero la Palabra dice que a Dios le agradaba que hiciera lo recto. Aunque no era perfecto, estaba comprometido con las cosas rectas, como lo estamos muchos de nosotros. Sin embargo, muchas veces algunos no tomamos decisiones, o dejamos que las circunstancias nos lleven, porque no somos perfectos y esperamos la perfección o que no tengamos debilidades para ser protagonistas. Dios te llamó a ser protagonista hoy. Lo que Él quiere es que procures en tu corazón hacer lo recto y para esto no tienes que ser perfecto. Así que procura en este día pararte, mirar a Dios y decirle: «Señor, aquí estoy. Hazme un líder. Hoy quiero hacer lo recto».

En los versículos 3 y 4 del mismo pasaje, se nos dice que los problemas empezaron en el mismo instante en que eligieron rey a Amasías. Es más, estaba en medio de la batalla. Así que tuvo que tomar decisiones y lo primero que hizo fue censar a su pueblo:

Reunió luego Amasías a Judá, y con arreglo a las familias les puso jefes de millares y de centenas sobre todo Judá y Benjamín. Después puso en lista a todos los de veinte años arriba, y fueron hallados trescientos mil escogidos para salir a la guerra, que tenían lanza y escudo.

2 Crónicas 25:5

Debido a que Amasías se iba a enfrentar a la guerra, tuvo que tomar la decisión de nombrar jefes entre las familias de Judá y Benjamín. Luego, escogió su ejército entre todos los mayores de veinte años. A fin de influir en el mundo y cambiar las cosas durante la guerra, Amasías encontró que en su pueblo había trescientos mil hombres listos para la batalla. Sin embargo, estaban listos, pero no estaban preparados.

Cuando el Señor nos llamó para este ministerio de **coaching cristiano,** llevábamos quince años como pastores de una hermosa congregación. Allí en Argentina, el consejo de ancianos nos eligió para presidir la fraternidad, una función que durante años anhelábamos tener todos los pastores. De modo que esto era algo que habíamos deseado: Liderar a este pueblo durante muchos años y llevarlos hacia un lugar mejor.

Meses después, Dios nos toca y nos dice: «A las naciones». Ante esto, respondemos: «Señor, estamos bien acá. ¡Mira que vamos a hacer un buen trabajo!». De inmediato, el mismo llamado: «A las naciones». Lo que Dios quería decirnos a lo profundo de nuestro corazón era: «Mi pueblo está listo para la etapa que viene, pero no está preparado». De modo que nos llamaba como a otros cientos, pues estoy seguro de que no somos los únicos que Dios llamó allá por los años 2003 y 2004.

En los vuelos, nos encontramos con pastores o ministros llamados por Dios para preparar a su pueblo para el nuevo siglo. Sin embargo, tenemos mucha gente con corazón, pero que le falta preparación. Eso mismo fue lo que le pasó a Amasías, tenía trescientos mil hombres listos para la batalla, pero no estaban preparados. Por lo tanto, Amasías tuvo que tomar una decisión:

Además, por la suma de tres mil trescientos kilos de plata contrató a cien mil guerreros valientes de Israel.
2 Crónicas 25:6, nvi

En este pasaje de las Escrituras vemos que este joven e inexperto líder, que procuraba hacer lo recto delante de Dios con trescientos mil hombres listos y sin preparación, necesitaba algo más. Así que contrató mercenarios para la guerra y fue y gastó tres mil trescientos kilos de plata para contratarlos. Todos estos eran muy profesionales, pero con muy pocos principios. Eran valientes, pero no tenían valores.

Llegó la hora para que en nuestros países dejemos de tener valientes sin valores y empecemos a tener hombres con valores y valientes. Llegó la hora para que en nuestras congregaciones nos empecemos a mirar las caras y nos digamos: «Te necesito para que caminemos juntos, codo a codo, y le mostremos a este pueblo que se puede ser valiente y con valores. Te necesito para que desde nuestras propias casas nos irgamos y desde aquí podamos cambiar nuestras vidas y nuestro mundo. Entonces, desde allí, ir hacia lo que Dios quiera».

Amasías contrató cien mil hombres corruptos para ganar la batalla. Debido a que quería una guerra contundente y se consideraba joven e inexperto, pensó que lo que importaba en realidad eran los resultados. Al igual que Maquiavelo cuando decía: «El fin justifica los medios», decidió usar los tres mil trescientos kilos de plata. Sin embargo, ¿qué pasó?

Pero un hombre de Dios fue a verlo y le dijo:
—Su Majestad, no permita que el ejército de Israel vaya con usted,
porque el Señor no está con esos efraimitas. Si usted va con ellos,
Dios lo derribará en la cara misma de sus enemigos aunque luche
valerosamente, porque Dios tiene poder para ayudar y poder para
derribar.

2 Crónicas 25:7-8, nvi

Con esto le quería decir que todo el dinero invertido, que todo lo que compró, que todo lo que hizo, lo tenía que dejar, pues si iba por ese camino, el mismísimo Dios lo derribaría porque tiene el poder para ayudarlo o derribarlo. ¿Qué hubieras hecho tú en ese momento? Antes de seguir con Amasías, queremos mostrarte un caso muy parecido. En el Evangelio de Mateo encontramos otro momento especial, otro momento en el que hubo que tomar decisiones:

—Si quieres ser perfecto, anda, vende lo que tienes y dáselo a
los pobres, y tendrás tesoro en el cielo. Luego ven y sígueme.
Cuando el joven oyó esto, se fue triste porque tenía muchas
riquezas.

Mateo 19:21, nvi

Cuando leemos esto, nos damos cuenta que el joven no solo tenía muchas riquezas, sino que estas lo tenían cautivo a él. En realidad, tenía precio y su precio eran las riquezas. El mismo Jesús lo llamó a seguirlo y él se fue por otro camino. En tu caso, ¿qué harías si Jesús te dice que todo eso en lo que has invertido hasta ahora lo tienes que dejar para seguirlo? La experiencia de algunos es similar a la de Amasías, pues quieren comprar la victoria y, entre otras cosas, la compran a través de congraciarse con el jefe. Compran voluntades, compran gente y compran momentos. Amasías tenía que elegir lo que iba a hacer en ese momento. Ya sabemos que el joven rico eligió mal. Entonces, ¿cómo lo hizo Amasías?

Amasías dijo al varón de Dios: ¿Qué, pues, se hará de los
cien talentos que he dado al ejército de Israel? Y el varón de Dios
respondió: Jehová puede darte mucho más que esto.

2 Crónicas 25:9

En otras palabras, lo que Amasías le preguntó al varón de Dios fue: «¿Qué va a pasar con mi dinero? ¡Ya lo invertí!». A lo que le responden: «El Señor puede darte mucho más que eso. Así que no te preocupes por el dinero, sino por los principios. Preocúpate por tu corazón, pues Dios puede darte mucho más que un puñado de dinero. Deja de prepararte para ver cómo compras la felicidad, cómo compras un nuevo negocio, cómo compras la prosperidad y el éxito. Ocúpate en hacer lo recto porque Dios puede darte mucho más que esto».

Entonces Amasías apartó el ejército de la gente que había venido a él de Efraín, para que se fuesen a sus casas; y ellos se enojaron grandemente contra Judá, y volvieron a sus casas encolerizados.

2 Crónicas 25:10

Entonces... a nosotros nos apasionan los «entonces» de la Biblia. Hay muchos «entonces» como los de:

- ⊙ ***Bartimeo:*** «Entonces Jesús, deteniéndose, mandó llamarle; y llamaron al ciego, diciéndole: Ten confianza; levántate, te llama. Él entonces, arrojando su capa, se levantó y vino a Jesús» (Marcos 10:49-50).

- ⊙ ***El hijo pródigo:*** «Entonces, volviendo en sí, dijo: "¡Cuántos de los trabajadores de mi padre tienen pan de sobra, pero yo aquí perezco de hambre!"» (Lucas 15, 17, lbla).

¿Será que quizá hoy sea tu «entonces»? ¿Será que hasta hoy mirabas el mundo desde un lugar y debes cambiar tu dirección? El Señor te dice: «Ocúpate de mí, ocúpate de seguirme, ocúpate de crear principios, ocúpate de que seas de bendición a otros. No te preocupes de los enemigos y olvídate de las circunstancias. No tienes que comprar a nadie con dinero, ni con corrupción, ni con falta de integridad, pues te voy a levantar, te voy a hacer ganar, te voy a prosperar y que todos digan, entonces, que Jesús puede hacer mucho más que esto». ¿Será hoy nuestro «entonces»?Las Escrituras dicen lo siguiente de Amasías:

Esforzándose entonces Amasías, sacó a su pueblo, y vino al Valle de la Sal, y mató de los hijos de Seir diez mil. Y los hijos de Judá tomaron vivos a otros diez mil, los cuales llevaron a la cumbre de un peñasco, y de allí los despeñaron, y todos se hicieron pedazos.

2 Crónicas 25:11-12

Es tiempo de que cada uno de nosotros elijamos llevar a un peñasco todas las cosas que lo único que quieren es vernos comprados y derrotados.

Amasías no tuvo precio en esta situación, pues fue un hombre de valor. A decir verdad, representa un ejemplo para cada uno de nosotros a la hora de tomar decisiones, pues confió en Dios y se armó de valor.

Así que ahora queremos invitarte a que imites a Amasías. Que todo lo que intenta cambiar tu paz, que todo lo que quiera atacarte y comprarte a costa de tus valores, lo despeñes desde la cima de tu confianza en el Dios Todopoderoso.

PREGUNTAS DE REFLEXIÓN Y PRÁCTICA

- ◉ ¿Qué juicios te tienen con relación a tu visión?
- ◉ ¿Qué juicio infundado has tenido en la pasada semana?
- ◉ ¿Qué condiciones para el diálogo puedes añadir a tus conversaciones?
- ◉ ¿Con quién tienes que tener conversaciones para la acción que te faltan para ir en pos de tu resultado extraordinario?

CUARTA PARTE:
MANERA DE LOGRARLO

LOS MEDIOS PARA PERSONAS CON PRINCIPIOS
PARA LOGRAR BUENOS FINES.

MÉTODOCC

MODELO CRISTO CÉNTRICO
VOLUNTAD DE DIOS
COMPROMISOS PROPIOS PARA IR HACIA ESE LUGAR

MANERA DE VER | MANERA DE SER | MANERA DE RELACIONARSE | MANERA DE LOGRARLO

PLENITUD — RESULTADO EXTRAORDINARIO

VALORACIÓN — OPINIÓN

COMUNIÓN — RELACIÓN

UNCIÓN — VISIÓN

GENERACIÓN — MISIÓN

APRENDIZAJE - RESPONSABILIDAD - COMPROMISOS
ORACIÓN
DISCIPLINA - PERSEVERANCIA - RESILIENCIA

7 DISTINCIONES | TIPO DE OBSERVADOR

CAPÍTULO 14
RESULTADO EXTRAORDINARIO

Este es el último escalón donde planteamos el **resultado extraordinario.** En este capítulo analizaremos cuál es el resultado extraordinario en tu vida. Algo difícil, imposible, algo que hasta ahora no has logrado. Así que te asistiremos para que esto sea una realidad. Con este fin, no dependeremos de los recursos del mundo secular ni de procesos y técnicas homocéntricas, sino de un modelo que te ayudará a no perder el rumbo, a mantenerte en la presencia del Señor y a tener un resultado extraordinario con la bendición de Dios.

Luego, vas a estar tan preparado que de seguro no dirías una tontería, sino que te trazarías algo serio para tu vida y desde un lugar en el que ya tendrás los recursos y las distinciones para poder hacerlo. Cuando incorpores todo esto, verás que puedes desarrollar resultados extraordinarios, y con la palabra «extraordinarios» entendemos que es algo fuera de lo ordinario. A diferencia de lo que es de orden común o cotidiano, de todos los días, lo que planteamos es lo extraordinario, lo que hoy no haces como algo cotidiano. En este diseño pondremos en evidencia este logro y llevaremos el Método CC a la vida cotidiana, de modo que este resultado extraordinario no tenga que ver sólo contigo.

Es obvio que si trabajaste y entendiste la metodología, procurarás ser una posibilidad en el medio que te rodea. Con tal objetivo, pondremos en funcionamiento todas las capacidades lingüísticas, emocionales y corporales, junto con cada recurso, principio y distinción.

A medida que se logra todo esto, llegaremos a saber cómo serviremos de influencia. Así que debemos preguntarnos: «¿Cómo estamos influyendo? ¿Con qué clase de poder ejercemos nuestra influencia?». Al final, veremos al principio que nos permite adentrarnos en el poder de la lengua. Nuestra manera de influir y relacionarnos tiene mucho que ver con nuestro dominio del lenguaje para vivir la vida extraordinaria que Dios tiene para cada uno de nosotros.

EL PODER DE LA LENGUA

Seguimos escalando en la comunión del creyente. Seguimos escalando en los principios y valores y subiendo hacia el resultado extraordinario. Si todos somos ministros del Señor, es necesario que hablemos del corazón de un ministrador y de cómo es su lengua; o sea, lo que dice.

El corazón de un *ministrador* se caracteriza por su entrega a vivir una vida de santidad, una vida dedicada y piadosa; una vida con una relación con Dios que se distingue por ser íntima y poderosa. Un *ministrador* es alguien que comprende que el amor precede a toda manifestación del talento que sea, pues entiende que los talentos son de Dios y que él mismo es un instrumento en las manos del Señor. Es alguien que está dispuesto a ser humilde y manso, y que tiene una vida de oración, meditación y ayuno en ese compromiso cotidiano de dedicación vehemente a Dios.

El *ministrador* poderoso no solo tiene un corazón conforme al de Dios, sino que cuida cada uno de los talentos que Él le dio y comprende que, por sobre todas las cosas, es un ser que va a ministrar, a vivir y a generar espacios como un ser lingüístico. Por lo tanto, como ministradores te decimos que con lo que hables vas a generar contextos, vas a sanar y a liberar, pues Dios va a respetar lo que hables. Gran parte de lo que sucede en tu vida y con los que te relacionas, tiene mucho que ver con lo que está dentro de tu corazón.

Por eso, con lo que está dentro es con lo que te vas a relacionar fuera. Lo que hablas y crees no solo afecta tu mente, sino también tu cuerpo, tu sistema inmunológico. Va a afectar la totalidad de tu vida. Tus palabras pueden ser de bendición o maldición, y el contexto que generes puede ser de sanidad o no. Sin embargo, todo esto tiene un origen y Lucas 6:45 nos lo explica con claridad:

El hombre bueno, del buen tesoro de su corazón saca lo bueno;
y el hombre malo, del mal tesoro de su corazón saca lo malo;
porque de la abundancia del corazón habla la boca.

Entendemos que como ser lingüístico, tiene mucho que ver lo que hay dentro del corazón. No se trata de tus talentos, pues estos se van a desarrollar en el espacio y el contexto de lo que eliges ser desde tu corazón. Es posible que en tu corazón seas alguien que esté en una búsqueda constante de la santidad, no solo para ser salvo, sino para ser santo. Quizá seas alguien que no solo se arrepintiera para conversión, sino que se arrepintió para llegar a la perfección cristiana. Tal vez seas alguien que viva cada día diciéndole al Señor: «Santifícame en tu Palabra, y llena mi corazón y mi vida». Quizá sea por eso que tengas un corazón de perdón, amor y bendición. Por lo tanto, debes tener en cuenta que todo esto sale de tu corazón y, como resultado, tu boca hablará estas cosas. Así que nada de esto tiene que ver con tus talentos, pues el **ministrador** debe **entrenar** primero su boca y, antes que todo, debe **entrenar** su corazón... «porque de la abundancia del corazón habla la boca».

La Palabra de Dios debe estar en nuestro corazón y debe ser nuestro alimento cotidiano para convertirnos en seres lingüísticos poderosos, pues el mundo en el que vivimos se desarrolla mediante lo que hablamos. En la Epístola de Santiago encontramos lo siguiente:

Porque todos ofendemos muchas veces. Si alguno
no ofende en palabra, éste es varón perfecto, capaz también
de refrenar todo el cuerpo. He aquí nosotros ponemos freno en
la boca de los caballos para que nos obedezcan, y dirigimos así
todo su cuerpo. Mirad también las naves; aunque tan grandes,
y llevadas de impetuosos vientos, son gobernadas con un muy
pequeño timón por donde el que las gobierna quiere.
Santiago 3:2-4

227

Entonces, ¿cómo puedo hablar sin ofender y ser un varón perfecto? ¿Tendrá que ver sólo con la disciplina? ¡No! Tiene que ver con entender la importancia de prepararse y entrenarse como seres lingüísticos. Si tuviéramos que expresar todo esto con términos actuales, diríamos que nosotros, como seres lingüísticos y personas que nos comunicamos con otros, deberíamos comprender que los contextos que generamos pueden ser de bendición o de maldición. No obstante, si con los mismos recursos lingüísticos y esa misma manera de hablar ofendemos a otros y bendecimos a Dios, no somos personas coherentes. Esto no debe ser así.

Es hora de que comprendamos que somos seres lingüísticos y que nuestra lengua, nuestro lenguaje y nuestra manera de relacionarnos con el otro son fundamentales. Además, que no solo nacimos para que nos centremos en ser mejores para hablar con otros, sino que usemos esto que Dios nos dio para bendecir. Entonces, si lo usamos para bendecir, vamos a sanar, a liberar, a proteger, a cuidar y vamos a ayudar al crecimiento.

Todo el tiempo que hayas dedicado para entrenarte, no es solo para que seas alguien fuera de tu ámbito cristiano, sino para que entiendas que toda esa «gran nave» llamada ser humano se lidera desde un solo lugar. Es justo en este lugar que quiere atacar el Método CC. De ese modo, te ayudará a desarrollar conversaciones poderosas y a entender que por lo que hables o recibas tendrás, o no, oportunidades de sanidad y bendición. ¡Esta será tu elección!

¡HABLA Y GENERA SANIDAD!

A veces andamos por la vida sin darnos cuenta de todas las cosas que Dios hizo para que vivamos una vida de bendición. Es más, casi siempre las buscamos fuera de nosotros, en las circunstancias, en la gente, hasta te diría que en un «toque de suerte». Sin embargo, las cosas más valiosas Dios las depositó en nosotros mismos. Nos creó con una increíble gama de posibilidades que viven en nosotros y que solo debemos reconocer y llevar a la práctica. Entre estas se encuentra el poder de lo que hablamos... ¡Al punto que puede enfermar o sanar!

Muchos creen que hablar es automático, que es solo un reflejo auditivo de lo que sentimos, un acto «contable» de lo que vemos o pensamos. Así que déjanos decirte que Dios diseñó el «habla» para mucho más que eso. ¿Sabes que podemos sanar nuestros cuerpos y nuestras vidas a través de lo que hablamos? En este día especial queremos decirte: ¡Sánate hablando!

Ahora, te invitamos a que hagas un alto y que leamos un versículo bíblico impactante que contiene el pensamiento de Método CC y la razón de ser del mismo:

> *Hay hombres cuyas palabras son como golpes de espada; mas la lengua de los sabios es medicina.*
>
> **Proverbios 12:18**

¿Qué hacemos con nuestra lengua? ¿Somos de los que la usamos solo para describir nuestras emociones o sentimientos momentáneos o la usamos para generar medicina para nosotros y quienes nos rodean?

Si eres una persona que desarrolla conversaciones poderosas, que no solo usa su lenguaje para describir la realidad o las circunstancias, sino que empieza a elegir y a usar sus palabras para ayudar al otro, es posible llegar a la conclusión que una de las armas de un buen líder es su manera de hablar y relacionarse con el otro.

«Hay hombres cuyas palabras son como golpes de espada»

A menudo, muchos dicen: «Es la verdad y no puedo dejar de decírtela». Esto lo expresan los que, de modo consciente o inconsciente, usan su lenguaje para herir a quienes tienen cerca. Estas palabras penetran hasta el alma para hacer sangrar corazones o para doblegar voluntades. ¿Ese es tu caso? La Palabra de Dios no habla bien de los que tienen incontinencia verbal y andan golpeando cual espada la mente de otros, la paz de familias enteras y hasta sus propias vidas. Sin embargo, se puede cambiar...

«Mas la lengua de los sabios es medicina»

En esta segunda parte del versículo vemos que la lengua de los sabios es medicina. Sabio no es aquel que se envanece con el conocimiento, sino el que elige aplicar el conocimiento a favor del bien común. Quizá tú seas de los que quieren ayudar para que otros sanen y escuchen la voz de Dios para que libere sus corazones. Es posible que seas de los que eligen generar espacios de bendición y liberación. A lo mejor te preocupas por ayudar a otros a salir de las maldiciones del pasado y pararse en las bendiciones del futuro. Por lo tanto, tienes que entender que **en las palabras del sabio está la sabiduría.**

Creemos que un líder poderoso, además de tener un gran corazón, debe ser lingüísticamente eficiente a través de su expresión verbal, corporal y emocional. De ahí que en el Método CC y sus diferentes entrenamientos, seminarios y conferencias le dediquemos tanto tiempo al lenguaje. Es más, creemos en el poder de lo que produce en uno y en otros lo que se «habla».

TIEMPO DE HABLAR Y SANAR

A través de lo que uno habla puede sanar y disfrutar de la vida. Hoy es el primer día del resto de nuestras vidas, así que entendamos lo mucho que podemos hacer cuando «hablamos con poder». No obstante, si hasta hoy no ha sido así, podemos comprometernos a prepararnos para cambiar. Como resultado, nuestras comunidades florecerán al contar con cristianos que tienen principios, que hablan de manera poderosa y sanan corazones.

Ahora, te invitamos a que consideres la posibilidad de usar el lenguaje no sólo para describir, sino también para generar, sanar y liberar. No perdamos más tiempo, pues esta es nuestra hora de comunicarnos con poder:

La muerte y la vida están en poder de la lengua, y el que la ama comerá de sus frutos.

Proverbios 18:21

Debido al poder de muerte y vida que tiene la lengua, queremos preguntarte: «¿Cómo es tu lengua?». Como hijo de Dios y ministro del evangelio, ¿eres una persona poderosa al hablar? ¿Cuántas esferas de tu vida están muertas? ¿Qué estás diciendo acerca de esas esferas? ¿Quieres ayudar a otros para que mejoren sus puntos débiles? Ayúdalos a través del lenguaje. La clave está en el pasaje anterior: «Y el que la ama, comerá de sus frutos». Por lo tanto, al que empieza a entender, le encantará ser una persona lingüística, una persona que usa cada recurso aprendido. Luego, cuando dedica su tiempo a comprender la importancia del tipo de conversaciones y las comunicaciones y el lenguaje que genera, va a comer «de sus frutos».

Uno, como ser lingüístico, no solo va a servir para diseñar acciones, sino también para la salud integral personal y del otro. Antes leímos que «la muerte y la vida están en poder de la lengua». Los que están dispuestos a ser líderes poderosos, que generan contextos de sanidad, deben comprender que la sanidad va a empezar a ser una realidad partiendo de cómo se expresen.

¿Qué hablas todo el día? ¿Eres alguien que sana a través de su lengua? ¿Eres alguien que sana mediante lo que dice su propio cuerpo? Hay algunas enfermedades que nunca se van a curar a menos que la gente comprenda que el lenguaje que utiliza es importante y, luego, que elija y se comprometa a hablar un lenguaje que va a aceptar su cuerpo.

¿Qué le estás diciendo a tu vida? Quizá le estés recordando una y otra vez lo triste que ha sido en el pasado. Tal vez le digas que debido a eso no mereces una vida plena de bendición. Lo que hablas, es más que palabras. Son órdenes que le das a tu cuerpo. Con tus palabras condicionas todo tu ser. ¿Por qué Dios dice que lo hagamos «todo sin murmuraciones» (Filipenses 2:14)? Porque la murmuración no solo daña el espíritu de una congregación, sino que enferma su cuerpo. Las palabras sanan, pero también destruyen. Entonces, ¿qué palabras te dices cuando ciertas emociones tratan de apoderarse de ti?

Estos versículos nos van a dar más luz para entender que no solo somos seres lingüísticos para generar acciones poderosas, sino que a través del lenguaje vivimos o morimos, sanamos o enfermamos, liberamos o esclavizamos:

«La boca del necio es quebrantamiento para sí, y sus labios son lazos para su alma»

Proverbios 18:7

¿Estás enfermo? ¿Estás angustiado? ¿Qué palabras dices? ¿Qué palabras crees? Es importante que te preguntes esto, pues tu cuerpo escucha las palabras que dices y la Biblia dice que son «lazos para tu alma». Hay gente que no puede salir de diferentes enfermedades porque vive diciéndose maldiciones. También hay gente que no puede lograr la felicidad porque vive diciéndose maldiciones.

Como *ministradores*, debemos entender que todo este tiempo vivido, donde hemos aprendido cómo relacionarnos con el lenguaje y hemos entendido que somos seres lingüísticos, esto nos ayuda no solo a nosotros, sino que nos permite ayudar. Por lo tanto, no debemos ser necios, pues estos solo dicen palabras soeces y, como explica la Palabra, «sus labios son lazos para su alma». Entonces, cuando vayas a ministrar a alguien, aparte de llevarle palabras de poder en el nombre de Dios, ayúdale para que analice lo que está hablando porque hay un lazo en su alma que tiene que ver con lo que habla y con lo que le dicen otros.

«Las palabras del chismoso son como bocados suaves, y penetran hasta las entrañas»

Proverbios 18:8

Este asunto no es algo secundario en la vida del tercer milenio. Esta es la llave que va a sanar, liberar y abrir puertas de bendición en la vida de las personas. Todos los que nos preparamos con conciencia, a fin de ser hombres y mujeres poderosos en nuestro lenguaje y en nuestra manera de hablar y de relacionarnos con el otro, vamos a observar los comentarios malintencionados y vamos a entender que no es simple chismografía y que estos comentarios penetran hasta las entrañas.

A veces permitimos esta contaminación y, luego, andamos buscando técnicas para sanar la iglesia de los efectos que producen estos comentarios. ¿Por qué no atacamos la causa? Cuando me encuentro con el chismoso, mi responsabilidad es decirle: «¡Alto!». No debo darle siquiera la posibilidad de que hable. Si como ministrador buscas las técnicas espirituales poderosas para bendecir y transformar mi realidad y la de mi congregación, déjanos decirte que la respuesta es simple: (1) corazón, (2) actitud, y (3) lenguaje.

¿Cuáles son las conversaciones que hay en mi iglesia? ¿Cuáles son las conversaciones que hay en mi célula? ¿Cuáles son las conversaciones en las que participo? ¿Cuáles son las conversaciones que pronuncio? El poder de la lengua es intrínseco en ella, lo tiene, y la muerte y la vida van a existir en nosotros, lo creamos o no.

«De cierto os digo que cualquiera que dijere a este monte: Quítate y échate en el mar, y no dudare en su corazón, sino creyere que será hecho lo que dice, lo que diga le será hecho»
Marcos 11:23

Como hijo de Dios, ministrador y lingüístico, tus palabras tienen poder. Deberías salir al mundo y decir que lo que tienes entre manos es poderoso. Que vas a ayudar al mundo a generar espacios y contextos de bendición, sanidad y liberación, y hasta los montes podrán echarse al mar si esto fuere la voluntad de Dios en el lugar en que estemos y lo haremos a través de las palabras.

«Del fruto de la boca del hombre se llenará su vientre; se saciará del producto de sus labios»
Proverbios 18:20

Cuando ministras a personas con falta de prosperidad, que no tienen para comer, que no tienen trabajo, no solo debes orar por ellas, sino que debes escucharles y preguntarles: «¿Qué estás diciendo? ¿Qué palabras salen de tu boca y estás creyendo?». La Biblia es clara cuando afirma que «del fruto de la boca del hombre se llenará su vientre; se saciará del producto de sus labios».

Como ser lingüístico has aprendido a comprometerte sabiendo que el compromiso es una declaración en el lenguaje que se sostiene con acciones. Que has aprendido a tener no solo un lenguaje descriptivo, sino también generativo. Que has elegido relacionarte con otros a través de peticiones, ofertas, promesas, declaraciones y afirmaciones. Así que ya empiezas a entender que te vas a saciar del producto de tus labios. Por eso la pregunta que tienes que hacerte es la siguiente: «¿Qué pasa que no estoy saciado en lo espiritual, en lo laboral, en lo económico, ni en lo físico?».

«El que guarda su boca y su lengua, su alma guarda de angustias»

Proverbios 21:23

Vivimos en el tercer milenio donde uno de los peores males de esta sociedad es la depresión. Ayudemos a otros a guardar su lenguaje, y tú mismo evalúa el tuyo; o sea, lo que dices y lo que escuchas. Por ejemplo, hay gente que va a querer injuriarte o ponerte en espacios y situaciones desagradables. En esos momentos, guarda tu boca, habla bendición y no te angusties. Recuerda: «El que guarda su boca y su lengua, su alma guarda de angustias».

«Produciré fruto de labios: Paz, paz al que está lejos y al cercano, dijo Jehová; y lo sanaré»

Isaías 57:19

La sanidad de la que habla Isaías viene primero con fruto de labios. Mediante tu lenguaje, tu boca, el Señor va a trabajar para sanar y más alguien que se ha preparado para ser un observador agudo. Un observador que está presente, y no solo está presente, sino que es un presente. ¿Cómo Dios no te va a usar para que a través de tu boca puedas sanar? Ese será el fruto de labios que traerá paz y que, además, traerá sanidad.

Así que dile a Dios cada mañana: «Señor, me he preparado no solo para entender que soy un ser lingüístico, sino para que a través del lenguaje y de mi vida me uses como instrumento para sanar, para ministrar, para traer paz a las naciones. Entonces, cuando alguien venga y quiera injuriarme, voy a guardar mi boca porque sé que lo único que eso produce es angustia en mi corazón. Por eso quiero ser un instrumento tuyo, junto con mi iglesia, para sanar y ministrar a otros y llevar sanidad y bendición a la vida de muchos».

«El que guarda su boca guarda su alma; mas el que mucho abre sus labios tendrá calamidad»

Proverbios 13:3

Dios es el que habla en este pasaje, pues se trata de su Palabra. Como ministradores, debemos comprender que no solo es importante el corazón, la oración, el ayuno o la espada del Espíritu, sino comprender también que somos un ser lingüístico y que el poder está en la lengua.

Ahora, queremos preguntarles a los que viven en medio de la calamidad: ¿Qué hablaron antes? ¿Cómo usaron el poder que les otorgó Dios? ¿Cómo se relacionaron con otros a través de su lenguaje? De ese modo se van a dar cuenta que la calamidad no viene sin razón, sino que es la consecuencia de no haber guardado nuestra boca, para guardar el alma.

Como quizá notaras, tenemos entre manos algo increíble. Por eso debemos entender que somos seres lingüísticos y que esto no es una simple técnica del tercer milenio para hacer interesante nuestra manera de relacionarnos con los demás. Al contrario, esta es la clave del cristianismo, la clave de la mirada de Dios en cómo nos relacionamos mediante el lenguaje que nos dio Él.

«La lengua apacible es árbol de vida; mas la perversidad de ella es quebrantamiento de espíritu»
Proverbios 15:4

La Biblia nos muestra en diversos lugares la importancia de ministrar a través del lenguaje. También nos habla de lo trascendental que es generar espacios y contextos de bendición en lo que hablemos, así como de tener conversaciones sanas, apacibles y bendecidas. Este tipo de conversación es la que va a ser que seas un árbol de vida fuerte y frondoso, y las relaciones a tu alrededor serán sanas y harán crecer tu iglesia. En el caso de que esto no sea así y solo tengas discusiones toscas o conversaciones para juicios, la perversidad de tu lengua será para quebrantamiento de espíritu.

«Panal de miel son los dichos suaves; suavidad al alma y medicina para los huesos»
Proverbios 16:24

Este pasaje te dice que de acuerdo con lo que hables, ese será tu estado. Tus palabras traerán sanidad a tu cuerpo y al cuerpo de otros. Eso se debe a que cuando ayudas a otros en sus relaciones para ser poderosos en su manera de hablar, recibirán sanidad. Tú, que quieres ministrar, sanar y liberar, recuerda que no hay demonio mayor que aquel que tenga incontinencia verbal, pues eso lo único que trae es enfermedad y muerte.

Si quieres ser un *ministrador* poderoso, te invitamos a que entiendas que «panal de miel son los dichos suaves». ¿Cuántos dichos suaves hubo en los últimos días en tu vida? Eso va a traer medicina a tu cuerpo. ¿Cuántos dichos suaves hay en la vida de aquel que te está pidiendo que le ministres, que te está pidiendo liberación? Ayúdalo a entender que el poder de la lengua es la clave para la muerte o la vida, para la sanidad o para la enfermedad, para la libertad o la esclavitud, para vivir disfrutando o vivir en medio de la angustia. Por eso es que estamos tan comprometidos en ayudar al cristiano a ser lingüísticamente poderoso y de ese modo lleguemos juntos al resultado extraordinario con la bendición de Dios.

APLICACIÓN DE LA TÉCNICA DE LA COCREATIVIDAD

Ya vimos y recorrimos la «Manera de ver», la «Manera de ser» y la «Manera de relacionarse». Ahora, estamos en pleno proceso de trabajar la cuarta etapa llamada «Manera de lograrlo».

Una de las cosas más poderosas que ha hecho el Método CC en el mundo es que no solo mostramos recursos y distinciones, sino que antes te decimos: «Descubre quién eres para luego elegir quién quieres ser». Este es el *derecho de autor* del cristianismo que tenemos nosotros, pues no lo tiene nadie más. La gran mayoría de las organizaciones que se están dedicando a ayudar a otros, les dan recursos y principios. A principios de este milenio, lo que dábamos eran recursos lingüísticos, capacidades conversacionales. Ayudábamos a la gente a relacionarse con los juicios, a diseñar un futuro. Aun así, a los pocos meses veíamos que se les diluía y ahí fue cuando diseñamos el Método CC.

Cuando algunos llegan hasta aquí, nos dicen: «Oigan, nos hubieran dado esto al comienzo, así podríamos aplicarlo». No obstante, antes que todo, debes cambiar tu manera de ver y empezar a entender que Dios diseñó verbos maestros para tu vida, que Él te dio talentos y designios y que los sustantivos pueden ir cambiando conforme a su voluntad y entender que esto viene con un paquete completo (Generación-Misión-VisiónUnción) sabiendo que Dios cubre lo que estás haciendo. Por lo tanto, cualquier recurso sin esto se te va a diluir. ¿Por qué? Porque una de las cosas que tenemos que llevar como abanderados cristianos en este tiempo es salir a la calle y empezar a testificar ante el mundo. Debemos contarle a la gente que cuando la Biblia dice: «Todo lo que pidiereis en oración, creyendo, lo recibiréis» (Mateo 21:22), no se refiere a que si eres **hiperpositivo** vas a poder lograrlo lo que te propongas y vas a controlar todo lo que se te dé la gana. Así andan muchísimas personas, muchísimos cristianos, creyendo que les bastará con solo ser positivos y que con la aplicación de principios se quedan cortos. Sin embargo, de lo que no se dan cuenta es que están cambiando el modelo divino.

Dios creó al ser humano con la posibilidad de que en su mismo centro esté su presencia, al igual que en el Lugar Santísimo estaba ese fuego encendido que representaba la presencia del Dios vivo. Cada uno de nosotros, que hoy somos templo del Dios viviente, debe llevar la presencia del Dios vivo. Cada uno de nosotros, que hoy somos templo del Dios viviente, debe llevar la presencia de Dios en su interior.

Tenemos el llamado a que Dios llene nuestro ser, a que estemos completos en Él, a que nos perfeccione y nos complete de una manera especial. No obstante, cuando vengo del positivismo, cuando creo que voy a poder cambiarlo todo, lo que estoy haciendo es sacar a Dios del centro de mi vida, a fin de ponerme a mí allí. Esto surge de la gran cantidad de **coaching** secular que ayuda a que apliques recursos y distinciones que, a pesar de que te va a ir bien por un tiempo, se te van a ir de las manos.

La Biblia llama a esto «cisternas rotas que no retienen agua» (Jeremías 2:13). Son como esos tanques de agua con fisuras, a los que se les va yendo el agua poco a poco. He conocido a muchos que han aplicado principios y recursos y, con el tiempo, venían más vacíos que antes. Eso se debe a que les hicieron creer que solo con estos recursos podían lograrlo. De modo que no se daban cuenta que este era el engaño más sutil de estos tiempos para sacar a Dios del medio y que nos pongamos nosotros mismos.

Cuando hacemos esto, nos damos cuenta de nuestra incompetencia. Es como querer poner un cuadrado dentro de un triángulo... ¡No se puede! Entonces queremos llenar ese vacío con cosas y empezamos a ser mejores en el trabajo. Así que cada vez nos va mejor y cada vez queremos más porque es una sed insaciable que Dios creó para que Él sea el centro de nuestras vidas. Por eso no tenemos mejor mensaje para decirle a la gente que este: «Deja de tener cisternas rotas y empieza a vivir con Aquel que es fuente de agua viva. Permite que esa fuente nutra tu vida en cada momento y situación».

Por consiguiente, es muy importante que desarrolles tu manera de mirar, que te percates quién eres en Dios y que te mantengas alineado con Él. Luego, puedes añadir los recursos que lo más probable es que, con esto, no solo logres el resultado extraordinario, sino que el mismo venga con la bendición de Dios al notarse en tu rostro. Entonces la gente sabrá que si no generaste la visión o la meta, de seguro que tienes el logro.

Cuenta la historia de un hombre al que Dios llama y le dice: «Quiero que empujes esta piedra». El hombre responde: «Pero Dios, esta piedra es inmensa». Sin embargo, obedece y empieza a empujar la piedra. Después de un día de trabajo, solo le sangran las manos, pues no sucedió nada. Así que se acuesta llorando y frustrado. A la mañana siguiente, se levanta y vuelve a empujar la piedra, sin ningún logro aparente. Esto sucedió día tras día durante un año. ¡Todo era en vano! Empujaba la piedra y no la movía ni un centímetro.

Al cabo de un año, aparece Dios y le dice: «¿Cómo te fue empujando la piedra?». El hombre contesta: «¡Muy mal! ¿Cómo quieres que me vaya? Estuve empujando esta piedra durante un año y no la pude mover ni un poquito». A lo que responde Dios: «¿Y quién te dijo que yo quería que movieras la piedra? Solo quería que la empujaras. Mira cómo se han desarrollado tus brazos. ¿Te acuerdas del asma que padecías? Observa cómo respiras ahora».

Como ves, la clave no es mover la piedra, sino empujarla. Asimismo, cuando nos dirigimos hacia el resultado extraordinario, muchas veces vamos por cien y logramos sesenta. Como quiera, en el camino logramos nuevos amigos, generamos un proceso, nos hicimos más fuertes y, además, sabemos que logramos sesenta y que nos falta cuarenta. Esos cuarenta son las mejores cosas que nos pueden suceder porque con el éxito no se aprende, sino con el fracaso. Esos cuarenta me sirven para ver lo que me faltó, para ver lo que tengo que hacer y volver a levantarme al día siguiente para ir por lo que no he logrado aún.

Sin embargo, lo que muchos modelos de coaching hacen es darnos técnicas. Así que durante años trabajamos la manera de lograrlo con esas técnicas dadas por el mundo del **coaching.** Le agradecemos mucho por habernos dado todas estas técnicas que nos han permitido ayudar a mucha gente, pero ya hemos crecido, hemos madurado, nos hemos puesto los pantalones largos.

En este momento, queremos contarte cuál es la técnica del Método CC con el que te vamos a invitar a lograr el resultado extraordinario. Se trata de lo que llamamos la «técnica de la *cocreatividad*», pues nosotros somos los primeros que les decimos a los que creen que pueden crear un mundo diferente cuando creamos con Dios.

Desde el principio, el diseño de Dios era que el hombre y la mujer crearán con Él, que le pusieran nombre a lo creado. Esto no significaba «anda y haz lo que quieras», sino «dale identidad, ayúdalos a través del lenguaje a generar un mundo diferente». Los ángeles no tienen la capacidad de participar con Dios de algo tan bello como la creación. Dios nos dio esta posibilidad de ser creadores con Él.

A todos los que nos han querido engañar haciéndonos creer que podemos ser el centro de nuestras vidas, que podemos atraerlo con la mente, vamos a empezar a decirles: «Embusteros, con nosotros no jueguen, porque Dios creó la ley de la creencia igual que la ley de la gravedad. Dios la trajo desde el principio». Esto es similar a que les digamos: «Queremos que todos nos obedezcan... A ver, respiren... ¡los tengo dominados!».

Llegó el tiempo de que los cristianos no solo estemos listos, sino también preparados y firmes para mostrarle a este mundo que somos la reserva moral de la humanidad. Que, además, tenemos principios y valores y que tenemos que influir en nuestros medios. Que sabemos sonreír y disfrutar de la vida.

PASOS DE LA COCREATIVIDAD

En esta técnica de la *cocreatividad* tenemos doce pasos que vamos a analizar a continuación:

Primer paso: Enuncia la visión

En este primer paso, lo que debes hacer para desarrollar la técnica de la cocreatividad es enunciar la visión. Llegó el momento de dejar de mirar atrás a fin de mirar el presente. Es tiempo de empezar a mirar el futuro y, para lograrlo, enuncia la visión. Además, tienes que saber hacia dónde quieres ir, no porque seas un inconsciente soñador que viva de la ilusión, sino porque debes ser aquel que le pones pasión y acción a tu visión. Como resultado de ponerle a tu sueño la pasión y la acción, la conviertes en visión, pero tienes que enunciarla. Esta visión tiene que ser extraordinaria, mayor que uno mismo. De lo contrario, llegarás a ella con la misma manera de ser que tenías hasta ahora.

Segundo paso: Declara el compromiso

En el segundo paso, después que diseñas la visión vuelves al presente y declaras el compromiso. Hay muchas personas que sueñan con la visión, pero que cuando llegan, dicen: «Es demasiado grande, no se puede». De modo que se convierten en licenciados en justificativos, en vez de declarar el compromiso. Una vez más, lo segundo que debes hacer es declarar el compromiso.

Tercer paso: Revisa tu visión con relación a tu misión y la unción

En el tercer paso, revisa tu visión con relación a la misión y la unción. Entonces, di: «Mi visión es convertirme en el gerente del banco más importante de América Latina». (Aunque esto no tiene nada que ver con nosotros, pues dos más dos nos dio siempre tres y nuestros verbos maestros son escribir, liderar, generar, producir, pastorear, no administrar, hay otros que sí lo tienen). Por lo tanto, necesitas revisar la visión que declaraste, esa extraordinaria, con tu misión y con la unción de Dios. Entonces, analiza si Dios está ungiendo.

Cuarto paso: Considera el tipo de observador que eres

En el cuarto paso, das un paso atrás y, de acuerdo con la visión, misión y unción, pregúntate: «¿Qué tipo de observador soy de este resultado extraordinario?».

Recuerda que la visión es un punto de partida, no un punto de llegada. Si dices: «A partir de hoy mi empresa va a tener cuarenta empleados», empieza a mirar desde los cuarenta aunque solo tengas cinco. Por lo tanto, debes comprometerte a esto y analiza si tiene que ver con tu misión. También considera si Dios está ungiendo esos tiempos, pues quizá el tiempo sea en dos o tres años. No obstante, si es ahora, empieza a trabajar desde ese lugar y míralo todo desde los cuarenta.

El cuarto paso sucede cuando empiezas a mirar desde la visión, no desde las circunstancias, ni desde tu pasado, ni tu realidad circunstancial. Estamos hablando de la técnica de la **cocreatividad,** no de un estilo de vida.

Esta técnica te las damos para que te puedas mover. Esto no quiere decir que te va a dejar de importar tu realidad circunstancial. Por el contrario, te va a importar porque es el punto desde donde partes hacia la visión.

Quinto paso: Revisa tus modelos mentales

En el quinto paso, comienza a revisar tus modelos mentales. Dada la visión que tienes, debes analizar cómo es tu biología. Si dices: «Voy a ganar la carrera de tres mil metros en Nueva York», debes suponer que esa es tu visión y que cuentas con la unción de Dios. Entonces, cuando llegues a este punto, tu biología te dirá: «¡Peligro! Hoy bajaste cuatro bolsos en dos escaleras y casi te mueres». Por lo tanto, tienes que entrenarte, empezar a dedicarle tiempo. Así que debes revisar tu biología.

Algunos no llegan a su visión porque no tienen en cuenta su biología. Recuerda que en la biología está lo que ya sabemos que tenemos como tendencias. En la mayoría de las iglesias, hemos aprendido sobre los temperamentos. Tiene que ver con lo que somos, pero no de una manera estática e incambiable, sino que esa es la tendencia que tenemos, es nuestra cultura. A veces nuestra historia habla más fuerte que las palabras. Empecemos a reescribir la historia. ¿Qué historia te estás creyendo? Eres lo que hablas. Si te quejas todo el día, solo eres una queja. Empieza a hablar de tu visión.

Sexto paso: Profundiza en los juicios que te tienen

En el sexto paso, te preguntas: «¿Cuáles son los juicios que me tienen? No los que tengo». Recuerda que los juicios maestros son esos que te llevan. Muchos tienen juicios que los limitan, los agarran. ¿Cuáles son esos juicios que no te permiten llegar a la visión?

Séptimo paso: Realiza observaciones según la visión

En el séptimo paso, comienza a trabajar las observaciones agudas. Si no empiezas a observar desde la visión qué es lo que te falta y tomas nota, no verás el tipo de observador que eres.

Octavo paso: Ten conversaciones conducentes

En el octavo paso, empieza a desarrollar el cruce de la brecha hacia tu visión y lo que haces en el punto ocho es empezar a tener conversaciones conducentes. Muchos de nuestros países están acostumbrados a la acción. Lo primero que hacen cuando desarrollan una visión es actuar. Sin embargo, de lo que primero hablamos es de conversar. ¿Con quién tengo que conversar? ¿Qué conversaciones me faltan?

Noveno paso: Haz declaraciones de contingencia

En el noveno paso, debes realizar declaraciones de contingencia. Necesitas ver las posibles contingencias que quizá tengas. Esto no significa el análisis de los problemas futuros, sino de poder declarar los asuntos que podrían suceder en caso de que actúes sobre la base de tu compromiso y estés en camino hacia la visión. Cuando puedes declarar y anticipar contingencias, esto te ayuda a aprender desde el comienzo lo que te está faltando para llegar a ese lugar que elegiste ir.

Décimo paso: Incorpora habilidades

En el décimo paso, debes incorporar habilidades. Si tienes que correr el maratón, tendrás que incorporar la habilidad de atleta. Si vas a poner una gráfica, necesitarás una máquina. Si tu visión es dar el Método CC en inglés, tendrás que tener un excelente dominio de este idioma. Muchos quieren llegar a la visión extraordinaria siendo la misma persona que antes. Quizá tengas que estudiar, practicar o entrenarte de manera más profunda con la compañía de un *coach*.

Undécimo paso: Realiza acciones poderosas

En el undécimo paso, debes realizar acciones poderosas, en lugar de pequeñas acciones. Esto significa que corras riesgos, que te distingas. Cuando Pedro sacó el pie de la barca, el agua no se solidificó hasta que no puso el pie en el agua. A los esposos les decimos: La primera acción poderosa que tienes que hacer al levantarte es mirar a ese bomboncito que Dios te dio y decirle: «Te amo con todo mi corazón. Si ayer no logré demostrártelo, hoy tengo la gran oportunidad y lo voy a hacer». Luego, deben repetirlo cada mañana.

Las acciones poderosas son esas sencillas y cotidianas. Cuando dejamos que lo cotidiano se vuelva una rutina que no implique desafío, la misma puede matar nuestro camino hacia la visión extraordinaria. Así que debes pensar hoy en qué acciones vas a realizar que te lleven directo hacia tu resultado extraordinario.

Duodécimo paso: Mide los logros, las metas y los resultados

En el duodécimo paso, debes realizar la medición de los logros, las metas y los resultados en el aprendizaje. Mides los logros porque quizá no llegues al resultado, pero tus brazos estarán más fuertes. Empiezas a hablar diferente, miras la meta que está cuantificada y analiza lo que te faltó. Si la lograste, mide el resultado y el nivel de gestión. Cuando llegues, debes considerar si lo hiciste con una manera de ser poderosa y, lo más importante, mide el espacio de aprendizaje. ¿Qué aprendiste? Si subiste mucho y no aprendiste nada, sufriste en vano. Dios no quiere que sufras. Dios quiere que aprendas y que vayas en busca de lo extraordinario y, aquí, generes un espacio de aprendizaje.

UTILIDAD DE LA TÉCNICA DE LA COCREATIVIDAD

La técnica de la cocreatividad nos va a ayudar a entender que sin Cristo en medio de nuestras vidas, nada podemos hacer. Además, nos permite realizar las siguientes cosas:

- Diseñar una visión poderosa, a la cual hay que declararle el compromiso.
- Revisar si tiene que ver con nuestra misión y la unción de Dios sobre nuestra vida.
- Ver si la observación que tenemos está relacionada con la visión.
- Trabajar en nuestro modelo mental.
- Revisar nuestros juicios maestros.
- Poder tener observaciones agudas conforme a la visión y a los detalles desde ella misma.
- Empezar a trabajar conversaciones conducentes.
- Declarar las contingencias para estar preparado.
- Ver cuáles son las habilidades que tengo que incorporar.
- Desarrollar acciones poderosas y vivir en un espacio de aprendizaje, en una medición constante del logro y la meta.

Por lo tanto, llegó el momento de salir y mostrarle a la gente que ser cristiano es lo mejor que le puede suceder.

PREGUNTAS DE REFLEXIÓN Y PRÁCTICA

- ¿Qué aspectos de tu corazón debes transformar?
- ¿Qué evidencia hay en tu vida de que anhelas cada día vivir en santidad?
- ¿En que aspectos de tu vida describes en vez de generar de manera poderosa con el lenguaje?
- ¿Qué puedes hacer para transformar tu lenguaje en estas esferas?

CUARTA PARTE:
MANERA DE LOGRARLO

LOS MEDIOS PARA PERSONAS CON PRINCIPIOS
PARA LOGRAR BUENOS FINES.

MÉTODOCC

MODELO CRISTO CÉNTRICO
VOLUNTAD DE DIOS
COMPROMISOS PROPIOS PARA IR HACIA ESE LUGAR

 MANERA DE VER

 MANERA DE SER

 MANERA DE RELACIONARSE

 MANERA DE LOGRARLO

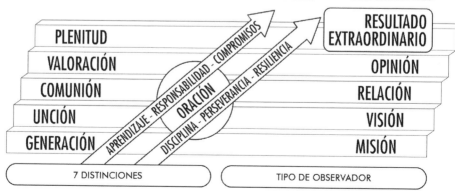

7 DISTINCIONES	TIPO DE OBSERVADOR
PLENITUD	RESULTADO EXTRAORDINARIO
VALORACIÓN	OPINIÓN
COMUNIÓN	RELACIÓN
UNCIÓN	VISIÓN
GENERACIÓN	MISIÓN

APRENDIZAJE - RESPONSABILIDAD - COMPROMISOS
ORACIÓN
DISCIPLINA - PERSEVERANCIA - RESILIENCIA

CAPÍTULO 15

PLENITUD

Hemos llegado al último peldaño, donde veremos la plenitud que implica vivir en la cima porque nos hemos elevado a estar mirando el rostro de Jesús, vivir en su santidad y disfrutar siempre de su presencia. A este peldaño nos gusta llamarlo también «El resultado extraordinario desde la mirada de Jesús». Esto significa que muchos cristianos van en busca de ser santos y piensan que, al final de sus vidas, se va a medir en una balanza para ver hasta qué punto llegaron a ser santos. Sin embargo, lo que nosotros decimos es que la santidad es una declaración que hago con el lenguaje y me comprometo a vivir cada día. Luego, cuando empiezo a vivir desde ese lugar, voy a hacer y a disfrutar cosas y situaciones que no veía, para vivir todos los días desde allí.

Entendemos que la plenitud es un proceso, no un hecho. Por eso, después de pasar por el Método CC en este libro, estarás preparado para vivir un proceso de plenitud en tu vida con resultados extraordinarios. Es más, en tu diario vivir aplicarás capacidades conversacionales, emocionales y corporales, generando en el lenguaje y declarando lo eliges ser, relacionándote con los otros mediante los principios y valores que elegiste. De esa manera, serás una posibilidad para el otro, teniendo muy claro hacia dónde vas, con un diseño de acciones contundente y tranquilo porque sabes para qué te llamaron en esta vida.

El Método CC ha ayudado a miles de cristianos en todo el mundo. Así que permite que también pueda generar en ti un contexto donde descubras quién eres, elijas quién quieres ser y salgas a la vida a crear junto con Dios.

LA MIRADA DE JESÚS PARA LO EXTRAORDINARIO

En el Evangelio de Lucas nos encontramos con Jesús diciendo y mostrando cómo lograr un resultado extraordinario. Ahora, analizaremos lo que es ese resultado desde la mirada de Jesús.

Hubo un momento en el cual Él se relacionó de manera poderosa con su gente. Así que uno podría decir: «Bueno, para Jesús era fácil lograr el resultado extraordinario». Sin embargo, no hay mayor resultado extraordinario que ayudar a nuestra propia gente a que lo logre. El resultado se empieza a notar en la vida de una persona cuando se convierte en un puente para que otros lleguen a ese resultado extraordinario. Cuando tú eres el único que lo está logrando, solo es una parte. El resultado es cuando otros que vienen detrás de ti pueden lograrlo.

En Lucas 10, encontramos un momento en la vida de Jesús donde elige a setenta de todos los que lo seguían. No los eligió de la gente que pasaba por la calle, sino de los que eran sus discípulos. Eligió a setenta que ya estaban con Él, que lo habían seguido, que lo conocían, que presenciaron sus milagros y enseñanzas. Por eso decimos que es muy difícil lograr el resultado extraordinario si solo estás listo. Hay muchos cristianos que van hacia la victoria, que declaran poder en sus vidas, pero no están listos. Lo que tú has hecho durante la lectura de este libro es prepararte para ir hacia ese resultado extraordinario.

Lo primero que viste fue la manera en que tus neuronas hacían ruido cuando trabajabas los modelos mentales y los diferentes paradigmas. Te diste cuenta de que no tenemos trescientos sesenta grados de visión, cosa que muchos creen todavía. Pensabas que lo tenías todo claro y descubriste que no era así. Luego, seguiste avanzando y empezaste a encontrarte contigo mismo. Además, tuviste la posibilidad de saber quién eres, sin importar tu edad, y empezaste a confirmar tus verbos maestros. Más adelante, lograste ver que los sustantivos pueden ser cambiables, pues Dios los ha instituido igual que los talentos. De modo que quizá lo nuestro ya no sea pastorear, sino ayudar, liderar, entrenar o negociar. Entonces, ahí fue cuando empezaste a ver la importancia de encontrar tus propias pasiones.

Luego fuiste hasta una visión extraordinaria. Allí descubriste que todo era imposible, y en ese espacio imposible te diste cuenta que esa era la brecha en la que debías y podías aprender. Por eso supiste que del éxito no se aprende, sino que se aprende del fracaso, del riesgo. Se aprende cuando se va hacia delante. Quizá tuvieras una mentalidad de mirar el presente o el pasado y con este libro de coaching cristiano te encontraste con la idea de empezar a mirar el futuro. En este momento viste la importancia que tiene la unción de Dios en tu caminar.

Ya no era solo cambiar tu manera de mirar o de incorporar distinciones, como las de compromiso, responsabilidad, resiliencia, aprendizaje, ni de saber quién eres, ni desarrollar una visión poderosa, sino que te percataste de que no había nada más importante que saber que Dios cubría tu vida. En este contexto fue que empezaste a darte cuenta de que eres un ser lingüístico que vive y se constituye a través del lenguaje. Ahí fue que empezaste a incorporar distinciones, como los actos lingüísticos y los diferentes recursos

Cuando trabajamos los juicios, quizá te dijeras: «¡Cuántas veces perdí mi tiempo tomando cada juicio como verdadero en vez de saber que todo juicio sirve!». Aprendiste que si el que emite el juicio tiene fundamento, te sirve para ver lo que no ves. En cambio, si carece de fundamento, también te sirve para ayudarlo a ver lo que no ve.

De allí pasaste a través de las emociones. En ese momento parecías que patinabas, como que te apartabas a un costado del camino porque llevabas muchos años dejando que te dominen los sentimientos. En otro tiempo, ¿cuántas veces le dijiste a la gente: «No me molestes que tengo un mal día» o «Yo también tengo derecho a enojarme»? Por lo que con eso desperdiciabas relaciones y una manera de relacionarte, y perdías el camino hacia el resultado extraordinario que Dios quería para tu vida.

Al final, entramos en la última parte, la «Manera de lograrlo». Por lo tanto, llegamos a donde vimos la técnica de la cocreatividad. Entonces te preguntaste: «¿Cómo puedo crear con Dios? ¿Cómo me llamó a crear con Él?». Así que aprendiste que eres alguien especial en este mundo, aunque te habían hecho creer lo contrario. Además, descubriste que Cristo es el único que puede ocupar el centro de tu vida y que cuando Él no ocupa ese lugar, no puedes alcanzar la plenitud.

PRINCIPIOS CLAVE DEL RESULTADO EXTRAORDINARIO

Ahora, hemos llegado al momento en que te mostraremos cómo Jesús aplicó el resultado extraordinario con cada uno de sus discípulos al mostrarles cinco principios clave para lograr y llegar al resultado extraordinario. Veamos cómo lo narra la Biblia:

Después de estas cosas, designó el Señor también a otros setenta, a quienes envió de dos en dos delante de él a toda ciudad y lugar adonde él había de ir.

Lucas 10:1

Como cristianos, nosotros debemos ir a cada pueblo y ciudad de nuestro país. Luego, debemos decirles a todos que ser cristiano es lo mejor que le puede suceder. Que vivir una vida con Cristo es pararse firme y saber que la vida es hermosa y que llegó la hora de dejar de vivir metido en el problema. Que llegó la hora de aplicar principios para ser la persona que Dios nos llamó a ser.

Jesús envió a estos discípulos a tocar treinta y cinco lugares en los que Él iba a visitar. Lugares en los que hablaría acerca del Reino de Dios y de las buenas nuevas de salvación:

Y les decía: La mies a la verdad es mucha, mas los obreros pocos; por tanto, rogad al Señor de la mies que envíe obreros a su mies.

Lucas 10:2

A veces, cuando uno disfruta y la pasa bien, es como que le cuesta trabajo acordarse de otros. Depende de la cultura, ¿verdad? Sin embargo, hay culturas que cuando están muy bien, festejan sus logros. Por ejemplo, los cristianos tenemos la costumbre de dar gracias por la comida. Muchos la agradecemos diciendo: «Gracias, Dios, por tener alimento en esta mesa». Con el tiempo comprendimos el concepto de que cada vez que estás en un momento donde te está yendo bien, esa es la mejor época para orar por otros.

Jesús decía que rogáramos «al Señor de la mies que envíe obreros a su mies». Por lo tanto, roguemos al Señor de la mies que cada vez haya más personas que se paren firme para contarle a la gente la bendición que es ser cristiano, tal como lo hicieron los setenta:

> Id; he aquí yo os envío como corderos en medio de lobos. No llevéis bolsa, ni alforja, ni calzado; y a nadie saludéis por el camino. En cualquier casa donde entréis, primeramente decid: Paz sea a esta casa. Y si hubiere allí algún hijo de paz, vuestra paz reposará sobre él; y si no, se volverá a vosotros. Y posad en aquella misma casa, comiendo y bebiendo lo que os den; porque el obrero es digno de su salario. No os paséis de casa en casa. En cualquier ciudad donde entréis, y os reciban, comed lo que os pongan delante; y sanad a los enfermos que en ella haya, y decidles: Se ha acercado a vosotros el reino de Dios.
>
> **Lucas 10:3-9**

A partir de este momento, la idea es que vayas, no que vuelvas. Así que ve y no te quedes aquí. No te quedes donde estás, no te quedes con esto solo. Entonces, ¿qué principios debes seguir para partir en busca del resultado extraordinario? Jesús les dio a sus discípulos cinco principios clave a fin de que pudieran llegar a lograr ese resultado extraordinario:

Primero: «He aquí yo os envío como corderos en medio de lobos»

¡Qué concepto tan interesante! El concepto que Dios está planteando aquí es que solo con armas espirituales se logran resultados espirituales. Es imposible que un cordero convierta a un lobo ni que le gane. Por lo general, el lobo se come al cordero. De modo que lo que el Señor te está diciendo es: «No confíes solo en que vas a ganar la batalla de la calle con las armas del mundo. Tampoco quieras ser más lobo que ellos. Lo que debes buscar son las armas espirituales que te he dado. No tengas miedo de ser cristiano. No tengas miedo de venir desde el punto de vista de la eternidad».

Un cordero lo que hace es pararse en medio de los lobos y dejar de tenerle miedo a la muerte. Por eso, llegó la hora de que salgamos a esa vida y dejemos de temerle a la muerte. Muchos cristianos mueren cada día. Mueren en sus angustias, mueren en sus problemas. Llegó la hora de que no le temamos a la muerte, no porque no exista, sino porque está debajo de nosotros. La vida que tenemos está en Cristo y tenemos su eternidad en nosotros. Nuestra relación con Él es más importante que nuestras circunstancias. Debido a que Él va a cubrir, va a sanar y va a ministrar a través de nosotros, es probable que hasta los lobos se conviertan.

Este primer llamado es a salir entendiendo que solo con armas espirituales lograrás estar en medio de lobos. Después sí vas a necesitar una lingüística poderosa, un diseño de acciones, una manera de relacionarte. Con todo, si no hay integridad en tu corazón de que es Cristo el que te da las fuerzas, es difícil que logres el resultado extraordinario por más técnicas que hayas aprendido con este libro. Lo extraordinario se logra con lo que Dios ya nos dio bajo nuestra elección de ir en medio de lobos.

Segundo: «No llevéis bolsa, ni alforja, ni calzado»

Esto significa que cuando salgas, dejes atrás todas tus cargas, dejes de pensar en todo lo que no puedes hacer, dejes de pensar en lo que te tiene cautivo y que te molesta, lo que quizá tenga que ver con la vida cotidiana. Por lo tanto, sal en busca de lo extraordinario sin el peso de tu pasado. Jesús nos dice:

> Venid a mí todos los que estáis trabajados y cargados, y yo os haré descansar.
>
> ***Mateo 11:28***

Cuando uno va en busca del resultado extraordinario, Cristo se va a ocupar de llevarte lo que necesites. Hubo uno que se quedó y no partió con los setenta porque miró hacia atrás, pues estaba más comprometido con la herencia. Nunca vas a llegar al resultado extraordinario si quieres llenar el vientre antes que el corazón. Lo que Dios quiere es que llenes tu vida, tu integridad y que salgas porque llegó el momento de ir por lo extraordinario y a lo extraordinario se va sin bolsa y sin alforja.

Tercero: «Y a nadie saludéis por el camino»

Después que estuvimos enseñando sobre las relaciones, viene Jesús y nos rompe todos los esquemas. Con esta frase no se refiere a que no saludemos a nadie, sino a una tradición oriental donde el saludo era de una manera especial. Dentro de las costumbres era mala educación no tomar un café con la persona que te servía de anfitriona. El hecho de comer la sal que tenía la comida, sellaba las palabras y daba a entender que lo hablado era con integridad. Entonces, cuando terminaba de hablar con este hombre, ya habían pasado seis horas. Luego, si a los dos minutos se encontraba con otro, sucedía lo mismo. De esa manera se pasaban hasta diez horas para recorrer cien metros.

Jesús les dice a sus discípulos que no saludaran a nadie por el camino debido a que la cultura oriental se maneja por procesos. No es el caso de la cultura occidental que se maneja de forma cronológica. Todavía hoy, el mundo oriental se maneja por procesos. Asimismo, el mundo espiritual se maneja por procesos. Hoy en día, por ejemplo, la pregunta no es cuánto falta para que Jesús venga, sino qué falta. Si le preguntas a Dios, Él te dirá: «Para mí, "un día es como mil años, y mil años como un día" (2 Pedro 3:8)», pues está el proceso. Lo que nos queda en occidente de este modelo es la misma cultura genética que la mujer trae desde sus orígenes. Sin embargo, los hombres son más cronológicos.

La mayoría de las mujeres son más dadas al proceso. A lo mejor te ha pasado esto con tu esposa: Un día te levantas, saludas a tu mujer y le dices: «¡Hola, mi amor! ¿Cómo estás?». A lo que te contesta: «¿Qué te importa cómo estoy? ¡Mal!». Así que te preguntas: ¿Qué le pasa a esta mujer? Sencillamente está en un momento de su proceso lunar donde necesita relacionarse contigo de esa forma.

Quizá te haya pasado algo así, cuando le dices a tu esposa: «Nos vemos a la una en tal lugar». Entonces, pasa la una y veinte, la una y cincuenta... ¡y aparece corriendo como loca con los chicos! Cuando le dices: «Hace cincuenta minutos que te estoy esperando», la expresión de su rostro la delata. Es como si te dijera: Tú no entiendes nada. En el momento que le explicas que tienes que estar a la una de la tarde en determinado lugar, la respuesta de tu esposa sería: «Tengo que bañar al nene, le tengo que dar de comer, tengo que terminar de arreglar la casa, me tengo que arreglar, me tengo que maquillar». Todo se debe a que vienen en procesos.

Hombres, déjennos darles este consejo: Si quieren llegar al resultado extraordinario en reunirse con sus esposas, no le digan: «Te veo a la una». En su lugar, comenten: «¿Qué te falta para que vengas conmigo?». Es probable que te diga: «Me falta arreglarme el cabello, tengo que maquillarme, terminar de limpiar. Ah, ¿tengo que llevar los chicos?». Luego, calculen el tiempo y le dices: «Nos vemos a los dos y media». Así que aprovechen ese tiempo para leer la Biblia en el parque, pero felices. En Oriente pasaba esto. Jesús no les decía que rompieran las reglas, sino que no saludaran a nadie.

Si quieres ir por el resultado extraordinario, vas a tener que enfocarte en traer este modelo a nuestra cultura. Lo que te queremos decir es que para lograr el resultado extraordinario debes comprender primero que solo con Cristo y sus armas lo puedes hacer. Segundo, no tienes que llevar ninguna alforja, no puedes llevar ninguna carga del pasado, y tercero, debes enfocarte porque cuando vayas por el éxito, muchos no van a querer que lo hagas.

Al principio, la gente no te va a creer cuando le digas: «Voy hacia mi resultado extraordinario que es tener una empresa en donde cada uno de sus miembros no solo sea poderoso, exitoso, íntegro, próspero, sino cristiano también». Entonces, te responderán: «Bueno, de nuevo con eso».

Cuarto: «Y si hubiere allí algún hijo de paz, vuestra paz reposará sobre él; y si no, se volverá a vosotros»

Lo que el Señor te está diciendo es: **Mientras vayas hacia el resultado extraordinario, debes comprometerte con relacionarte con los hombres y las mujeres de buena reputación.** Lo que Dios quiere para tu vida es que no vivas bajo el techo del maligno.

En nuestro caso, hemos viajado muchísimo durante los últimos veinte años. Una de las cosas que nos permite mantener disfrutando de la vida es que nos relacionamos con hijos de paz. Esto no significa que no estemos dispuestos para la persona que se encuentre en problema o necesidad. Sin embargo, cuando tenemos que elegir nuestras relaciones, buscamos hombres y mujeres de paz, pues eso es lo que nos permite ir hacia el resultado extraordinario. Para ir al resultado extraordinario pregúntate con quién te juntas todo el día, con quién almuerzas al mediodía, con quién conversas en la noche.

Quinto: «Y posad en aquella misma casa, comiendo y bebiendo lo que os den; porque el obrero es digno de su salario. No os paséis de casa en casa»

Esto significa que vivas una vida digna y dejes de creer que la vida del cristiano es mendigar paz, bendición y prosperidad. Un obrero de Dios es digno de la paz que recibe. Si te encuentras a alguien en la calle y te dice: «Te ves bien». Respóndele: «Sí, estoy bien porque elegí ser una posibilidad para la gente, porque elegí pararme firme y creer que el resultado extraordinario no solo se logra los domingos, sino cada día de la semana en la empresa y en la casa. Por eso me he convertido en un obrero digno».

El Señor termina diciendo: «No os paséis de casa en casa». Uno de los grandes problemas es que algunos creen que el resultado extraordinario se genera al tanteo, pero esto no es jugar a prueba-error. Pregúntale a Dios cuál es el camino y ten algo claro: No andes de casa en casa, mantente en un lugar, mantente en la dirección que planteaste en tu visión, mantente confiado. Conocemos gente que anda buscando la visión de casa en casa, de trabajo en trabajo y de iglesia en iglesia.

A MANERA DE CONCLUSIÓN

En resumen, aquí tienes los cinco puntos clave que nos muestran cómo llegar al resultado extraordinario desde la mirada de Jesús. Así que usa las armas de Dios, no te quedes solo con las técnicas. Deja las alforjas, deja el pasado atrás y enfócate. Relaciónate con los hijos de paz y sé un obrero digno en cada lugar, estando seguro, comiendo y bebiendo de lo que vas generando, así como disfrutando del caminar. Los setenta regresaron plenos con el corazón rebosante de alegría:

Volvieron los setenta con gozo, diciendo: Señor, aun los demonios se nos sujetan en tu nombre. Y les dijo: Yo veía a Satanás caer del cielo como un rayo. He aquí os doy potestad de hollar serpientes y escorpiones, y sobre toda fuerza del enemigo, y nada os dañará. Pero no os regocijéis de que los espíritus se os sujetan, sino regocijaos de que vuestros nombres están escritos en los cielos.

Lucas 10:17-20

Como ves, los discípulos lograron el resultado extraordinario. Pudieron contra todas esas huestes espirituales de maldad que hasta ese momento tomaban sus vidas. Por lo tanto, el Señor les recordó que lo único que valía la pena en toda su misión era que sus nombres estuvieran escritos en el libro de la vida, en el reino de los cielos.

No importa el éxito que tengas, sino lo que importa es que tu nombre esté escrito en los cielos. No hay nada más poderoso para el ser humano que vivir en la plenitud de la presencia de Dios. Si lo tienes todo, pero no vives en la presencia de Dios, no tienes nada. Si el resto no lo tienes y vives en la presencia de Dios, lo tienes todo.

APÉNDICE A
ILUSTRACIÓN DEL MÉTODO CC

Con el propósito de lograr lo que hasta ahora no consiguen, las personas cambian la acción. No obstante, sus intentos se frustran, pues lo hacen con la misma manera de ser que tienen hasta ese momento. En el Método CC queremos ir un paso más allá. Entonces, preguntamos: ¿Qué tipo de observador eras antes de realizar la acción? Luego, procuramos subir a la cima desde allí.

Veamos el comportamiento de los modelos:

MODELO TRADICIONAL:

ACCIÓN ···→ RESULTADO

MODELO DEL MÉTODO CC:

TIPO DE OBSERVADOR ···→ ACCIÓN ···→ RESULTADO

En el concepto de la educación transformativa, el Método CC se comienza a desarrollar mediante el gráfico anterior. Como ves, esta ilustración consta de una base, cinco escalones y dos flechas que emergen hacia arriba y se inclinan a la derecha.

DOS FLECHAS HACIA LA DERECHA

Las dos flechas significan que el Método CC te ayudará a mantenerte en el mismo espacio geográfico, pero viendo de una manera elevada. Lo que es más, encontramos muchos espacios que nos invitan a elevarnos.

Esta simbología es de suma importancia en nuestra presentación del Método CC.

En el mundo actual, el relativismo nos hace creer que solo basta con ser bueno y que no importa los principios que aplicas ni los que manifiestas. Pareciera ser que la clave del mundo de hoy es solo avanzar y crecer y creemos que tal observación trae más consecuencias que beneficios.

En el Método CC creemos que el único derecho que nos llevará a vivir una vida elevada, con un propósito duradero y no efímero, es el derecho de las Escrituras, de la Palabra respirada de Dios. Por lo tanto, ella nos permitirá tener la base de sustento para crecer y elevarnos. No es solo ver más, sino ver mejor, ver con bendición y para bendecir.

A través de todos estos años observamos a muchas personas tratar de elevarse creyendo ser el centro de sus vidas. Que el solo hecho de contar con principios y motivaciones les bastaba para poder ser mejores. Sin embargo, esto no es suficiente. Solo con el Eterno viviendo en el centro de tu vida podrás tener bendición que perdure. Creemos que Cristo debe ser el que ocupe el primer lugar en tu existir y que nada debe ser mayor que vivir en su presencia. No hay éxito sin el Creador del éxito. Lo demás es solo efímero o constantes que van hacia más de lo mismo y que nunca es suficiente.

DOS FLECHAS Y NO UNA

Otra de las distinciones que tiene el Método CC es que creemos que cada persona en este mundo tiene una función y que todos somos iguales en cuanto a valoración ante los ojos de Dios. Enunciamos que el camino hacia el desarrollo y la superación no está en la «posición»

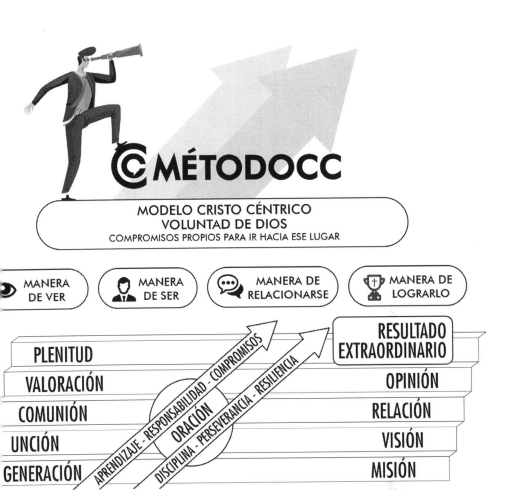

MÉTODOCC

MODELO CRISTO CÉNTRICO
VOLUNTAD DE DIOS
COMPROMISOS PROPIOS PARA IR HACIA ESE LUGAR

| MANERA DE VER | MANERA DE SER | MANERA DE RELACIONARSE | MANERA DE LOGRARLO |

		RESULTADO EXTRAORDINARIO
PLENITUD		
VALORACIÓN		OPINIÓN
COMUNIÓN		RELACIÓN
UNCIÓN		VISIÓN
GENERACIÓN		MISIÓN

APRENDIZAJE - RESPONSABILIDAD - COMPROMISOS
ORACIÓN
DISCIPLINA - PERSEVERANCIA - RESILIENCIA

que ocupas en la vida, sino en que desarrolles a tu máximo potencial la función para la que te crearon.

Además, creemos que en el tercer milenio las relaciones dependientes (estructura piramidal) o independientes (un punto aislado) no bastarán en la red de relaciones que nos invitan a desarrollar. Es hora de la interdependencia, donde unos y otros en la misma e igual condición nos ayudemos mutuamente conforme a la función de cada uno.

Una de las cosas maravillosas que el Método CC propone es poder desarrollar tu función en la vida en el contexto «del otro». Por medio de Cristo, como centro de nuestras vidas, recibiremos la ayuda para llegar a lo extraordinario con la bendición de Dios. Por lo tanto, no se trata de nosotros y nuestra relación en medio de otros para bendecir y ser bendecidos como individuos que solo interactúan cuando se lo piden sus intereses.

Muchos estudios académicos, metodologías o capacitaciones le dicen a la gente: «Te ayudaremos a que seas una persona con mucho conocimiento y con técnicas de última generación». Sin embargo, esto es como si fuera una sola flecha en un Universo aislado. Por eso creemos, y no nos cansaremos de enunciar, que Dios nos hizo en un mundo en el que, nos guste o no, estemos preparados o no lo estemos, vivimos siempre rodeados de gente con la que interactuamos.

Nos apena, pero debemos decirte que hemos visto a muchos líderes de multitudes (y cuando te digo multitudes, ponle un buen número) con maestrías y estudios de posgrado en las mejores universidades del mundo, pero débiles o poco preparados para la interacción. En realidad, «saben» cómo hacerlo, pero sin haber trabajado su tipo de observación en un mundo donde no es solo una flecha que cada día debe tener más brillo, sino alguien que debe interrelacionarse y «ser en el otro». El noventa por ciento de los problemas que tenemos no está relacionado con nosotros mismos, sino con nosotros en relación con los demás, cuando vivimos con otros...

APÉNDICE B
GLOSARIO DE TÉRMINOS

Debido a que la fraseología que sirve de base al método que se desarrolla en este libro es propia del argot deportivo, consideramos oportuno aclarar algunas palabras que permitirán una mejor comprensión del texto. Con tal fin, estas palabras aparecen marcadas con asteriscos a lo largo de todo el libro.

Coachee: Individuos u organizaciones expuestos al proceso de *coaching*.

Coaches: Personas dedicadas a entrenar, asistir y acompañar al *coachee* para ayudarlo a generar contextos transformativos, ver lo que hasta ahora no veía, subir al siguiente nivel y llegar hasta el logro al que se comprometió.

Coaches cristianos: *Coach* entrenado por el Método CC.

Coaching: Proceso de entrenamiento que ayuda a las personas y las organizaciones a incorporar distinciones y recursos a fin de lograr lo que hasta ahora no lograron en cualquier esfera, concretando el logro y alcanzando resultados.

Coaching cristiano: Proceso transformativo desde el Método CC.

Escuelas de coaching: Proceso formativo, ejecutado en diferentes niveles, para obtener las distinciones de *coaching* y las competencias necesarias para aplicarlas.

Resiliencia: La capacidad del hombre de pasar por momentos difíciles sin mostrar comportamientos disfuncionales.

Técnica de la cocreatividad: Es el modelo mediante el cual los *coaches* cristianos desarrollan el proceso del *coaching* con la persona (coachee) o la organización, dado que el mismo permite mantener todo el proceso centrado en la voluntad de Dios para esa persona u organización.

ACERCA DE
LOS AUTORES

Héctor Teme : Pensador. El icono del coaching cristiano en Iberoamerica.

Consultor, coach, mentor y asesor de politicos, lideres y pastores de renombre de iberoamerica. Declarado ciudadano ilustre de la ciudad de Miami por sus aportes a la comunidad. Sus libros y conferencias han sido leidos y escuchadas por cientos de miles de personas de 18 Naciones.

Fundador de la Comunidad Internacional de Coaches Cristianos, Fundador de la Christian Coaching University y Fundador de Metodocc, organizaciones que han cambiado la manera de pensar y actuar del liderazgo.

Hoy se desempeña como Director de la fundacion LA FUERZA DEL BIEN, movimiento social cristiano, que nuclea, promueve y entrena a quienes estan haciendo el bien en los Estados Unidos e Iberoamerica, ayudandolos a que sus propositos se cumplan y difundan.

Autor de Las Enseñanzas de la biblia para tener exito en la vida, 1997, Liderazgo con grandeza, 2004, Un impacto a una generacion, 2006, Otra Oportunidad, 2008, Logra lo Extraordinario, 2009, Elije triunfar, 2011, Emociones que conducen al exito, 2013, Sea un inmigrante feliz, 2015, Punto de Partida, 2018, Lo que los exitosos piensan, 2020, **Ganamos 2021, Metaiglesia 2022.**

Laura Teme es autora, conferencista y Master Coach profesional acreditada por la Federación Internacional de Coaching Ontológico Profesional (FICOP) y la asociación argentina de profesionales en coaching. Es co-fundadora y directora de MétodoCC con sedes en 10 países y presidente de la Christian Coaching University en Miami, Florida.

Es escritora y reconocida conferencista a escala internacional. Junto a su esposo, el Dr. Hector Teme, escribió el éxito de librería "Logra lo Extraordinario" sobre el proceso de coaching transformativo y autora de los éxitos de librería MUJER PROTAGONISTA y CONVIÉRTETE EN UN ÉXITO FRACASANDO, ambos publicados por Editorial Whitaker. Ha entrenado, capacitando y desarrollando líderes y equipos de alta performance en empresas Multinacionales de envergadura de diferentes países de Iberoamérica. Ha viajado dictando conferencias, entrenando en diferentes partes de mundo, comprometida con el desarrollo de COACHING PARA MUJERES QUE ELIGEN SER EXTRAORDINARIAS, ayudándoles a incorporar recursos, principios y distinciones, para lograr disfrutar de la vida en un mundo donde ya la clave no es saber sino ver más. Sus conferencias están causando que miles de mujeres vivan sus vidas, familias y organizaciones bajo el modelo de METODOCC. Esposa y madre de 3 bellas hijas radica en Miami junto con su familia.

Para más información, visita las siguientes páginas Web:

www.hectorteme.com
www.laurateme.com
www.coachingcristiano.com
www.metodocc.com

Catálogo

**Hagamos a los cristianos personas influyentes
y a los influyentes cristianos**

Libros
Entrenamientos intensivos
Certificaciones
Formaciones
Sesiones individuales o grupales
Procesos corporativos
2022. entendimiento y esperanza

Oficina Central
3250 NE 1st Av apt 318
Midtown Miami
oficinas regionales en:
USA east. Washington
USA West Mac allen
Caribe Puerto rico
Europa Madrid
Andina Cuenca
Cono Sur Buenos aires

Libros

Las enseñanzas de la Biblia para tener éxito en la vida

¿Cómo es la vida abundante que Jesús puso a nuestra disposición? Cómo renovar la mente para transformarse en un cristiano próspero y exitoso. Como vencer las preocupaciones y lograr la paz completa, viviendo de acuerdo a la palabra de Dios.

En papel, en audio, en digital y en Entrenamiento.

Otra oportunidad para los que desean triunfar

Excelente material para aquellos que desean incorporar nuevas miradas para nuevos retos. Es un refresco para quienes necesitan una nueva oportunidad en sus vidas, en sus relaciones, en sus resultados. En papel, en audio, en digital y en entrenamiento intensivo.

Logra lo extraordinario. El MÉTODO CC de Coaching Cristiano

El método de coaching cristiano que ha cambiado la vida de miles de personas disponible en un libro. Para que pueda transformar su manera de ver, su manera de relacionarse, su manera de ser y su manera de actuar. No puede no tener este Best Seller en su biblioteca. Es además el material del Diplomado de Coaching Cristiano 201. En papel, en audio, en digital, en entrenamiento intensivo y en entrenamiento certificado

Sé un inmigrante Feliz

Si usted vive en otra ciudad o país del que nació debe leer este libro. Le dará la perspectiva para ser feliz más rápido, para que pueda caminar en su nueva vida aprendiendo de su ayer y diseñando su mañana. Una joya que le permitirá ser un regalo para su nueva tierra.

En papel, en digital, en entrenamiento intensivo.

Elige triunfar

Miles de mujeres emprendedoras han sido beneficiadas con este libro. Un manual para armar equipo, para tener resultados, para mejorar tu lenguaje, para ser la mujer triunfadora que elegiste ser. **En papel, en digital. En entrenamiento intensivo.**

Emociones que conducen al éxito

Si las emociones te tienen, si crees que todo lo que sientes es verdad, si fracasas constantemente en tus relaciones por tu manejo emocional, este libro, urgente, es para ti. Aquí aprenderás a generar contextos emocionales que te ayudan a reinterpretar el ayer y mejorar el mañana. **En papel, en digital, en audio, en Entrenamiento intensivo.**

Punto de partida

El futuro antes que una acción, es una conversación. En este libro aprenderás a diseñar tu futuro, a descubrir quién quieres ser, a disfrutar de cada día y a incorporar nuevas miradas. Es además el material del diplomado de coaching avanzado 301 de MÉTODO CC
En papel, en digital, en entrenamiento certificado.

Lo que los exitosos piensan

En medio de circunstancias adversas hay personas y organizaciones que lo están logrando. Un programa corto e intenso para conocer la nueva manera de pensar pospandemia que te llevara a lugar y niveles de logros. **En papel, en digital.**

Libros

Ganamos, la historia espiritual

Este es el fin de la historia. Cuando puedes entender la historia espiritual y como ganamos podrás mirar el futuro con esperanza a pesar de la incertidumbre de las circunstancias. Ganamos es la obra maestra del autor escrita con una profundidad bíblica única. 380 páginas dignas de ser leídas y estudiadas. **En papel, en digital.**

Mujeres protagonistas

Las mujeres tienen un extraordinario potencial para convertirse en protagonistas de sus vidas y de su historia. Sin embargo, la gran mayoría de ellas vive expresando una mínima parte de todo su potencial. Mujer protagonista es un libro con herramientas precisas que Laura Teme ha enseñado a miles de mujeres en toda Hispanoamérica, logrando que ellas dejen de ser víctimas y se conviertan en protagonistas de su propia historia. En este libro aprenderás: Cómo ser más feliz y alcanzar tus metas, Las claves para ser responsable de tu propia vida, A trabajar tus emociones para que no dominen tus decisiones, Nuevas herramientas de lenguaje, El manejo de prioridades, Cómo definir tu identidad. Es el tiempo de superar los límites, la depresión, el desánimo y la incertidumbre, y convertirse en protagonista de tu vida, tu destino y de tu historia personal.
En Papel, En digital, En entrenamiento Intensivo.

Liderazgo con Grandeza. El modelo de liderazgo de Juan el Bautista

Podemos aprender de las escrituras a ser "grandes". Liderazgo con grandeza te asiste para incorporar el modelo de menguar para crecer, y entrenarte para ser un grande conforme al corazón de Dios

En papel, en digital, en audio, en entrenamiento intensivo.

Conviértete en un éxito fracasando

En algún tiempo de la vida, nos enfrentaremos a un fracaso. Tendemos a desalentarnos, y muchos llegan a creer que ese es el fin de su futuro. Pero lo importante no es lo que te pasa, sino cómo te relacionas con lo que te pasa, y el tipo de observador con el que mires el fracaso. Este libro que desafiará al máximo tu mirada, te enseñará que el aprendizaje está en la brecha entre el fracaso y el éxito, y que el fracaso es la materia prima del éxito. Aprenderás cómo mirar la vida como posibilidad, y ver las oportunidades en medio del fracaso, para que obtengas lo mejor de cada paso que des, y te conviertas en un éxito... ¡Fracasando!

En papel, en digital, en audio, en entrenamiento intensivo.

METAIGLESIA prepárese para lo que viene

¿Cómo serán los cristianos dentro de 5 años? ¿Cómo prepararnos desde ahora para convertirlo en una oportunidad? Adquiera hoy mismo el libro que le dará claridad y herramientas para poder ser un cristiano en medio de los cambios y convertir los problemas en desafíos.

En papel, en digital, en audio, en entrenamiento Intensivo

.

Entrenamientos Intensivos
Focus Training

Líder de Crisis

Del audio libro "LÍDER DE CRISIS" de Héctor Teme, MÉTODO CC pone a tu disposición en una primicia única: un entrenamiento del AUDIOLIBRO práctico, condensado, cargado de pautas estratégicas para ser un líder y coach de manejo de crisis.

En audiolibro. *https://www.metodocc.com/courses/liderdecrisis*

Aprenda a trabajar desde su casa

Trabajar en la casa requiere nuevos conceptos. Nuevas miradas, y conversaciones diferentes. En este Entrenamiento intensivo podrás en muy poco tiempo tener claves para tomar el nuevo desafío de una manera poderosa. Ideal para ser visto por cada trabajador de la organización.

En entrenamiento Intensivo

https://www.metodocc.com/courses/trabajarencasa

Coaching para Jefes

Elija dedicarle su tiempo a entrenarse en herramientas de última generación de COACHING PARA JEFES. No puedes perder el tiempo, con baja productividad, con empleados en sus casas, con desánimo e incertidumbre debes aprender nuestras formas. No se puede lograr nuevos resultados con viejas maneras. Y este es tu tiempo y MÉTODO CC te preparó un entrenamiento A UN PRECIO SIMBÓLICO para que elijas incorporar nuevas miradas para tratar con tu gente

En entrenamiento Intensivo

https://www.metodocc.com/courses/coachingparajefes

Líderes preparándonos para la
reconstrucción

★ ★ ★ ★ ★ (17)

15 Lecciones $99.00

Líderes preparándonos para la reconstrucción

La pregunta que hoy golpea la mente de miles en el mundo ¿Y después de este tiempo de aislamiento que hacer? Líderes visionarios te entregan herramientas y entendimiento para que elijas ser un líder preparado para reconstruir de las cenizas con una manera poderosa de ser, ver, relacionarse y accionar. Una compilación de perlas de entendimiento para empoderar tu vida.

En entrenamiento Intensivo

https://www.metodocc.com/courses/lideres-preparandonos-para-la-reconstruccion

Mirando desde el otro lado

★ ★ ★ ★ ★ (18)

16 Lecciones $99.00

Mirando desde el otro lado

No puedes pretender ir al futuro con las viejas formas. Este es el tiempo para que elijas hacerte cargo de lo que vas a mirar con respecto a tu futuro. Hazlo ahora.

- Entiende cómo abordar tus paradigmas
- Aprende cómo estirarte y no estresarte
- Cómo gestionar tus emociones para ir hacia adelante.

En entrenamiento Intensivo

https://www.metodocc.com/courses/mirando-desde-el-otro-lado

METODOCC IGLESIA, ENTRENAMIENTOS
El Plan Perfecto de Dios

★ ★ ★ ★ ★ (7)

4 Lecciones $99.00

El plan perfecto de Dios

El plan perfecto de Dios. En medio de la incertidumbre un buen tiempo para ver el propósito de Dios para el mundo y para cada uno de nosotros. Será un tiempo excelentemente bien invertido. 2 horas de duración.

En entrenamiento Intensivo

https://www.metodocc.com/courses/el-plan-perfecto-de-dios

Certificaciones

Diplomado Intensivo de Coaching
Transfórmate en una persona que ve más allá de una manera más poderosa y que está preparada para alcanzar un nuevo y extraordinario nivel en su vida y sus logros. Entrenamiento intensivo de 4 horas para una vida de posibilidades
Entrenamiento intensivo

Diplomado de Coaching Cristiano
La certificación de coaching cristiano más importante de Iberoamérica. Ve más, sé mejor, relaciónate poderosamente y lógralo. Aprende en 12 materias divididas en 4 módulos que te desafiarán a alcanzar lo extraordinario en tu vida. En una modalidad intensiva que lo puedes realizar desde la comodidad de tu casa, a tu ritmo y con la posibilidad de repasar los módulos cuantas veces lo requieras. Con materiales de apoyo. Lecturas que refuerzan el aprendizaje. Resúmenes de los módulos temáticos y mucho más. Certifícate hoy mismo.
https://www.metodocc.com/courses/diplomado-de-coaching
Entrenamiento Certificado

Diplomado de Coaching Cristiano avanzado
Diplomado avanzado de Coaching. Punto de partida. Descubre, diseña, disfruta. Ideal para comenzar procesos, años, empresas, proyectos.
https://www.metodocc.com/courses/301
Entrenamiento Certificado

Formaciones

Formación de Coaches Cristianos

Tienes la oportunidad de certificarte en una de las disciplinas de mayor crecimiento y demanda en el mundo actual y a la vez entrenarte en la organización pionera de formación en coaching profesional con fundamento cristiano. La formación de coaches cristianos te permitirá, adquirir nuevos niveles de gestión, relación, comprensión y empoderarte para ver más y lograr lo extraordinario, siendo relevante en un mundo de constante cambio.

En Entrenamiento online.

401.metodocc.com

Formación de Coaches de Gobierno

La primera certificación de coaches internacional estructurada en el contexto político y del servidor público, incorporando los avances y tendencias de punta en management, empoderamiento, gestión de máxima productividad y visión estratégica.

En entrenamiento Online

402.metodocc.com

Formación de Coaches Ejecutivos

Coaching para ejecutivos es una certificación de coaching profesional con una duración de 10 meses, completamente estructurada para el contexto corporativo, empresarial y de alta gestión de liderazgo ejecutivo

En entrenamiento online

403.metodocc.com

Formaciones

Entrenamiento de Acreditación Profesional

Un espacio de capacitación y entrenamiento para los Coaches certificados que deseen hacer del Coaching su profesión y crecer académicamente, obteniendo la acreditación profesional con reconocimiento internacional ante la FICOP (Federación Internacional de Coaching Ontológico Profesional)

En Entrenamiento Online

501.metodocc.com

Senior Coach

Una certificación avanzada para coaches profesionales.La certificación como Senior coach es un programa de entrenamiento dirigido a coaches titulados y certificados, que buscan elevar sus niveles de gestión profesional, efectividad, y resultados, especializándose en herramientas avanzadas para los procesos profesionales. El egresado logra un manejo superior de las herramientas del coaching, el uso de las mismas y su interpretación integral del proceso. Elevando el poder de transformación de la profesión de Coaching Cristiano, tanto en el coaching personal, organizacional y de gobierno.

En Entrenamiento Online

601.metodocc.com

Sesiones

SESIONES DE COACHING PERSONALES Y/O GRUPALES
Sesiones de Coaching Personales

4 Lecciones

Sesiones de Coaching Personal

Es un proceso de empoderamiento y transformación que te permitirá trabajar de una manera excepcional el diseño de futuro y lograr alcanzar resultados extraordinarios. El coaching profesional es un PROCESO DE ACOMPAÑAMIENTO, que se enfoca en la vida de un individuo y se relaciona con establecimiento de metas, producción de resultados y gestión del cambio personal. Los proceso de coaching personal se enfocan en poder abrir posibilidades para que puedas responder con capacidad de acción efectiva, herramientas y entendimiento a preguntas cómo:

- ¿Quieres conquistar aquello que siempre has soñado y hasta hoy no la has podido lograr?
- ¿Estás buscando un proceso que te permita acelerar los resultados en diferentes áreas de tu vida?
- ¿Estás pasando por momentos de incertidumbre porque no puedes manejar o controlar los cambios y las circunstancias?

Consultas y sesión informativa a info@metodocc. com

SESIONES DE COACHING PERSONALES Y/O GRUPALES
Sesiones de Coaching Grupales

0 Lecciones

Sesiones de Coaching Grupal

Sesiones de Coaching grupales para trabajar procesos de diseño, incorporación de herramientas prácticas, entendimiento para conquistar desafíos a través de un espacio de empoderamiento que te permita ver más, ser quien fuiste llamado a ser, con gestiones poderosas en tus relaciones y capaz de diseñar un plan efectivo de acción para la conquista de aquellos sueños que anhelas alcanzar

Consultas y sesión informativa a info@metodocc.com

SESIONES DE COACHING PERSONALES Y/O
GRUPALES
Sesiones de Coaching Personales

4 Lecciones

Sesión de Coaching Personal Premium

Un programa intensivo basado en nuestro diplomado de coaching LOGRA LO EXTRAORDINARIO que genera el diplomado con 8 sesiones de coaching incluidas por un coach certificado de MÉTODO CC o también con los MC Héctor y/o Laura Teme. El mismo te lleva en un mínimo de tiempo a revisar tu manera de mirar, de ser, de relacionarse y de actuar y te equipa de herramientas para que puedas lograr lo extraordinario con la bendición de Dios. Un proceso que ha bendecido la vida de miles de personas en Iberoamérica.

Consultas y sesión informativa a info@metodocc. com

Made in the USA
Middletown, DE
21 June 2022